por que acreditamos no que acreditamos

David McRaney

por que acreditamos no que acreditamos

como as opiniões são formadas e como **mudá-las**

Tradução

Bruno Fiuza

Rio de Janeiro, 2023

Título original: *How Minds Change: The Surprising Science of Belief, Opinion, and Persuasion*

Diretora editorial: *Raquel Cozer*
Gerente editorial: *Alice Mello*
Editor: *Lara Berruezo*
Editoras asssitentes: *Anna Clara Gonçalves e Camila Carneiro*
Assistência editorial: *Yasmin Montebello*
Revisão: *Lui Navarro e Luiz Felipe Fonseca*
Capa: *Guilherme Peres*
Diagramação: *Abreu's System*

Dados Internacionais de Catalogação na Publicação (CIP)
(Câmara Brasileira do Livro, SP, Brasil)

McRaney, David
Por que acreditamos no que acreditamos / David McRaney ; tradução Bruno Fiuza. – 1. ed. – Rio de Janeiro : HarperCollins Brasil, 2023.

Título original: How Minds Change
ISBN 978-65-5511-476-8

1. Atitudes – Mudanças 2. Crença e dúvida 3. Julgamento 4. Opinião pública I. Título.

22-139112 CDD-153.4

Índices para catálogo sistemático:

1. Atitudes : Mudança : Psicologia aplicada 153.4

Aline Graziele Benitez – Bibliotecária – CRB-1/3129

Rua da Quitanda, 86, sala 218 — Centro
Rio de Janeiro, RJ — CEP 20091-005
Tel.: (21) 3175-1030
www.harpercollins.com.br

PARA BLAKE.

Obrigado por se tornar o irmão de um filho único,
por sempre me fornecer novas histórias para contar
e por me ensinar a despistar o universo.

SUMÁRIO

INTRODUÇÃO

Estamos prestes a embarcar em uma jornada para entender como as pessoas mudam de ideia. Ao final dessa jornada, você não só conseguirá colocar em prática o que aprendeu para fazer os outros mudarem de ideia, como também terá mudado as suas, espero, porque foi o que aconteceu comigo, de inúmeras formas.

Depois de ter escrito dois livros sobre vieses cognitivos e falácias lógicas, e em seguida passar vários anos apresentando um podcast sobre esses assuntos, eu me afundei em um longo e confortável pessimismo, do qual você talvez compartilhe hoje em dia. Fosse no palco, atrás do microfone, ou em textos escritos, eu costumava dizer que não fazia sentido tentar mudar o pensamento das pessoas em relação a temas como política, superstições ou teorias da conspiração — e menos ainda em relação a uma combinação dos três.

Afinal de contas, quando foi a última vez que você tentou mudar a opinião de alguém? Como foi? Graças à internet, temos mais acesso do que nunca a pessoas que estão do lado oposto em questões com as quais nos importamos. Portanto, são grandes as chances de que recentemente você tenha debatido com alguém que via as coisas de outra forma, e aposto que essa pessoa não mudou de ideia quando você apresentou o que, ao seu ver, parecia uma evidência clara de que ela estava errada. Ela provavelmente saiu da conversa não só irritada, como mais convencida do que nunca de que estava certa, e você, errado.

Tendo sido criado no Mississippi, esse tipo de discussão fazia parte do meu dia a dia, assim como do de muitas pessoas da minha geração, muito antes de a internet nos apresentar ao vasto mundo das divergências. As pessoas nos filmes e nos programas de televisão pareciam discordar o tempo todo dos adultos que nos diziam que o Sul dos Estados Unidos iria voltar a brilhar, que a homossexualidade era pecado e que a evolução era só uma hipótese. Nossas famílias pareciam estar presas em um outro tempo. Fosse a questão um fato científico, uma norma social ou uma posição política, as coisas que pareciam obviamente verdadeiras para meus amigos, as ideias que chegavam até nós vindas de longe, criavam um atrito em nossas vidas domésticas e nas festas de família, atrito esse que a maioria aprendeu a evitar. Não fazia sentido tentar mudar a opinião das pessoas.

Nosso pessimismo não vinha do nada. No Cinturão Bíblico, quebrar tabus representava um risco real, e, de vez em quando, todos nós tínhamos que fazer uma escolha em relação a como — e quando — esses tabus seriam questionados.

Durante a adolescência, passei um verão como entregador de flores do meu tio, que havia comprado uma floricultura no centro da nossa cidadezinha com o dinheiro que economizara trabalhando como paramédico. Quando o proprietário do imóvel começou a importuná-lo, meu tio ligou para o meu pai pedindo ajuda. Assim que desligou o telefone, meu pai pegou as chaves do carro e me pediu para acompanhá-lo, e fomos até a loja. Ele estacionou o carro, se meteu no meio da briga, deixou bem claro que haveria problemas se os aborrecimentos não parassem e voltou para o carro. Mas a coisa que me marcou foi que ele não falou nada no trajeto de volta nem pelo resto do dia, e jamais mencionou aquilo para as outras pessoas da família. Ele não precisou pedir o meu silêncio. Eu sabia por que tínhamos que manter aquilo em segredo, e assim o fiz.

Sendo fissurado por ciência e por ficção científica, meu cinismo só aumentou depois que saí de casa e comecei a trabalhar para jornais locais, e então para a rede de televisão local, justo no momento em que as redes sociais entraram em nossas vidas. Antes de começar a cobrir a pauta voltada para ciências, uma das minhas responsabilidades era moderar a página do Facebook para a pequena operação da WDAM-TV em Ellisville, no Mississippi. Durante anos, minha rotina incluía a leitura de comentários desanimadores de telespectadores furiosos ameaçando boicotar o canal depois de qualquer reportagem científica que questionasse a visão de mundo deles.

Eu me dei conta do ponto a que os nossos espectadores estavam dispostos a levar esse tipo de discussão quando um meteorologista explicou, ao vivo, por que a mudança climática era real, provavelmente uma consequência das emissões de carbono da atividade humana. Os comentários transbordaram de raiva depois que usei a conta oficial da emissora no Facebook para compartilhar links de especialistas. Assim como a maioria das pessoas, imaginei que os fatos fossem falar por si, mas uma série de comentaristas furiosos surgiu nos posts, compartilhando seus próprios links, e eu passei a tarde inteira fazendo checagem de fatos, rebatendo cada argumento assim que os telespectadores o publicavam. No dia seguinte, um homem confrontou uma de nossas equipes de reportagem na rua e perguntou quem administrava nossa página no Facebook. Eles deram meu nome, o telespectador foi até a sede do canal e pediu para falar comigo pessoalmente. Ao perceber que o sujeito era uma potencial ameaça, a recepcionista ligou para a polícia. Irritado, ele foi embora antes que as autoridades chegassem, e os policiais incluíram o estacionamento da emissora na rota das patrulhas pelo resto da semana, mas passei meses verificando os arredores antes de entrar ou sair do prédio.

Quando ainda trabalhava no canal, curioso em relação aos fatores psicológicos por trás de tudo aquilo, comecei a escrever um blog sobre o assunto. Ele deu origem a alguns livros, depois a palestras ao redor do mundo e, por fim, a uma nova carreira. Lancei um podcast para explorar todas as formas pelas quais as pessoas se recusavam a aceitar determinadas evidências ou a simpatizar com outras, e, sob a marca *You Are Not So Smart* [Você não é tão esperto, em tradução livre], fiz da psicologia do raciocínio motivado o fio condutor do meu trabalho como jornalista científico. Eu estava ganhando a vida com bastante conforto dizendo às pessoas que não fazia sentido tentar mudar a cabeça dos outros.

Mas nunca me senti confortável com essa perspectiva pessimista, principalmente depois de testemunhar a súbita mudança de ponto de vista em relação ao casamento entre pessoas do mesmo sexo nos Estados Unidos. Uma mudança que acabou por chegar à minha cidade natal, permitindo que meu tio assumisse publicamente sua homossexualidade e que os meus amigos LGBTQIA+ postassem fotos de seus casamentos.

Ainda que, em 2012, a maior parte do país se opusesse à legalização do casamento entre pessoas do mesmo sexo, no ano seguinte, a maioria passou a aprová-lo. Desde 2010, a oposição vinha despencando. E, quando a opinião da maioria se inverteu, os argumentos evaporaram. Apenas alguns anos antes, eu monitorava diariamente discussões sobre como o casamento entre pessoas do mesmo sexo acabaria com os Estados Unidos ao destruir seus valores familiares. *É óbvio*, pensei, *que as pessoas podem mudar de ideia, e rapidamente. Então, qual era o sentido de todas aquelas discussões?*

Procurei um cientista que pudesse me ajudar a responder a uma pergunta que eu nunca havia pensado em fazer, uma que agora me incomodava. Por que discutimos? Qual a finalidade disso? Todas essas desavenças virtuais estão nos fazendo bem ou mal?

Convidei o famoso cientista cognitivo Hugo Mercier, especialista em raciocínio e argumentação, para participar do meu programa. Ele explicou que a evolução nos preparou para chegar a consensos — às vezes em relação a fatos, às vezes em relação ao que é certo e ao que é errado, às vezes em relação ao que comer no jantar — à força. Grupos que chegaram com mais facilidade a um consenso, tanto produzindo quanto avaliando argumentos, tiveram maior êxito em alcançar objetivos comuns e prevaleceram sobre grupos que não o fizeram. Isso deu origem à psicologia inata que nos compele a persuadir os outros a ver as coisas do nosso jeito quando acreditamos que nossos grupos estão equivocados.

Mercier me disse que, se não fôssemos capazes de mudar nossas opiniões ou as dos outros, não haveria sentido algum em debater. Ele me pediu para imaginar um mundo onde todos fossem surdos. "As pessoas pararam de falar", disse ele. O fato de discordarmos com tanta frequência não é uma falha no raciocínio humano; é uma característica. Para ter exemplos de como as discussões levaram a mudanças repentinas, tudo o que eu precisava fazer era olhar para a história das mudanças nos Estados Unidos.

Encontrei um livro sobre opinião pública escrito pelos cientistas políticos Benjamin Page e Robert Shapiro que explica que, desde que as pesquisas de opinião tiveram início, no começo do século XX, quase metade das mudanças significativas de opinião nos Estados Unidos foram, como no caso do casamento entre pessoas do mesmo sexo, abruptas.[1]

Pontos de vista em relação a assuntos como aborto, guerra no Vietnã, raça, mulheres, direito de voto, tabagismo, maconha e muitos outros temas permaneceram estáveis por anos. Em todos os casos, o debate começou com pequenos grupos e se espalhou para outros maiores, dos lares para a Câmara dos Representantes dos Estados Unidos. Então, subitamente, a impressão era de que a inércia se rompia. Quando a maré da opinião pública virava em relação a essas questões, a mudança era tão rápida que, se as pessoas pudessem entrar em uma máquina do tempo e voltar apenas alguns anos, muitas provavelmente debateriam consigo mesmas com o mesmo fervor com que discutem sobre questões em voga hoje.

Passei a encarar o vaivém de nossas incessantes discussões como uma forma de equilíbrio pontuado. É esse o nome que se dá na biologia. Quando os organismos têm a capacidade de mudar, mas há pouco incentivo para isso, eles permanecem basicamente os mesmos de uma geração para a outra. Entretanto, se a pressão para se adaptar aumenta, o ritmo da evolução aumenta em resposta. Ao longo de uma extensa escala de tempo, surge um padrão, longos períodos de mesmice pontuados por períodos de mudanças rápidas. Olhando para a história das revoluções e inovações sociais, parecia haver esse mesmo padrão, e eu queria entender a explicação psicológica por trás disso.

Eu me perguntava o que acontecia dentro de todos aqueles cérebros antes e depois de mudarem de ideia. O que nos convence, e como? O que rompe a resistência com tal força que não apenas passamos a ver as coisas de uma forma completamente diferente, como também nos perguntamos de que modo fomos capazes de vê-las de outra?

Como uma pessoa, ao longo de uma década, deixa de se opor à "pauta gay" para comparecer alegremente ao casamento entre pessoas do mesmo sexo? Como uma nação inteira vai de fumar dentro de aviões e escritórios a proibir o fumo em bares e restaurantes e nos programas diurnos de televisão? O que faz as bainhas das calças subirem e descerem e as barbas aparecerem e desaparecerem? Como a maconha passou de remédio para insanidade a remédio contra o glaucoma? Por que você não concorda mais com o que escreveu no seu diário de adolescente, não quer acreditar nas mesmas coisas nem corta seu cabelo da mesma forma que a pessoa que você era apenas uma década atrás? O que fez a *sua* opinião mudar? Como essas mudanças *acontecem*?

Eu queria entender a alquimia psicológica das epifanias, grandes e pequenas. Achava que, se fosse capaz de explicar a natureza misteriosa de como as pessoas mudam ou não mudam de ideia — e por que essa mudança geralmente ocorre em rompantes após longos períodos de certeza —, poderíamos nos tornar mais aptos a efetuar essas mudanças, inclusive em relação às nossas próprias ideias. E, assim, começou a obsessão que você tem agora em mãos.

Este é um livro sobre como as pessoas mudam de ideia — e como fazê-las mudar — não ao longo de centenas de anos, mas em menos de uma geração, em menos de uma década ou, às vezes, em uma única conversa. Nas páginas a seguir, você vai aprender onde erramos quando não conseguimos fazer alguém mudar de ideia, ao explorar a surpreendente estrutura psicológica por trás de como as pessoas alteram e atualizam suas crenças, suas posturas e seus valores; e vai aprender também a aplicar esse conhecimento àquilo que você acredita que precise ser mudado, seja em uma ou em milhares de mentes.

Você vai conhecer especialistas que estudam esse tipo de coisa e passar algum tempo com pessoas que mudaram de ideia, tanto em poderosos momentos de epifania quanto em longas caminhadas rumo a insights surpreendentes. Nos capítulos finais, vamos ver como essas ideias se fundem para dar origem a mudanças sociais e, nas circunstâncias ideais, se propagar por nações inteiras em menos de uma geração. Vamos ver que a velocidade da mudança é inversamente proporcional à força da nossa certeza e que a certeza é uma sensação: um meio-termo entre emoção e estado de espírito, algo mais parecido com a fome do que com a lógica. A persuasão, não importa de onde venha, é uma força que afeta essa sensação.

Quando chegarmos às técnicas, talvez você fique receoso em relação aos princípios éticos da coisa toda. Por mais que acreditemos que nossas intenções são boas ou que os fatos estão do nosso lado, a persuasão pode parecer uma forma de manipulação. Contudo, talvez você fique mais aliviado ao saber que, em sua definição científica, a persuasão é o ato de mudar uma mente *sem* coerção. Como Daniel O'Keefe, professor de comunicação, a define, a persuasão é "um esforço intencional bem-sucedido de influenciar o estado mental de outra pessoa por meio da comunicação, em uma circunstância em que o persuadido tenha algum grau de liberdade".

Mais especificamente, como o psicólogo Richard N. Perloff explicou anos atrás em seu livro *The Dynamics of Persuasion* [A dinâmica da persuasão, em tradução livre], podemos evitar o uso da coerção se nos ativermos à comunicação simbólica, na forma de mensagens destinadas a alterar posturas, crenças ou ambas por meio da "aceitação voluntária" dessas mensagens. De acordo com Perloff, podemos distinguir a coerção da persuasão quando "consequências terríveis" são empregadas para estimular uma pessoa a agir "como o opressor quer que ela aja, e supostamente em conflito com suas preferências". Ele acrescenta que, quando as pessoas acreditam que são livres para rechaçar o interlocutor, é então que a persuasão ética está em jogo. Somente "quando os indivíduos percebem que não têm escolha a não ser obedecer é que a tentativa de exercer influência pode ser tida como coercitiva".

Persuasão não é coerção, também não é uma tentativa de derrotar seu oponente intelectual com fatos ou com superioridade moral e tampouco um debate em que há um vencedor e um perdedor. Persuasão é conduzir uma pessoa por um caminho em etapas, ajudando-a a entender melhor o próprio pensamento e a forma como ele pode estar alinhado com a mensagem em questão. Não é possível persuadir outra pessoa a mudar de ideia se essa pessoa não quiser, e, como veremos, as técnicas que funcionam melhor se concentram mais nas motivações de uma pessoa do que nas conclusões a que ela chega.

Você vai descobrir que, de inúmeras formas, persuasão diz respeito principalmente a estimular as pessoas a perceberem que a mudança é possível. Toda persuasão é uma autopersuasão. As pessoas mudam ou não com base em seus próprios desejos, motivações e contra-argumentos internos, e, se você se concentrar nesses fatores, é mais provável que um debate provoque uma mudança de ideia. Como o psicólogo Joel Whalen disse certa vez: "Você não pode mover uma corda empurrando-a, você tem que puxá-la".

É por isso que é tão importante compartilhar suas intenções logo de cara. Isso não apenas mantém você em uma base ética sólida como também aumenta suas chances de sucesso. Caso você não o faça, as pessoas vão presumir suas intenções. O que quer que elas presumam se tornará sua "verdadeira" posição na cabeça delas, e você corre o risco de não ter a conversa que esperava. Se elas acreditarem que sua posição é que elas são ingênuas, estúpidas, iludidas, que estão no grupo errado ou que são más, então é claro que elas vão resistir, e a partir daí os fatos serão irrelevantes.

No início da minha pesquisa, apliquei um pouco disso com meu pai em uma discussão sobre uma teoria da conspiração que permeava a visão política dele. Estávamos debatendo fatos — havia bastante tempo.

Exausto, respirei fundo e me perguntei o que eu realmente queria. Por que eu queria mudar a cabeça do meu pai?

Eu disse: "Eu te amo e só estou preocupado que você esteja sendo enganado". O debate terminou instantaneamente. Começamos então uma conversa sobre em quem podemos confiar na internet. Ele baixou a guarda e admitiu que estava aberto a mudar de ideia sobre os fatos, que era só desconfiado em relação às fontes.

Quando me perguntei por que queria que ele mudasse de ideia, minha resposta foi: "Não confio nas fontes dele e também não quero que ele confie nelas". Por quê? "Porque eu confio em outras fontes que discordam e gostaria que ele confiasse também." Por quê? "Quero que estejamos do mesmo lado." Por quê? Você pode continuar se perguntando até que esteja contemplando as partículas subatômicas da sua motivação, mas é crucial que pelo menos compartilhe suas intenções ao questionar as ideias de alguém; caso contrário, a postura de ambos será: "Eu estou certo e acho que você está errado".

Espero que você carregue essa pergunta — *Por que quero fazer com que o outro mude de ideia?* — em sua mochila mental enquanto viaja comigo capítulo a capítulo. E espero que essa pergunta desabroche, como aconteceu comigo, em uma série de outras.

Você está lendo estas palavras porque cada um de nós tem o poder de abandonar antigas crenças, substituir a velha ignorância por uma nova sabedoria, mudar nossa postura à luz de novas evidências e se libertar de dogmas ultrapassados, tradições nocivas e do retorno cada vez menor de políticas e atitudes já enterradas. A capacidade de perceber que estamos errados está embutida na bagunça pegajosa de neurônios que existe dentro da cabeça de todo ser humano. Mas quando, o que e quem devemos tentar mudar?

O que conta como ignorância perigosa ou dogma ultrapassado? Quais os atributos de uma tradição nociva, de uma política suplantada ou de uma atitude equivocada? Que normas são tão prejudiciais, que crenças são tão incorretas que, uma vez que saibamos como mudar de opinião, devemos aproveitar todas as oportunidades para fazê-lo? E a maior armadilha de todas: como saber quando estamos certos e os outros estão errados?

Além disso, o que significa "mudar de ideia"?

Vamos responder a tudo isso daqui por diante, mas eu não comecei essa jornada com essas perguntas em mente. Elas surgiram mais tarde, depois que me dei conta de boa parte da minha própria ignorância. É por isso que acho que devemos nos fazer essas perguntas aqui, antes de mesmo de começar, e tê-las conosco durante as lições e conversas que nos esperam.

A capacidade de mudar de ideia, de atualizar nossos pressupostos e de refletir sobre outros pontos de vista é uma de nossas maiores forças, uma habilidade proporcionada pela evolução que acompanha gratuitamente cada exemplar do cérebro humano. Em breve você vai ver que, para impulsionar essa força, devemos evitar os debates e começar a ter conversas. Debates têm vencedores e perdedores, e ninguém quer ser um perdedor. Mas, se ambos os lados se sentirem seguros para explorar suas linhas de raciocínio, refletir sobre a própria maneira de pensar e explorar suas motivações, podemos evitar cair no beco sem saída que é tentar vencer uma discussão.

Em vez disso, podemos correr atrás do objetivo comum de aprender a verdade.

1
PÓS-VERDADE

Avistei Charlie Veitch enquanto ele subia pela escada rolante logo abaixo da entrada da London Road na estação de trem Manchester Piccadilly. Ele usava um moletom xadrez verde, uma calça jeans azul e uma mochila. Uma área de cabelo branco logo acima das têmporas se destacava em seu corte de cabelo conservador. Ao chegar ao topo, ele deu um sorriso, se endireitou, e manteve a mesma disposição enquanto percorria a distância que nos separava.

Ele me deu oi sem parar de andar e se virou para adentrar o fluxo de pedestres, seu corpo separando em dois o desfile de pessoas que vinha na direção oposta. Charlie manteve a cabeça virada para mim e deixou de lado as apresentações, explicando com gestos largos a arquitetura e a história da cidade onde ele e sua parceira, Stacey, estavam criando três filhos. A vida era boa ali, disse ele, embora ainda trabalhasse usando um nome falso para impedir que os fãs de teorias da conspiração o encontrassem.

Charlie é um homem alto, de modo que acompanhar seu passo exigia algum esforço. Eu me senti sendo puxado, como se estivesse agarrado à traseira de um ônibus, meus pés suspensos no ar como em um filme de Chaplin. Ele tinha ideias que queria compartilhar sobre os sem-teto, a arte local e as cenas musicais, a produção moderna de filmes, as semelhanças e diferenças entre Manchester, Londres e Berlim — tudo antes de chegarmos à nossa terceira faixa de pedestres, que ele provavelmente teria ignorado, como as anteriores, se o trânsito tivesse permitido.

Eu queria conhecer Charlie porque, quando ganhava seu sustento como teórico da conspiração profissional, ele havia feito algo incrível, algo tão raro e incomum que, antes de dar início a este livro, eu achava que fosse impossível — algo que quase arruinou sua própria vida.

Tudo começou em junho de 2011, pouco antes do aniversário de dez anos do Onze de Setembro, quando Charlie embarcou em um avião da British Airways no aeroporto de Heathrow com destino aos Estados Unidos e ao Marco Zero. Ele e quatro outros teóricos se juntaram a um grupo de cinegrafistas, editores e engenheiros de som acompanhados do comediante Andrew Maxwell, apresentador de uma série de TV chamada *Conspiracy Road Trip* [Viagem da conspiração, em tradução livre]. Maxwell e sua equipe fariam quatro programas para a BBC, cada um sobre uma comunidade diferente: fãs de OVNIs, negacionistas da evolução, teóricos da conspiração sobre bombardeios de Londres e pessoas que acreditavam que a história oficial do que aconteceu no dia 11 de setembro de 2001 era uma mentira.*

A premissa do programa era mandar essas pessoas a todos os cantos do mundo para conhecer especialistas e testemunhas oculares que questionariam suas teorias da conspiração com evidências inegáveis,

---

* A BBC retirou o episódio sobre o Onze de Setembro do site oficial do programa. Ele ainda está disponível na internet em diferentes serviços de streaming.

com fatos. Todo o drama que isso gerava rendia um ótimo conteúdo televisivo, com as discussões e frustrações de ambos os lados combinadas a uma trilha sonora divertida e a edição típica de *reality shows*. Ao final de cada episódio, Maxwell, o apresentador e guia no mundo dos teóricos da conspiração, sentava-se com os participantes para ver se os fatos apresentados os haviam persuadido de alguma forma. Esse era o gancho. As pessoas nunca mudavam de ideia. Maxwell, exasperado, terminava todas as viagens balançando a cabeça, imaginando o que seria necessário afinal para mexer com eles.

Mas o episódio de Charlie foi diferente.

Ele e seus companheiros conspiracionistas do Onze de Setembro passaram dez dias em Nova York, na Virgínia e na Pensilvânia. Andaram pelos locais dos atentados. Encontraram com especialistas em demolição, explosivos, viagens aéreas e construção. Conheceram familiares das vítimas. Falaram com funcionários do governo, incluindo um que estava no Pentágono quando o prédio foi atingido e que ajudou na limpeza da carnificina. Visitaram os arquitetos do projeto original do World Trade Center. Conheceram a pessoa que era gerente nacional de operações da Administração Federal de Aviação (FAA) no momento dos ataques. Até mesmo praticaram em um simulador de avião comercial e tiveram aulas de voo sobre a cidade de Nova York, pousando um monomotor sem ter nenhuma experiência prévia de pilotagem. A cada passo da jornada, foram conhecendo pessoas que estavam no topo de suas áreas de especialização, que haviam visto o Onze de Setembro se desenrolar em primeira mão ou que tinham perdido alguém naquele dia.[1]

Apesar dos esforços de Maxwell, os conspiracionistas ficaram ainda mais convictos, mais certos do que nunca de que havia uma conspiração em andamento. Se os esforços dele serviram para alguma coisa, foi para confirmar isso. Todos debateram com Maxwell, insinuando que estavam sendo enganados por atores contratados, que os especialistas estavam equivocados ou que os supostos fatos vinham de fontes duvidosas. Todos, exceto um.

Na época, Charlie era um líder na comunidade dos conspiracionistas. Por anos, sua principal fonte de renda veio da produção de centenas de vídeos para o YouTube sobre temas como anarquia e conspiração, alguns com um milhão de visualizações ou mais. Ele dizia a seus fãs que as chamas do Onze de Setembro não poderiam ter alcançado temperatura suficiente para derreter as vigas de aço do World Trade Center e que os edifícios haviam desabado de forma perfeitamente vertical: só podia ter sido uma demolição controlada. Ele traçou as conexões entre governos, empresas, militares e assim por diante de modo a determinar quem eram os verdadeiros responsáveis. Costumava ir à rua com um megafone em uma mão e uma câmera na outra, trabalhando diligentemente para ganhar assinantes para seu canal e despertar as pessoas para a verdade.

Uma vez que aquilo havia se tornado seu trabalho em tempo integral, Charlie viajava pelo circuito de palestrantes subversivos e aparecia com frequência em festivais que reuniam colegas de teorias da conspiração, anarquistas e neo-hippies em busca de sexo, drogas e wi-fi grátis. Ele se tornou amigo e colaborador do patriota histriônico mundialmente famoso Alex Jones e do investigador do reptilianismo interdimensional David Icke.

Charlie percorreu um calvário ao longo de cinco anos, tendo sido inclusive preso em diversas ocasiões. Ele foi detido por se passar por policial quando a rede de televisão estatal russa o enviou para cobrir a Cúpula do G20 em Toronto, para desvendar as maquinações de uma nova ordem mundial distópica. Mais tarde, ironicamente, foi preso por suspeita de conspiração por planejar um protesto durante o casamento real. Na cobertura de sua detenção, o *Telegraph* o descreveu como um "famoso anarquista".[2]

Um queridinho da comunidade da conspiração e uma estrela em ascensão no YouTube, Charlie se via como um provocador-celebridade prestes a despontar. Odiado por uns, amado por outros, ele achava que a viagem a Nova York seria sua grande chance, o evento que o levaria ao *mainstream*. No entanto, uma vez lá, no auge de sua fama, ele fez algo inacreditável e, como se veria, imperdoável.

Ele mudou de ideia.

No café da loja de discos Eastern Bloc, ficamos sentados durante várias rodadas de clientes que paravam para comer, bater papo e dar risada, e Charlie parecia se alimentar daquilo, levantando a voz para que os espectadores pudessem ouvi-lo melhor, em meio a uma nuvem de fumaça de seus cigarros American Spirit, por que ele não era mais um teórico da conspiração.

No início das filmagens de seu episódio, ele e os outros conspiracionistas conheceram um especialista em demolição chamado Brent Blanchard, que lhes dissera que uma demolição controlada exigiria uma equipe enorme. Eles precisariam primeiro demolir as paredes internas das torres do World Trade Center de modo a expor centenas de colunas internas, depois furar cada uma previamente com um equipamento semelhante a uma britadeira, e então inserir explosivos nelas, explicou Blanchard. Teria levado meses para os trabalhadores prepararem as torres para uma demolição controlada daquele porte. Durante todo aquele tempo, eles teriam sido vistos entrando e saindo do prédio, fazendo pausas para o almoço, carregando equipamentos, lidando com entulho e sujeira. Teria sido impossível de esconder.

Charlie perguntou: se isso era verdade, por que os prédios haviam caído de forma perfeitamente vertical? Blanchard explicou que isso não havia acontecido. Ele usou uma maquete feita de Lego para mostrar a Charlie como primeiro a metade superior foi destruída, arrasando tudo que havia abaixo em uma reação em cadeia ao desmoronar. Os escombros foram expelidos para todos os lados, explicou ele, não ficando restritos ao plano vertical.

Charlie perguntou: mas se era apenas combustível de aviação, e não explosivos, e o combustível de aviação não atinge temperatura suficiente para derreter as vigas de aço, como era possível que os prédios tivessem desabado? Blanchard explicou que o esqueleto de aço não precisava derreter. As vigas só precisavam envergar um pouco. Uma vez envergadas, elas não seriam capazes de suportar o peso do edifício acima delas, e continuariam a envergar cada vez mais, até o ponto em que não suportariam mais a enorme força que exercia pressão. Charlie não discutiu. Ele absorveu a explicação de Blanchard, sem saber o que pensar.

Mais tarde, o grupo conheceu os arquitetos do World Trade Center, que explicaram pacientemente que ele havia sido projetado para suportar um avião de sua época, não um jato moderno carregado de combustível e viajando a toda velocidade. Eles conheceram Alice Hoagland, que perdera o filho, Mark Bingham, que estava em um avião sequestrado que caiu em um campo perto de Shanksville, Pensilvânia. Conheceram Tom Heidenberger, que perdeu a esposa com quem estava havia trinta anos, Michelle, uma comissária da American Airlines que estava trabalhando no avião que se chocou com o Pentágono. A dúvida se abateu sobre ele, enchendo sua cabeça com um enxame.

"Foi tudo isso de uma hora pra outra, e então, *bang*!", disse Charlie ao descrever sua epifania. A escola de aviação, as plantas baixas, o escritório de arquitetura, os especialistas em demolição — tudo aquilo havia limado suas certezas. Aquilo havia aberto a possibilidade de que ele talvez estivesse errado, mas foram os familiares de luto que confirmaram.

De volta ao hotel, entretanto, Charlie ficou surpreso ao saber que aquela epifania era exclusividade sua. Os outros lhe disseram que Hoagland havia sofrido uma lavagem cerebral do FBI ou, pior ainda, que era uma atriz contratada pela BBC para enganar todos eles com suas "lágrimas de crocodilo". Charlie, que havia amparado Hoagland enquanto ela soluçava, ficou chocado. Ele disse que começou a sentir ódio de seus companheiros, pensando: "Malditos animais. Malditos animais nojentos".

Ainda na viagem, Charlie parou na Times Square e se filmou explicando o que havia aprendido. Tinha conhecido especialistas que haviam lhe mostrado como era fácil pilotar um avião e pousá-lo com pouca experiência, como seria difícil fazer uma demolição controlada sem que ninguém percebesse, como os prédios não poderiam suportar o impacto de um jato moderno carregado de combustível, e assim por diante.

"Não sei, gente", disse ele, explicando os detalhes. Ele entendia por que tantas pessoas, como ele, suspeitavam de uma armação. Houvera mentiras sobre armas de destruição em massa no Iraque, e guerras haviam sido baseadas nessas mentiras. Sua raiva tinha justificativa, sua busca obsessiva por respostas era compreensível.

"Nós não somos fanáticos", disse Charlie. "Somos parte de um movimento em busca da verdade sobre o Onze de Setembro, apenas tentando descobrir o que aconteceu. Dá um nó na nossa cabeça. Essa realidade, esse universo, é sem dúvida cheio de cortinas de fumaça, ilusões e becos sem saída, mas também há um caminho certo, que é estar sempre comprometido com a verdade. Não se apegue ao dogma religioso. Se você se deparar com novas evidências, aceite-as, mesmo que elas contradigam aquilo em que você ou seu grupo acreditam ou querem acreditar. É preciso dedicar o máximo de respeito à verdade, e eu dedico."

Uma semana depois, em casa, Charlie editou e publicou um episódio confessional de 3 minutos e 33 segundos, intercalado com imagens de sua viagem. Ele o intitulou: *No Emotional Attachment to 9/11 Theories — The Truth is Most Important* [Sem apego emocional às teorias do Onze de Setembro — A verdade é o que mais importa, em tradução livre].[3]

Na descrição do vídeo, ele escreveu que, depois de cinco anos acreditando na teoria da conspiração, depois de ter aparecido no programa de Alex Jones várias vezes, depois de promover a comunidade de conspiracionistas em auditórios e na televisão, ele agora acreditava que "as defesas dos Estados Unidos foram pegas de surpresa. Não acho que houve cumplicidade do alto escalão nos acontecimentos daquele dia. Sim, eu mudei de ideia". E assinou com: "Honrem a verdade — Charlie".

A reação foi rápida e brutal.

Em um primeiro momento, as pessoas começaram a enviar e-mails perguntando se ele estava bem, perguntando o que o governo havia feito com ele. Passados alguns dias, o colega de teorias da conspiração Ian R. Crane postou em fóruns de conspiracionistas que um amigo que era produtor havia lhe dito que Charlie tinha sido manipulado por um psicólogo que trabalhava em estreita colaboração com o mentalista Derren Brown. Aquilo explicava por que Charlie havia publicado aquele vídeo.

Começaram a se espalhar rumores de que desde sempre ele havia sido um agente enviado pelo FBI, pela CIA ou pelo Serviço Secreto Britânico, com a missão de se infiltrar nas fileiras do movimento — um agente mandado para desacreditá-los. O conspiracionista e apresentador de rádio Max Igan disse que, até onde ele sabia, Charlie era a primeira pessoa do movimento a mudar de ideia. Aquilo simplesmente não fazia sentido. Os comentários no site do programa diziam coisas como "pegaram ele", "então, Charlie, qual foi a grana que as elites lhe deram pra você calar a boca?" e "é como trocar a crença na gravidade pela crença de que ela não existe".[4]

Vídeos de resposta gravados às pressas começaram a ser publicados, alegando que Charlie havia sido comprado pela BBC. Para se explicar, ele apareceu em *talk shows* de conspiracionistas na internet. Compartilhou o que os especialistas haviam lhe dito e disse por que era tão convincente, mas seus antigos colegas permaneceram incrédulos. Charlie implorou em seus próprios vídeos de resposta para que houvesse decência. Em pouco tempo, ficou claro que ele estava sendo excomungado. O assédio continuou por meses. Seu site foi hackeado. Ele fechou suas seções de comentários. David Icke e Alex Jones cortaram relações com ele.

O episódio de Charlie em *Conspiracy Road Trip* finalmente foi ao ar. No final, ele disse a Maxwell: "Basicamente, eu só preciso aceitar o golpe, admitir que estava errado, ter humildade e seguir em frente", mas àquela altura os conspiracionistas já tinham tornado isso impossível. Charlie me disse que o momento mais hediondo do assédio que sofreu foi quando alguém descobriu que ele tinha um canal não divulgado no YouTube, em que apresentava vídeos de sua família e outros conteúdos pessoais.

"Em um dos meus vídeos, minha irmã tinha dois filhos pequenos na época, e eu tinha ido visitá-la na Cornualha, uma região adorável da Inglaterra, e algum idiota..." Charlie parou, procurando as palavras certas. "O canal se chamava, tipo, 'Morte a Charlie Veitch', e ele fez uma montagem no Photoshop simulando nudez nos meus sobrinhos. E mandou para minha irmã."

A irmã de Charlie havia ligado para ele chorando. Ela não conseguia entender como ou por que aquilo estava acontecendo. Mais tarde, sua mãe também ligou. Alguém descobrira o endereço de e-mail dela e enviara milhares de mensagens, incluindo uma que continha imagens de pornografia infantil com os rostos dos netos sobrepostos. O remetente dizia que as imagens eram reais e que Charlie havia tirado as fotos. Ela ligou para Charlie achando que fosse verdade.

"Eles queriam a cabeça dele, como se fosse um troféu", explicou sua parceira, Stacey Bluer, que havia se juntado a nós para o café da manhã. "Quando eu estava grávida, comecei a receber um monte de mensagens — 'seu bebê é o filho do diabo', essas coisas horríveis."[5]

Alex Jones entrou na discussão com um vídeo próprio. Estava sentado em uma sala escura, seu rosto iluminado por uma luz vermelha, o foco da câmera fechado em seus olhos, e explicou que sabia que Charlie era um agente duplo o tempo todo. Ele terminava dizendo que seus fãs deveriam permanecer vigilantes, porque pessoas como Charlie não iam parar de aparecer e poderiam dizer que haviam mudado de ideia depois de estarem no movimento por algum tempo. Para Charlie, isso foi o fim. Ele desistiu de tentar convencer qualquer um das coisas em que ele agora acreditava. Os conspiracionistas o haviam expulsado oficialmente, então ele abandonou a comunidade de vez.[6]

Em abril de 2015, Charlie conseguiu seu emprego atual, que não vou descrever com muitos detalhes para manter seu anonimato, mas que envolve a venda de imóveis em todo o mundo.

"Sou muito bom nisso. Consigo ganhar um bom dinheiro", me disse ele, orgulhoso por ter finalmente despistado seus *haters*. "Levou algum tempo, mas, no fim das contas, meus seis anos de YouTube, ou só precisar reclamar e falar de maneira eloquente sobre conceitos abstratos, foram quase como se eu tivesse tido seis anos de treinamento. E desenvolvi uma bela armadura. Acho que sou muito bom vendedor."

"Isso é um bom exemplo de como talvez o Google não vá destruir sua carreira", eu disse a ele, pensando no impacto que uma busca no Google por "Charlie Veitch" teria tido em um potencial empregador.

Charlie me disse que, na verdade, havia postado fotos de seus novos cartões de visita no Facebook assim que foi contratado, e imediatamente alguém enviou um e-mail para o chefe dele dizendo que Charlie era abusador de crianças e criminoso. Ele disse que já havia sido honesto sobre seu passado no YouTube, mas não sobre o assédio.

"Contei ao meu chefe essa história que estou lhe contando agora, toda a minha mudança de vida." Então Charlie o imitou: "'Está tudo bem, Charlie. Esses caras são uns babacas, uns verdadeiros babacas'".

Charlie mudou de nome depois disso e ganhou novos cartões de visita.

A princípio, a história de Charlie Veitch parecia um paradoxo. Charlie mudou de ideia diante de evidências esmagadoras. Mas seus companheiros conspiracionistas tinham visto as mesmas evidências, falado com os mesmos especialistas, abraçado as mesmas viúvas e viúvos, e saído com mais certeza do que nunca de que o Onze de Setembro havia sido uma armação. Eu achava que devia haver algo mais em jogo, algo que talvez tivesse muito pouco a ver com os fatos em si.

Se há uma coisa que posso dizer é que, desde que escrevi meus livros anteriores, eu sabia que a ideia de que apenas fatos conseguiriam fazer com que todo mundo visse as coisas da mesma forma era um imenso equívoco. Os filósofos racionalistas do século XIX diziam que a educação pública impulsionaria a democracia ao eliminar todo tipo de superstição.[7] Benjamin Franklin escreveu que as bibliotecas públicas tornariam o homem comum tão educado quanto a aristocracia, e que, assim, capacitariam o público a votar tendo as melhores intenções em vista. Timothy Leary, o psicólogo que advogou a expansão da mente por meio de psicodélicos e mais tarde se tornou um defensor do *éthos cyberpunk*, pregava que os computadores e, mais tarde, a internet, eliminariam a necessidade de haver guardiões da informação e dariam às pessoas o "poder ao aluno" — o poder democrático que vem de sermos capazes de colocar o que quisermos diante de nossos próprios olhos. Cada um deles sonhou que um dia todos nós teríamos acesso aos mesmos fatos e que, então, naturalmente, todos nós estaríamos de acordo sobre o que esses fatos significavam.[8,9,10]

Na divulgação científica, isso costumava ser chamado de modelo do déficit de informação, extensamente debatido por acadêmicos frustrados. Quando descobertas controversas de pesquisas sobre todo tipo de questão, desde a teoria da evolução até os perigos da gasolina com chumbo, não eram capazes de convencer o público, eles pensavam na melhor forma de ajustar o modelo para que os fatos pudessem falar por si. Mas, uma vez que os sites independentes, as redes sociais, os podcasts e o YouTube começaram a falar pelos fatos e minar a autoridade de profissionais que se pautavam em fatos, como jornalistas, médicos e documentaristas,[11] o modelo do déficit de informação foi finalmente deixado de lado. Nos últimos anos, isso levou a uma espécie de pânico moral.

Enquanto eu escrevia este livro, no final de 2016, o dicionário da Oxford University Press elegeu "pós-verdade" como a palavra internacional do ano, citando um aumento de 2000% em seu uso durante os debates sobre o referendo do Brexit e a eleição presidencial nos Estados Unidos. Ao comentar a escolha, o *Washington Post* escreveu que não ficaram surpresos. Em vez disso, eles lamentaram: "É oficial: a verdade está morta. Os fatos estão ultrapassados".[12]

Ao longo da década de 2010, termos como *fatos alternativos* chegaram ao topo da consciência pública, e, em todo o mundo, os ainda não iniciados passaram a estar intimamente familiarizados com conceitos antigos da psicologia, como filtro de bolha e viés de confirmação. O CEO da Apple, Tim Cook, disse ao mundo que as *fake news* estavam "matando a mente das pessoas".[13] Depois disso, o termo *fake news* deixou de ser uma forma repaginada de se referir a propaganda para englobar praticamente qualquer coisa na qual as pessoas se recusassem a acreditar. Isso levou Brian Greene, um físico que estuda a teoria das cordas, a dizer à NPR:

"Chegamos a um ponto muito inusitado na democracia norte-americana, em que há um ataque a algumas das características da realidade que, até poucos anos atrás, acreditávamos estar além de qualquer debate, discussão ou argumentação".[14]

As redes sociais se adaptaram, deixando para trás fotos de comida e de bebês para entrar em discussões sobre questões controversas, que foram gerando cada vez mais engajamento à medida que se tornavam mais absurdas. Uma nova guerra fria teve início, baseada em desinformação direcionada, e em poucos meses o CEO do Facebook, Mark Zuckerberg, estava sentado diante do Congresso[15] explicando como os trolls russos estavam espalhando *clickbaits* controversos pelos feeds de notícias, não tanto para desinformar, mas para estimular debates que não levam a lugar nenhum e que dificultam a colaboração democrática.

Quando a década chegou ao fim, um artigo de opinião publicado no *New York Times*, intitulado "The Age of Post-Truth Politics" [A era da política da pós-verdade, em tradução livre], argumentava que a própria democracia estava agora em risco, porque os fatos "tinham perdido a capacidade de dar origem a consensos". O *New Yorker* analisou "Why Facts Don't Change Your Mind" [Por que os fatos não fazem você mudar de ideia, em tradução livre], a *Atlantic* anunciou que "This Article Won't Change Your Mind" [Este artigo não vai fazer você mudar de ideia, em tradução livre], e então veio a sinistra capa da revista *Time*, com uma única pergunta em letras vermelhas sobre um fundo preto que parecia resumir o pânico moral do nosso crescente caos epistêmico: "Is Truth Dead?" [A verdade está morta?, em tradução livre].

E tudo isso foi antes do QAnon, do movimento "Stop the Steal" [Pare o roubo, em tradução livre] — que questionou o resultado do pleito de 2020 nos Estados Unidos —, da insurreição, do impeachment de Donald Trump, das multidões derrubando torres de 5G por suspeita de que estariam emitindo raios nocivos, dos protestos nas capitais dos estados alegando que a Covid-19 era uma farsa, da ascensão dos antivacina e dos gigantescos protestos contra a brutalidade policial e o racismo sistêmico após a morte de George Floyd. Em todos esses casos, dentro desse novo ecossistema de informação, tentamos desesperadamente mudar a opinião uns dos outros, recorrendo às vezes a vídeos, às vezes a notícias, às vezes a páginas da Wikipédia.

Mas, depois de descobrir a história de Charlie Veitch, eu não conseguia parar de me perguntar: se hoje vivemos no mundo da pós-verdade, se os fatos não são capazes de fazer as pessoas mudarem de ideia, então o que explica o fato de Charlie *ter* mudado de ideia depois de apresentado aos fatos? Foi por isso que viajei até Manchester para conhecê-lo, e, depois de ouvir sua história, passei a ter as mesmas dúvidas que ele havia tido em Nova York.

Eu não sabia disso quando encontrei Charlie Veitch pela primeira vez, mas a resposta sobre por que os fatos que o fizeram mudar de ideia não tiveram o mesmo efeito em seus colegas revelaria por que tantos de nós resistimos a alguns fatos e não a outros. Portanto, vamos voltar à história dele depois de visitar ativistas, neurocientistas e psicólogos, que vão nos ajudar a entender como formulamos nossas crenças, nossas posturas e nossos valores em primeiro lugar; e como essas formulações mentais mudam, se transformam e renovam à medida que transitamos pelo mundo, aprendendo e experimentando coisas que desafiam nossas noções preconcebidas e as lições que recebemos.

Em um mundo online planificado, em que a probabilidade de nos depararmos com pessoas que discordam de nós é maior do que nunca, a resistência generalizada à mudança — em questões tão amplas quanto se Bill Gates quer usar vacinas para implantar microchips em sua corrente sanguínea, se a mudança climática é real, ou se *Diário de uma paixão* é ou não um bom filme — nos conduziu a uma era de perigoso cinismo.

Dentro desse novo ecossistema de informação, no qual todos têm acesso a fatos que parecem confirmar suas visões, começamos a acreditar que estávamos vivendo em realidades separadas. Passamos a ver as pessoas do outro lado como tão inalcançáveis quanto os conspiracionistas que acompanharam Charlie na viagem a Nova York. Eu costumava ver as coisas dessa forma, também, mas, ao escrever este livro, mudei de ideia.

Tudo começou quando me aventurei a conhecer profissionais da mudança de ideia em Los Angeles.

2

PESQUISA EM PROFUNDIDADE

Do ponto onde havíamos estacionado, as fileiras de casas de tijolo de dois andares de San Gabriel pareciam intermináveis, como se se estendessem até o coração de Los Angeles em uma direção e serpenteassem até o horizonte na outra, desaparecendo em meio às montanhas que as separavam do Deserto de Mojave atrás delas.

Em meio a uma extensão de gramados esturricados e de piscinas cada vez mais vazias, Steve Deline reuniu o equipamento ao lado de sua caminhonete e aconselhou os dois estudantes da Universidade da Califórnia em Los Angeles (UCLA) que estavam conosco a passar bastante filtro solar. Ele colocou garrafas d'água nos bolsos e debaixo dos braços, depois verificou sua câmera e trocou números de telefone, para que pudessem manter contato por mensagem de texto. Protegendo os olhos com os mapas, eles ouviram Steve explicar mais uma vez a rota. Assim como os outros pesquisadores que chegavam à cidade, eles deveriam bater de porta em porta em dupla, um deles tentando fazer a pessoa mudar de ideia e o outro registrando a empreitada. Naquele dia, em nossa dupla, Steve cuidaria da parte verbal, enquanto eu operaria a câmera.

Eu suava sob o sol da Califórnia, alguns meses depois de a Suprema Corte ter votado pela legalização do casamento entre pessoas do mesmo sexo, porque o trabalho que Steve e sua organização vinham fazendo havia anos tinha sido manchete no mundo inteiro, tanto nos principais jornais quanto nas publicações acadêmicas. Alguns diziam que era um avanço na arte e na ciência da persuasão, algo que poderia mudar a política e o discurso público para sempre. Parecia que, se eu quisesse entender como as pessoas mudam de ideia e como fazê-las mudar, aquele era o melhor ponto de partida. Enviei um e-mail, falei ao telefone, expliquei meu interesse e, em uma semana, estava na Califórnia fazendo um treinamento na organização de Steve, o Leadership LAB.

Na maioria dos sábados, o LAB sai com um grupo rotativo, mas leal, de voluntários para conversar com as pessoas de porta em porta. Depois de fazer isso por mais de uma década e ter realizado mais de quinze mil conversas, a maioria gravada, para que fosse possível se debruçar sobre cada interação e aprimorar sua retórica, o LAB aperfeiçoou pouco a pouco um método tão rápido e confiável, tão inovador, que os cientistas sociais começaram a embarcar em aviões para estudá-lo presencialmente.

Eles chamam esse método de *deep canvassing* [pesquisa em profundidade, em tradução livre].* Nem sempre, mas muitas vezes, as pessoas que usam essa técnica conseguem fazer com que uma pessoa abra mão de um velho ponto de vista e mude de posição, principalmente em relação a questões sociais controversas, em menos de vinte minutos. Eu

---

* O método se utiliza da comunicação empática nas pesquisas de porta em porta que visam mudar opiniões voltadas para debates político-sociais. [*N.E.*]

também queria saber como aquilo funcionava e o que revelava, portanto acompanhei Steve para vê-lo em ação.[1]

O LAB (iniciais de "Learn Act Build"; em português, "Aprender, Agir, Construir") é o braço de ação política do Los Angeles LGBTQIA+ Center, a maior organização da categoria existente. Com um orçamento operacional anual de mais de cem milhões de dólares, a maior parte do dinheiro da instituição se destina à prestação de cuidados de saúde e aconselhamento, mas um pequeno percentual vai para o LAB. A missão deles durante anos, eles me disseram, foi o "desafio de longo prazo": mudar a cabeça das pessoas sobre questões LGBTQIA+ por meio do desenvolvimento das melhores práticas de mudança da opinião pública e, em seguida, compartilhar o que aprenderam sobre como fazer isso, para ajudar a ganhar eleições e plebiscitos em todo o mundo. O objetivo, segundo eles, era alterar políticas e mudar legislações em lugares onde o preconceito e a oposição às questões LGBTQIA+ ainda eram predominantes.

Quando eles deram início ao trabalho, o debate sobre o casamento entre pessoas do mesmo sexo estava em ebulição nos Estados Unidos. Como acontece com qualquer questão determinante atualmente, as pessoas se reuniam todos os dias na internet para trocar argumentos e chamar umas às outras de idiotas, e a sensação predominante era de que aquela era uma divergência que jamais seria solucionada. A única coisa a fazer era esperar pela geração seguinte e sua mudança de paradigma. Toda semana havia um artigo afirmando isso nos principais jornais, especialistas ecoavam essa resignação todas as noites nos telejornais, e muitas pessoas que apoiavam as questões LGBTQIA+ na mídia haviam desistido de tentar persuadir seus adversários.

Em 2014, um ano antes da decisão da Suprema Corte, a revista *Science* publicou as descobertas de uma equipe de cientistas políticos que havia estudado a técnica do LAB, detalhando seu bom funcionamento. Por causa de falhas no método de pesquisa, o estudo viria a ser desconsiderado e repetido mais tarde por cientistas mais bem preparados usando métodos melhores, aos quais voltaremos. Mas, quando o *New York Times* cobriu a pesquisa pela primeira vez, eles escreveram: "Os norte-americanos à esquerda e à direita estão tão arraigados a suas crenças que as tentativas de persuasão são praticamente inúteis. No entanto, um estudo publicado na *Science* deste mês demonstra justamente o contrário". Em poucos dias, Fleischer e o resto de sua equipe apareciam em entrevistas no mundo todo. As implicações de uma nova forma de entrar em contato com as pessoas, de contornar a polarização e as fazer mudar de ideia, não apenas sobre o casamento entre pessoas do mesmo sexo, mas sobre qualquer questão com alta carga política, repercutiu nas redes sociais. O artigo foi baixado mais de 110 mil vezes, tornando-o uma das pesquisas mais populares já publicadas.

Quando visitei o LAB, eu me integrei à empreitada deles para cobrir a cidade inteira com duas dúzias de brigadas de persuasão como parte de uma nova pesquisa, uma série contínua de experimentos. Eles suspeitavam de que a pesquisa em profundidade pudesse ser usada para persuadir qualquer pessoa de qualquer coisa, mas ainda não tinham descoberto a melhor forma de aplicar sua técnica a outras questões determinantes. Estávamos analisando se ela poderia ser usada para mudar a opinião sobre o aborto entre pessoas que se opunham à sua legalização. Nossa incumbência, independentemente do resultado de cada interação, era registrar nossos esforços para revisá-los posteriormente.

Depois de bater em algumas portas e de ouvir alguns nãos, chegamos a uma casa enorme, com duas alas separadas por um vestíbulo na entrada. Steve enfiou seu gorro com a bandeira arco-íris debaixo do braço, como tinha feito antes de cada batida ou toque de campainha até aquele momento, o que foi deixando seu cabelo cada vez mais bagunçado. Ele parecia imperturbável diante do clima, apesar da mancha escura de suor que se formava no meio de suas costas. Ele conferiu seus papéis e, em seguida, bateu à porta com força.

Um homem corpulento, com um corte de cabelo *flat-top* grisalho e bem-penteado, atendeu e, quando soube que estávamos interessados na opinião dele sobre o aborto, fechou a porta e se juntou a nós do lado de fora, ansioso para compartilhá-la. O homem nos disse que adolescentes que não usavam proteção mereciam o que recebiam. Quando Steve perguntou se ele tinha aprontado muito quando era mais novo, o homem riu e admitiu que sim.

Quando Steve perguntou de que forma a vida dele teria sido diferente se ele tivesse engravidado alguém quando era mais novo, como a vida *dela* teria sido, o homem assumiu uma postura grave. Disse que tal coisa jamais teria acontecido, porque os pais dele tinham investido tempo para mostrar a ele e aos irmãos como funcionava a reprodução, na sala de estar de casa, com imagens da anatomia humana. Mais tarde, sentado no meio-fio, Steve me disse que duvidava de que qualquer parte daquilo fosse verdade, mas, quando o homem falou, ele apenas ouviu. Passada meia hora, depois de ter compartilhado tudo o que os especialistas da Fox News tinham a dizer sobre o assunto, Steve agradeceu ao homem por seu tempo e se despediu.

Pessoas como aquele sujeito, me disse Steve enquanto preenchia seus formulários, não eram inacessíveis, ninguém era. Poderíamos ter ultrapassado a retórica ensaiada dele e eventualmente chegado a algo mais profundo, mas Steve suspeitava de que havia pessoas muito mais aptas a serem persuadidas na vizinhança com as quais poderíamos falar antes que o dia acabasse. Como havia sido explicado nas duas horas de treinamento naquela manhã, às vezes o trabalho era como tentar fazer as pessoas fugirem antes da chegada de um furacão: no tempo que levaria para convencer um único teimoso, daria para persuadir uma dúzia de outras pessoas a fazer as malas e pegar a estrada.

Steve conversou com os estudantes da Universidade da Califórnia em Los Angeles (UCLA) que estavam trabalhando algumas ruas abaixo. Depois de se certificar de que eles estavam indo bem, ele consultou seu roteiro para ver aonde iríamos em seguida. Em um dia bom, um pesquisador conseguia ter quatro ou cinco conversas completas, de modo que ele estava frustrado por termos nos deparado com mais recusas do que o habitual.

Na casa seguinte, uma mulher abriu a porta enquanto confeccionava uma grande peça de bijuteria e mal tirou os olhos dela enquanto falava. Ela disse a Steve que era pró-vida, mas então, subitamente, enquanto trabalhava o metal e os ornamentos com as duas mãos, ela disse que tinha medo de que um dia a superpopulação forçasse as classes mais altas a canibalizar as pessoas pobres. Outra vez, Steve agradeceu e seguiu em frente.

A pesquisa em profundidade não foi inventada. Foi descoberta, resultado da obsessão de um homem em obter a resposta para uma única pergunta.

Aos sessenta e poucos anos, Dave Fleischer vai para o trabalho vestindo camisas polo que abraçam seus bíceps salientes, e sua careca não apresenta nenhuma ruga visível. Ele nasceu em uma pequena cidade em

Ohio, se formou na Faculdade de Direito de Harvard, e sua paixão pelo ativismo político faz parte de uma rotina semanal que inclui aulas de violão e subidas ao palco com seu grupo de improvisação, The Chaperones. Com uma voz rica e ressonante em uma cadência cuidadosamente modulada, sempre que fala a atenção se volta para ele. Dave explica coisas por meio de parábolas, com personagens e enredos. Muitas vezes, parece que está contando uma piada ou revelando algo, e geralmente está.

Embora Dave Fleischer seja o diretor do LAB, ele não tem um escritório. Ele encontra um lugar vazio e abre seu laptop e seus cadernos em meio ao caos que é o espaço de trabalho compartilhado de sua equipe no The Village, um prédio com um pátio externo movimentado, uma arquitetura descolada anos 1990 e modernas tubulações à mostra. É um dos sete endereços em que o Los Angeles LGBTQIA+ Center opera em toda a cidade, e o mais bonito de todos, segundo as pessoas que trabalham ali.

Na maior parte dos dias, o que Fleischer faz é compartilhar vídeos com grupos de ativistas em um canto ou outro entulhado de papéis. Pessoas do mundo inteiro o visitam todos os dias para pedir emprestado um pouco de sua sabedoria, e muitas vezes ele começa sem uma pauta definida, simplesmente perguntando: "O que eu posso fazer para ajudar?". Ele deixa que as lições surjam espontaneamente durante a troca e faz muitas anotações, mesmo durante conversas casuais. Revisa pessoalmente grande parte das conversas que o LAB tem com os eleitores, de modo que, quando as pessoas fazem perguntas, ele geralmente se lembra de um momento específico de anos antes que pode ajudar a trazer luz aos seus convidados e o exibe usando o projetor da sala de reuniões.

Fui apresentado a ele em uma sexta-feira, às vésperas de uma campanha para reduzir a transfobia. Ele se sentou, assentindo com a cabeça e sorrindo atrás de seu laptop, cercado por representantes da Showing Up for Racial Justice (SURJ). Mais cedo naquele dia, ele havia recebido o Pacific

Institute for Community Organization (PICO). No dia seguinte, ativistas de direitos transgênero de Houston estariam sentados nos mesmos lugares, e algumas semanas antes eram funcionários da Planned Parenthood, e antes deles as pessoas por trás da hashtag #ShoutYourAbortion.

Fleischer não pede desculpas pelo seu ponto de vista. Ele acredita que as pessoas que se opõem aos direitos LGBTQIA+ estão erradas e, portanto, quer fazê-las mudar de ideia. Como profissional da mudança de ideia há mais de trinta anos, Fleischer trabalhou como coordenador de campanhas, líder comunitário e consultor de candidatos e organizações LGBTQIA+. Trabalhou, segundo sua contagem, dentro de ou próximo a 105 campanhas — a maioria projetada para atrasar, interromper ou superar uma medida contra os direitos da comunidade que seria posta em votação. Em 2007, criou o LGBTQIA+ Mentoring Project, que mais tarde seria integrado ao Leadership LAB quando se tornasse diretor.

Quando nos conhecemos, sua equipe ainda não havia definido um nome para o que havia descoberto, mas ele tinha concedido uma série de entrevistas nas quais explicava os traços gerais de como aquilo funcionava. Graças ao seu carisma, seu charme e sua posição de destaque como estrategista político, algumas pessoas na imprensa chamavam o que eles faziam de "Método Fleischer", um termo que ele detestava.

"Não me entenda mal. Quer dizer, eu me amo, David", disse ele do outro lado da mesa em um restaurante perto de seu escritório, sorrindo e dando uma risada ofegante que atraiu os olhares no recinto. "Não foi tão puro e linear quanto se poderia esperar. Não foi um momento eureca, em que eu pulei nu da banheira e saí correndo pela rua." Ele riu. "Isso não fez parte dessa experiência de aprendizado."

Fleischer explicou que a pesquisa em profundidade foi descoberta depois que ativistas LGBTQIA+ na Califórnia sofreram uma derrota esmagadora. Apesar do enorme esforço, em 2008, eles não conseguiram impedir a reprovação da Proposição 8 no estado. Dos que compareceram, 52% votaram pela proibição do casamento entre pessoas do mesmo sexo.[2]

"A comunidade LGBTQIA+ esperava ganhar", disse Fleischer. "Todas as pesquisas mostravam que nosso lado sairia vencedor. A experiência das pessoas LGBTQIA+ no dia a dia na Califórnia costuma ser muito positiva. As pessoas tinham escolhido viver onde isso era positivo. Foi um verdadeiro choque termos perdido, e a palavra choque quase não faz jus ao que aconteceu. As pessoas ficaram furiosas, se sentiram humilhadas, e não sabiam de fato o que fazer."

Na esteira disso, o LAB e a rede de ativistas da Califórnia que se juntou a eles chegaram a um consenso em relação à única pergunta que precisava ser respondida antes de seguirem em frente: *Por que* eles votaram contra nós? Foi quando Fleischer teve uma nova ideia. Por que não vamos lá perguntar?

Ao mesmo tempo, Fleischer havia começado o que se tornaria uma análise detalhada de quinhentas páginas chamada *The Prop 8 Report*.[3] Ela mostrava que, até cerca de seis semanas depois do início da campanha, a votação estava apertada demais para saber quem iria ganhar. Mas, então, o outro lado começou a crescer em ritmo acelerado, até ficar claro, no dia da votação, o que iria acontecer. Mais de meio milhão de eleitores passaram de "não" para "sim" em pouco mais de um mês, e ninguém sabia o porquê.

Na época, muitas pessoas culparam os eleitores afro-americanos que se opunham fortemente ao casamento entre pessoas do mesmo sexo, com base em pesquisas de boca de urna, mas Fleischer não acreditava nessa explicação. A análise dele mostrava que a opinião dos afro-americanos tinha permanecido estável. Eles não tinham mudado de ideia, mas alguém tinha. Fleischer queria saber quem e por quê.[4]

Foi quando ele arregimentou os primeiros pelotões de escuta, com cerca de 75 pessoas cada, e os enviou para Los Angeles. Eles perguntaram diretamente às pessoas que haviam votado a favor da proposição o que tinha motivado a decisão delas.

As pessoas queriam falar. Nas partes do condado de Los Angeles onde a derrota havia sido esmagadora, a equipe de Fleischer conversou com todos os eleitores que abriram a porta e descobriu que as pessoas não apenas estavam dispostas, como também ansiosas para debater a recente votação e as questões LGBTQIA+ em geral. Elas queriam ser ouvidas e, em alguns casos, perdoadas. Portanto, deram justificativas para sua atitude.

O LAB logo percebeu um padrão nas respostas. As explicações para votar contra o casamento entre pessoas do mesmo sexo giravam em torno de três valores: tradição, religião e proteção dos filhos. Mas esse padrão desapareceu após alguns meses de pesquisa. Com o passar do tempo, as justificativas que mencionavam os filhos foram sumindo, restando apenas a tradição e a religião.

O LAB não conseguia entender aquilo. Quando proteger os filhos era uma justificativa, era também a justificativa primária, e agora as pessoas não diziam mais que aquilo era uma preocupação. Foi quando Fleischer teve seu grande insight. O medo das pessoas em relação aos filhos haviam desaparecido provavelmente porque a publicidade contra os homossexuais havia cessado. Quase todos os anúncios da oposição antes se concentravam em como as escolas lidariam com o casamento entre pessoas do mesmo sexo. Um, em particular, era muito eficaz. Com trinta segundos de duração, mostrava uma garotinha contando animadamente à mãe que havia aprendido na aula que poderia se casar com uma princesa e que um menino poderia se casar com um príncipe. Em seguida, o anúncio explicava que, se a Proposição 8 se tornasse lei, os pais não teriam o direito de se opor àquele tipo de aula.[5]

Fleischer observou que, dos 687 mil californianos que a princípio apoiavam o casamento entre pessoas do mesmo sexo, mas depois mudaram de ideia, 500 mil tinham filhos menores de 18 anos em casa. A resposta parecia óbvia. Antes de esses anúncios serem veiculados, os apoiadores não se declaravam contra os direitos LGBTQIA+. Inclusive, a pesquisa mostrou que muitas delas normalmente votavam em candidatos Democratas e liberais. Elas não sabiam que abrigavam um preconceito que poderia ser atiçado pelo tipo certo de tática do medo: "Cuidado, eles querem doutrinar seus filhos!".

Para Fleischer, no fundo, isso era uma boa notícia, porque significava que aqueles eleitores eram passíveis de serem persuadidos. Seus valores estavam em conflito entre proteger os filhos e proteger os direitos dos outros. Tinham visões tanto positivas quanto negativas, e, se eram ambivalentes, isso significava que talvez estivessem abertos a reconsiderar seus votos.[6]

Eles bateram em mais portas, dessa vez mostrando os anúncios em vídeo da campanha da Proposição 8 durante as conversas, perguntando às pessoas se havia sido aquilo que as havia persuadido a votar contra o casamento entre pessoas do mesmo sexo. Aquele era um território inexplorado na política. A maioria das pesquisas faz de tudo para não mencionar a oposição, e nenhuma campanha jamais havia exibido os vídeos da oposição diretamente para os eleitores daquela forma. As reações foram intensas, e as conversas começaram a ficar complexas e extensas demais para serem resumidas em anotações, então Fleischer pediu que sua equipe as gravasse.

Os vídeos mudaram tudo. Com eles, foi possível criar um banco de dados de reações, classificar eleitores, observar padrões em seus argumentos e ver seus erros, mas, o mais importante, permitia notar quando os eleitores que se opunham abertamente ao casamento LGBTQIA+ às vezes se abrandavam. Essas conversas se tornaram uma obsessão para o LAB e os seus voluntários. Quando um eleitor mudava de opinião, todo mundo queria entender o que havia acontecido, como um time de futebol revisando a gravação de uma partida para entender cada nuance de seu desempenho.

Embora tudo isso parecesse promissor, durante anos não deu em nada. Os êxitos pareciam aleatórios, irrepetíveis. Steve me disse que era porque eles estavam operando a partir de um equívoco comum, em que a maioria das pessoas acreditam quando tenta persuadir alguém pela primeira vez, uma tática que dá errado com tanta frequência que leva a maior parte das pessoas a achar que alterar o ponto de vista de alguém em questões como aquela é impossível. Era algo sobre o qual eles próprios tinham que mudar de opinião antes de serem capazes de mudar a opinião dos outros sobre o que quer que fosse.

Antes de eu me encontrar com Steve naquela manhã, sob um céu azul--cobalto sem nuvens, um enxame de voluntários do LAB pegou suas pranchetas, roteiros e crachás com os veteranos e funcionários nas mesas montadas do lado de fora do salão de eventos da San Marino Congregational Church e escolheu opções em um enorme bufê de café da manhã improvisado. Trocando cumprimentos, rindo e escrevendo nos crachás, eles entraram para tomar café, comer *bagels* e mordiscar frutas sentados em cadeiras dobráveis dispostas em círculo enquanto esperavam pela apresentação do treinamento.

O LAB estava aprontando alguma, e a notícia se espalhara. Alguns tinham até pegado um avião para estar lá, outros pegaram carona da UCLA ou então haviam ido de carro pela quinta ou décima quinta vez. Pessoas de todo o mundo iam até lá regularmente para passar um tempo com os especialistas em persuasão do Leadership LAB e fazer os treinamentos de pesquisa em profundidade. A maioria esperava levar para casa algo que pudesse ser aplicado em suas próprias campanhas políticas ou no ativismo contínuo.

Quando a multidão estava quase acabando de comer, Laura Gardiner, coordenadora nacional de mentoria do LAB, se apresentou. Eu cheguei a bater de porta em porta com Laura algumas vezes nas visitas subsequentes, e ela ficava menos à vontade sentada em um escritório ou parada e em silêncio. Cheia de energia cinética e impulso, repleta de ansiedade para fazer o trabalho ou ensiná-lo, ela parecia ao mesmo tempo perpetuamente exausta e infatigável, o que a tornava perfeita para seu papel na instituição.

Laura me disse que gostava de conversar com novos públicos por alguns minutos antes de entrar em detalhes, em parte para ter uma ideia da experiência deles com aquele tipo de coisa, mas principalmente para acalmá-los. Suas próprias pesquisas revelaram que cerca de metade das pessoas que comparecia às sessões nunca havia participado de nada como aquilo antes. Ela disse que a pesquisa em profundidade era uma habilidade extremamente difícil de ser dominada, ainda que você tivesse experiência com oratória ou propaganda política. Podia levar vários fins de semana para que a técnica fosse aprendida, de modo que o LAB queria que os novatos voltassem, tentassem novamente e continuassem se aprimorando.

Depois de dezenas de sessões de treinamento como aquela, a equipe havia aprendido que era importante passar muito tempo alimentando o entusiasmo e aliviando as ansiedades antes de entrar nos detalhes de como conversar com estranhos sobre tópicos delicados. Para esse fim, eles insistiam em uma coisa que chamavam de "hospitalidade radical", uma forma de preocupação altruísta e de simpatia enérgica semelhante ao que talvez se experimente em uma reunião de família. Desde o momento em que os voluntários chegavam ao treinamento até se abraçarem e se despedirem, a equipe e os voluntários veteranos tratavam cada pessoa como se o dia tivesse ficado melhor porque ele ou ela estavam ali. A hospitalidade radical é tão importante para o processo que Laura costuma dizer aos veteranos e aos funcionários para fazer uma pausa caso percebam que não estão conseguindo manter a alegria e o entusiasmo.

Depois de algumas brincadeiras no estilo comédia de improviso com outros organizadores, Laura apresentou ao público vídeos que exibiam diferentes aspectos da técnica, conversas reais gravadas em atividades anteriores. O objetivo dos vídeos era surpreender as pessoas, mostrar as repentinas mudanças de posição registradas ao longo dos anos. Eles também ajudavam a ilustrar como os pesquisadores veteranos nem sempre haviam sido sensacionais. O LAB queria que os recém-chegados vissem o progresso dos iniciantes aos experientes, da mesma forma que queriam mostrar como era uma pesquisa em profundidade bem-sucedida.

Assistimos a algumas conversas desajeitadas e constrangedoras. Ainda assim, a maioria continha reviravoltas completas ao final dos debates. Pessoas que eram contra as escolas ensinarem as crianças sobre as contribuições históricas das pessoas LGBTQIA+ mais tarde diziam pensar o oposto. Alguns admitiram que estavam errados em pensar o contrário. Os que se opunham à proposição do casamento expressaram um apoio recém-descoberto. Pessoas contra o aborto reviram suas posições.

Vimos como as pessoas começavam desconfiadas nas varandas de suas casas, encostadas nos carros, atrás de portas abertas apenas o suficiente para revelar metade de um rosto. Uma vez envolvidas, as pessoas tendiam a se expor, inflexíveis e confiantes, prontas para se defender. Os pesquisadores perguntavam onde elas tinham ouvido falar pela primeira vez sobre o assunto em questão. Rapidamente percebiam que o conhecimento vinha de fora — de um sermão, de um *talk-show* que tinham visto quando eram crianças, de um outdoor. Em seguida, o pesquisador perguntava se elas conheciam alguém afetado por aquela questão. Invariavelmente elas conheciam. As pessoas se tornavam então extraordinariamente abertas, revivendo experiências de suas vidas que raramente condiziam com as posições que defendiam. Ao final, seus próprios pontos de vista pareciam estranhos.

Em um dos vídeos, um pesquisador perguntou a uma mulher como ela se sentia em relação às leis que permitiriam que mulheres transgênero usassem banheiros femininos. Em uma escala de 0 a 10, sendo 0 nenhum apoio, ela respondeu 6. Disse que temia pela segurança das crianças. Não gostava da ideia de alguém que já havia sido homem olhando de soslaio para meninas. Quando o pesquisador perguntou se ela conhecia alguém transgênero, ela admitiu que sim, um sobrinho de quem ela costumava tomar conta até ele começar a fazer a transição. Havia muito tempo que eles não se falavam, e isso a incomodava.

"Com o cabelo e o batom, é difícil", disse ela. "Quando eu o criei, quando ele era um bebê, era um menino." Ela se inquietou, aparentemente repetindo as próprias palavras em sua cabeça. Seu parente transgênero provavelmente percebia que ela se sentia desconfortável com aquilo, disse ela ao pesquisador. Provavelmente, tinha sido por isso que eles haviam deixado de conviver, disse ela a si mesma.

A mulher começou a processar aquilo enquanto o pesquisador fazia perguntas e ouvia, parafraseando e devolvendo a ela as próprias palavras. "Agora você está fazendo com que eu me sinta mal", disse ela, e depois de um tempo o pesquisador perguntou se, enquanto mulher negra, ela já havia sofrido preconceito. Ela já havia se sentido inferior ou negligenciada? Sim, muitas vezes, respondeu. Ao final da conversa, ela era totalmente a favor de leis menos discriminatórias para o uso de banheiros por pessoas transgênero. Ela estivera errada, disse. Agora ela era um dez.

"Está certo, temos que deixar as pessoas serem quem elas são", argumentou ela. "Todo mundo deve ter o direito de ser quem quiser ser."

Em outro vídeo, um pesquisador estava em uma garagem com um eleitor que o LAB havia classificado como "Mustang Man", um sujeito na casa dos setenta vestindo bermuda e camisa social. Ele fumava um cigarro e brincava com um isqueiro Zippo enquanto os dois conversavam sobre o casamento entre pessoas do mesmo sexo, que ainda era ilegal na Califórnia quando o vídeo foi gravado.

"Não sou contra a comunidade gay", explicou. Ele só queria que eles parassem de causar tanta confusão brigando por mais direitos. O país já tinha problemas o suficiente. O pesquisador perguntou ao Mustang Man se ele já havia sido casado. Sim, por quarenta e três anos. Ela falecera havia onze anos, e ele sabia que jamais iria superar aquilo. "Eu deveria ter morrido primeiro", disse ele.

Ele pediu ao pesquisador para ajudá-lo a tirar a capa do Mustang vintage de sua falecida esposa, do qual ele continuava a cuidar. Estava em perfeitas condições, disse ele. Ela nunca tinha fumado, não bebia. "Ela não me deixava nem mesmo fumar dentro do carro." Então, um dia, ela descobriu uma mancha preta na gengiva. O câncer se espalhou para a garganta. No fim, ela não conseguia mais falar. Escrevia para ele em um bloco enquanto definhava. O Mustang Man disse que havia aprendido uma coisa na vida: que a riqueza era irrelevante. Encontre a felicidade com alguém, e você vai ter tudo. Todas as coisas materiais são apenas um empréstimo. Mas uma felicidade daquelas não é emprestada. É sua de verdade.

O pesquisador disse ao Mustang Man que onze anos parecia muito tempo para ficar sozinho.

"Isso dá muito tempo pra gente pensar", disse o Mustang Man. "Às vezes, escuto uma música do nosso tempo e choro. Às vezes, vejo alguma coisa da qual costumávamos rir e rio. Tenho ótimas lembranças, mas também algumas feridas. Nunca superei a morte dela, mas tudo bem por mim. Não quero superar."

Depois de algum tempo, o Mustang Man disse ao pesquisador: "Eu quero que os gays sejam felizes também". Ele apontou para uma casa do outro lado da rua com a mão do cigarro e disse ao pesquisador que um casal de lésbicas morava lá. O Mustang Man disse que deixava que elas parassem o carro na garagem dele, porque não havia vaga na rua. "São pessoas maravilhosas. Não perturbam ninguém. A gente não as vê, como se diz? Tentando dar em cima de outras mulheres nem nada assim. Elas são felizes, assim como eu era com a minha esposa."

Depois de mais um pouco de conversa fiada, o pesquisador perguntou o que o Mustang Man faria se o casamento entre pessoas do mesmo sexo fosse objeto de votação novamente. Ele disse: "Eu votaria a favor dessa vez".

Mais tarde, passei algum tempo nos arquivos de vídeo do LAB, assistindo a êxitos como esse. Vi dezenas de *contras* virarem *a favor*, de *oposições* virarem *apoios*. Dá para abrir os vídeos no começo e ouvir uma opinião, depois avançar até o final e ouvir outra. Tive a sensação de que, se as pessoas em cada uma das pontas dessas conversas se encontrassem, provavelmente discutiriam umas com as outras.

Muitas vezes, parecia que as pessoas que tinham mudado de ideia durante essas conversas nem se davam conta. Eles adotavam uma nova postura com tanta suavidade que eram incapazes de ver que suas opiniões haviam mudado. Ao final da conversa, quando os pesquisadores perguntavam como elas se sentiam, elas pareciam decepcionadas, como se o pesquisador não tivesse prestado atenção o suficiente ao que elas estavam dizendo ali desde o começo.

O vídeo mais longo que encontrei no arquivo tinha 42 minutos de duração, mas a maioria não passava dos vinte e poucos. Em comparação com as longas discussões políticas que eu tivera com a minha família, a brevidade dessas conversas parecia surpreendente. Eu divergia de pessoas no Facebook em uma única discussão que durava dias, e ali estavam pessoas fazendo outras mudarem de posição quanto a questões profundamente arraigadas na metade do tempo que levava para assar um bolo. Imaginei as opiniões se acumulando durante anos como cracas no casco de um navio, cada vez mais densas, resistindo a todos os esforços de retirada. Então, um dia, aparece um estranho com uma prancheta que some com tudo fazendo simplesmente algumas perguntas e escutando com atenção.

Eu não conseguia deixar de lado a ideia de que eu também estava provavelmente a uma conversa de mudar de ideia sobre alguma coisa, talvez muitas. Mas também me lembrei de quantas conversas eu tivera que só haviam aumentado minhas convicções. Pensei nos conspiracionistas e em todas as conversas que eles haviam tido em Nova York. E fiquei me perguntando o que tornava essas interações diferentes.

No treinamento, depois dos vídeos, Laura passou a palavra para Steve, e eu obtive minha primeira pista. Ele começou dizendo à plateia que fatos não faziam efeito. Um homem sereno com um espírito gentil e paciente, Steve deixou seu eterno sorriso de lado e empostou a voz para se dirigir ao público em relação a esse ponto. "Não há argumento superior, nenhuma informação que possamos oferecer, que vá fazê-los mudar de ideia", disse ele, fazendo uma longa pausa antes de continuar. "A única forma de fazê-los mudarem de ideia é eles *próprios* mudarem de ideia — convencendo a si mesmos por meio de seu próprio raciocínio, processando coisas sobre as quais nunca haviam pensado antes, coisas da própria vida deles que os ajudarão a ver tudo de outra forma."

Ele estava parado ao lado de um cavalete de papel no qual Laura havia desenhado um bolo de aniversário em camadas. Steve apontou para a porção menor no topo, com uma vela no meio. Ela estava identificada como *rapport*, a camada intermediária logo abaixo era "nossa história", e a base, maior, era "a história deles". Ele disse para mantermos aquela imagem em mente quando estivéssemos diante de alguém, para nos lembrarmos de passar o mínimo de tempo possível falando sobre nós mesmos, apenas o suficiente para mostrar que éramos amigáveis, que não estávamos tentando convencê-los de nada. Mostre que você está genuinamente interessado no que eles têm a dizer. "Isso impede que eles assumam uma postura defensiva. Você deve compartilhar sua história", disse ele, apontando para a parte intermediária do bolo, "mas é a história deles que deve ocupar a maior parte da conversa." Você quer que eles pensem sobre as próprias ideias.

A equipe apresentou muitas metáforas como essa. Por exemplo, Steve disse mais tarde para pensarmos em perguntas como se fossem chaves em um chaveiro gigante. "Se você não parar de perguntar e ouvir, uma dessas chaves sem dúvida vai abrir a porta para uma experiência pessoal relacionada ao assunto. Uma vez que a memória real e vivida estivesse exposta, você poderia, se feito corretamente, desviar a conversa do mundo das conclusões tiradas a partir de fatos pesquisados no Google, das abstrações ideológicas, e entrar no mundo dos detalhes concretos das experiências pessoais daquele indivíduo." Era ali, e só ali, que uma única conversa seria capaz de fazer alguém mudar de ideia.

Em uma das salas de mídia, Steve virou um laptop para me mostrar uma conversa de 2009, uma das várias que haviam mudado tudo em sua abordagem. Ele explicou que eu estava prestes a ver Dave Fleischer deixar passar uma coisa.

Fleischer estava diante de uma casa, conversando com um homem magro, de pele marcada e aparentemente idoso que a equipe chamava de Ed. Enquanto Ed saía de um carro enorme na garagem dele, Fleischer o abordou e, depois de alguma conversa fiada, perguntou se Ed havia votado contra o casamento entre pessoas do mesmo sexo. Ele disse que sim, e quando Fleischer perguntou por quê, Ed respondeu: "Eu simplesmente acredito nisso". Depois de pensar um pouco, Ed acrescentou: "Eu estive na Marinha, e as coisas eram diferentes naquele tempo". Ele então começou a compartilhar como crescera no que chamava de "cidadezinha", Rochester, e, portanto, foi só quando passou pelas avaliações psiquiátricas para a Marinha, em Nova York, que ouviu falar pela primeira vez em gays. "Aprendi muito sobre a vida em Nova York, no Brooklyn Navy Yard", disse ele.

Fleischer esperou que Ed terminasse sua história e então trouxe a conversa de volta para o presente, para a votação, o casamento LGBTQIA+, os fatos sobre a Constituição, decisões médicas envolvendo cônjuges, uniões civis e assim por diante. Eles debateram por algum tempo, e Fleischer despejou uma montanha de informações para contrapor as convicções de Ed. Depois de ouvir tudo isso, Ed disse a ele com naturalidade: "Mesmo assim eu votaria contra o casamento".

Steve apertou a barra de espaço para pausar o vídeo, mas não consegui descobrir o que é que eu deveria ter visto. Parecia que Fleischer estava apresentando ótimos argumentos a um velho teimoso.

Steve explicou que Fleischer estava pedindo a Ed para aceitar as evidências, para se dobrar aos fatos, para que seu processo de chegada a conclusões atingisse os mesmos pontos que Fleischer tinha atingido. Quando Ed contra-atacou oferecendo um monte de interpretações diferentes daquelas mesmas evidências, Fleischer respondeu com suas próprias interpretações. "É tudo intelectual, tudo lógico", disse Steve com desdém.

Eu assenti com a cabeça, ainda sem entender por que os fatos e a lógica eram uma má ideia.

Steve explicou que, depois de ver milhares de conversas gravadas, eles descobriram que o confronto de diferentes interpretações das evidências impedia as pessoas com quem eles falavam de explorar o *porquê* de terem uma convicção tão arraigada sobre determinado assunto. As pessoas podiam permanecer no espaço lógico lutando contra os fatos apresentados pelo pesquisador por horas e nunca sair dele, seguras e incapazes de explorar por que aqueles fatos despertavam sentimentos tão poderosos. O LAB tinha tentado debater os fatos por anos, e havia muito aquilo se mostrara uma perda de tempo.

"Esse trabalho me ensinou que as pessoas tomam suas decisões sobre questões como essas, em suas vidas e quando estão votando, em um nível extremamente emocional e visceral", disse Steve. "O que imagino quando estou na frente de um eleitor é que as pessoas têm esse processo de raciocínio lógico e intelectual. Isso é só uma parte de como eles processam o mundo e tomam suas decisões. Mas eles têm um processo de raciocínio emocional quase que inteiramente à parte, baseado em sentimentos e em coisas que eles viveram."

Steve disse que eles costumavam pegar as pessoas pela mão e tentar guiá-las explicando por que determinados fatos deveriam ser convincentes, por que aquilo obviamente deveria fazê-las mudar de ideia, mas seu palpite, hoje, é que isso nunca vai dar certo. O raciocínio de um pesquisador não pode ser copiado e colado em outra pessoa. Os fatos que importam para eles provavelmente não importarão para o outro.

Steve voltou ao vídeo e reproduziu de novo a parte em que Ed dizia que, no campo de treinamento, passara por avaliações psiquiátricas. Naquela época, ele não sabia o que ser gay significava, mas aprendeu "muito sobre a vida em Nova York, no Brooklyn Navy Yard".

Steve pausou o vídeo e olhou para mim. Fiquei olhando de volta, sem perceber a relevância da fala de Ed. Ele disse que, na época em que Ed foi filmado, eles também não haviam percebido. Eles acharam que o que ele estava falando não tinha relação direta com o casamento entre pessoas do mesmo sexo, então toda a equipe ignorou essa parte quando revisou a conversa. Hoje eles usam o vídeo inteiro, de 25 minutos, no treinamento, para mostrar justamente aquilo em que Fleischer não reparou, coisas que hoje qualquer um de seus pesquisadores mais habilidosos captaria imediatamente.

"Para mim, é difícil descrever", disse Steve, "porque eu tomei a direção oposta. Estou do outro lado dessa barreira agora, então olho para trás e fico, tipo: 'Puta merda!'. Tem uma coisa enorme que fica pairando no ar, que Dave não explora: o que aconteceu no Brooklyn Navy Yard?!" Steve sacudiu as mãos para a tela, como se Ed pudesse ouvi-lo. "O que foi que você viu lá? O que foi que você aprendeu sobre pessoas gays? Podemos supor que, no campo de treinamento, durante a elaboração do perfil psicológico, você aprende que ser gay é um transtorno mental, porque eles estavam tentando identificar quem era gay. Essa foi a primeira vez que você ouviu falar em pessoas gays!"

Fazer com que Ed processasse essas memórias em voz alta teria desviado a conversa dos fatos que pareciam dar suporte ao argumento dele e o levado aos motivos para ter mencionado esses fatos. A pesquisa em profundidade poderia tê-lo ajudado a remexer suas experiências de vida e descobrir como elas haviam moldado suas opiniões. Quando as pessoas enxergam de onde suas ideias vêm, percebem que elas não vêm do nada. Elas podem então se perguntar se aprenderam algo de novo desde a última vez que refletiram sobre o assunto. Talvez essas ideias precisem ser atualizadas de alguma forma. A pesquisa em profundidade gira em torno de obter acesso a esse espaço emocional, explicou Steve, para "ajudá-los a descarregar parte da bagagem", porque é aí que a mudança de ideia acontece.

"Está nas experiências *dele*, não nas *nossas*", disse Steve. "O caminho é ajudá-los a falar sobre elas, caso pareçam relevantes. E, em seguida, perguntar: 'Ok, então, a que conclusões você chegou com base nessas experiências?'."

O LAB percebeu que esse caminho para a persuasão era mais eficaz quando, em três ocasiões distintas, depois de o pesquisador mal ter dito uma palavra, os eleitores mudaram de ideia sobre o casamento entre pessoas do mesmo sexo por conta própria. Em todas as vezes, o pesquisador aparecia, contava como o voto o havia afetado pessoalmente e depois deixava as pessoas argumentarem sobre suas próprias posições.

"Na comunidade LGBTQIA+, a ideia de sair do armário e contar nossa história é incrivelmente poderosa. É uma tradição desde Stonewall, e tem sido uma coisa muito inteligente", disse Fleischer. "Estávamos seguros quanto ao valor disso, e havia essa sensação de que contar nossa história seria uma coisa importante, mas, em algum momento dessas conversas, nós percebemos: 'Uau, e se isso for a segunda coisa mais importante?'." Ele levantou a mão com a palma aberta, indicando a história do eleitor. "Isso está no centésimo andar." Depois, indicou onde estava sua própria história, logo acima da mesa. "Isso está no terceiro andar." Por fim, colocou a mão por debaixo da mesa e disse, rindo: "E os argumentos intelectuais estão no porão".

Continuei a fazer anotações, com notas às margens que me lembravam sempre de perguntar *por que* tudo aquilo funcionava. Visivelmente, eles tinham encontrado algumas regras a serem seguidas, algumas etapas que davam resultados. Mas quais eram os ingredientes psicológicos daquela inusitada alquimia persuasiva? Apesar da intensidade do treinamento, Steve e Laura nunca explicaram nada específico sobre o que acontecia dentro da cabeça dos estranhos com quem eles conversavam. Após o treinamento, perguntei a Steve e Laura se eles sabiam, e eles disseram que achavam que não, não por completo, mas que eu poderia entrevistar os cientistas que os estavam estudando naquela semana, assim que tivesse a chance de ver o trabalho de pesquisa em profundidade ao vivo.

—

Depois de um dia inteiro de frustrações, debaixo do sol e com a camisa encharcada, Steve finalmente teve uma conquista na última casa do nosso roteiro.

Martha, 72 anos, disse que se opunha fortemente ao aborto e tentou educadamente voltar ao que quer que estivesse fazendo naquele sábado antes de a interrompermos. Ela disse que Steve não podia entrar por causa de seu cão, que era muito protetor. Uma desculpa comum, Steve me diria mais tarde. Ele disse a ela para não se preocupar, não queríamos entrar. Só queríamos fazer algumas perguntas e ouvir a opinião dela. Martha baixou a guarda e concordou em compartilhá-la. Steve perguntou, em relação ao direito ao aborto, onde ela se via em uma escala de 0 a 10, sendo 0 a crença de que não deveria haver acesso legal ao aborto de forma alguma, e 10 sendo o apoio ao acesso completo, integral e descomplicado. Sem hesitar, Martha disse que era um 5.

Steve levantou sua prancheta e marcou um quadradinho enquanto assentia. Então perguntou a Martha por que aquele número parecia certo para ela. Martha nos disse que todo mundo tinha direito ao próprio corpo, mas que tinha um problema com mulheres que "têm um atrás do outro".

Steve me diria mais tarde que eles haviam aprendido, ao longo de muitas conversas, que razões, justificativas e explicações para manter uma opinião existente podem ser infinitas, como cabeças de uma hidra. Se você corta uma, aparecem mais duas no lugar. Os pesquisadores procuram evitar esse embate impossível de ser vencido. Para fazer isso, deixam que as justificativas de uma pessoa não sejam questionadas. Eles as escutam e assentem. A ideia é seguir em frente, fazer com que a pessoa se sinta ouvida e respeitada, evitar discutir sobre as conclusões e, em vez disso, trabalhar para descobrir as motivações por trás delas. Para esse fim, o passo seguinte é evocar a resposta emocional de uma pessoa ao problema.

Steve disse que adoraria saber a opinião de Martha sobre um vídeo e pegou o celular com o vídeo já rodando. Nele, uma mulher dizia para a câmera que tinha engravidado aos 22 anos, apesar de usar anticoncepcional. Ela dizia que soubera imediatamente que queria fazer um aborto, que não queria passar o resto da vida com o homem com quem estava saindo. Ela queria avançar mais nos estudos antes de ter filhos.

Martha pareceu ficar desconfortável. Depois de evocar emoções negativas como aquela, os pesquisadores perguntam às pessoas se a opinião delas mudou, e refazem a pergunta de onde estão na escala de 0 a 10. Reagindo aos sentimentos recém-expostos, as pessoas geralmente se movem alguns números. Martha disse que definitivamente ainda era 5. Se ela *tivesse* mudado, ele teria perguntado por quê. Mas, como ela não o fez, ele perguntou no que o vídeo a fizera pensar. Ela disse acreditar que a mulher deveria ter conversado sobre o que pensava em relação a filhos com o parceiro antes de fazerem sexo, e que eles deveriam ter usado proteção.

No treinamento, foi dito que aquele era o momento da conversa em que o pesquisador deveria pôr em prática o seu trabalho mais delicado. Mesmo que a posição de uma pessoa não mude, o pesquisador sabe que ela começou a pensar sobre suas emoções e se perguntar: "*Por que* estou me sentindo assim?". Depois de uma pitada de introspecção não resolvida, as pessoas se sentem extremamente motivadas a compreender seus sentimentos. Elas então produzem um novo conjunto de justificativas, talvez mais fracas do que antes. Isso estimula a conversa. Em vez de discutir, o pesquisador escuta, ajudando o eleitor a desemaranhar seus pensamentos, fazendo perguntas e refletindo sobre as respostas para ter certeza de que entendeu corretamente. Se as pessoas se sentem ouvidas, elas articulam ainda mais suas opiniões, e com frequência começam a questioná-las.

"É como se estivéssemos solucionando um mistério juntos", Steve me diria mais tarde. À medida que as pessoas se explicam, elas começam a produzir novos insights sobre por que acham determinada coisa. Isso indica que deram início a um processamento ativo. Em vez de se defender, começam a contemplar e, uma vez contemplando, muitas vezes produzem seus próprios contra-argumentos, e uma nova ambivalência toma conta delas. Se um volume suficiente de contra-argumentos se acumular, a balança pode pender a favor da mudança.

Steve passou para a etapa seguinte. De acordo com o treinamento, se ele pudesse evocar uma memória da própria vida dela que contradissesse o raciocínio que ela havia compartilhado, ela poderia perceber o conflito sem que ele precisasse apontá-lo. Permaneceria algo privado, e ela não teria a sensação de que Steve a estava questionando. Ela mesma estaria se questionando. E, se ele desse apoio aos pensamentos conflitantes que favoreciam a opinião que ele estava ali para defender, talvez ela mudasse na direção que ele desejava. Mas, como o treinamento enfatizava, é uma manobra delicada, porque ela pode resolver o conflito no sentido oposto, justificando ainda mais sua posição atual.

Steve perguntou se Martha já havia conversado abertamente com alguém sobre aborto. A entrevistada disse que tinha conversado com suas filhas quando as orientou a começarem a usar métodos anticoncepcionais. O pesquisador então perguntou se tinha havido alguma gravidez não planejada na família de Martha, e ela revelou que sim. Ele perguntou então quando ela tinha ouvido falar de aborto pela primeira vez. Ela respondeu que fora aos vinte e poucos anos.

"Como foi que isso veio à tona?"

"Conheci uma garota que fez um aborto com alguém que não sabia o que estava fazendo."

E ali estava o que Steve estava procurando: uma experiência real, vivida, que era particularmente carregada de emoções. Steve fez mais algumas perguntas e pouco a pouco extraiu de Martha uma lembrança de cinquenta anos antes, de uma amiga que fora à casa dela precisando desesperadamente de um médico. Ela estava com uma hemorragia depois de ter feito um aborto clandestino. Martha completou com os detalhes, depois acrescentou sobriamente: "Ela não tinha outra escolha".

Sua amiga não podia recorrer à família. Eles a teriam deserdado. "Isso foi há cinquenta anos", explicou ela. "Não era algo comum." A amiga sabia que Martha tinha a cabeça mais aberta do que a maioria, então procurou a ajuda dela. Steve ouviu, dando espaço para Martha contar a história em detalhes, então concluiu a conversa fazendo uma série de perguntas importantes, comentando o fato de sua amiga não ter escolha e de como Martha tinha a cabeça mais aberta.

Ele perguntou se Martha havia julgado sua amiga pelo que tinha feito, se achava que a amiga tinha sido irresponsável, e assim por diante. Martha explicou que simplesmente "não queria que a amiga morresse".

Então ela nos disse que, com todo o acesso que as pessoas têm aos contraceptivos, todo mundo deveria ser mais responsável hoje em dia. Steve concordou, mas acrescentou que, no calor do momento, as pessoas cometem erros. No treinamento, eles chamavam isso de "vulnerabilidade de modelagem", e a ideia era que, se você se abrisse, as pessoas também se abririam. Ele contou a ela que ele, um homem gay, não tomara as devidas precauções na primeira vez, quando era mais novo, embora estivesse bastante ciente dos riscos. Ele perguntou se Martha já havia sido descuidada em uma situação parecida.

"Eu tenho 72 anos e não sou nenhuma freira."

Eles riram juntos, e então Martha pediu desculpas, porque já estava cansada de ficar de pé. O LAB ainda estava desenvolvendo o roteiro para conversas sobre aborto, então, nos materiais fornecidos, não havia mais instruções sobre como dar continuidade.

Se eles estivessem discutindo as leis do uso de banheiros por pessoas transgênero, o roteiro teria feito Steve voltar às preocupações iniciais dela e perguntar se ela ainda achava o mesmo. Ele poderia ter arriscado algo assim, mas Martha estava visivelmente cansada, então Steve disse, antes de ir embora, que acreditava que todas as mulheres deveriam poder escolher por si mesmas, sem julgamento. Esse momento foi bastante enfatizado no treinamento. Eles o chamam de "conexão de valores". Antes de encerrar, você deve deixar clara a sua posição, mas de uma forma que mostre que você e a outra pessoa podem estar de acordo sobre o que é importante no cerne da questão. Se você fez o seu trabalho, o outro lado vai saber que você não está querendo brigar. Sua posição pode ser vista apenas como sua perspectiva, talvez uma sobre a qual valha a pena refletir.

Steve perguntou onde ela estava agora, na escala de 0 a 10.

"Acho que elas deveriam ter acesso, se for isso que escolherem. Pode considerar um 7."

Quando nos afastamos para que ele pudesse preencher sua papelada, Steve disse que tinha certeza de que Martha votaria *a favor* do direito ao aborto no futuro. Ela continuaria a pensar sobre aquilo. Não seria uma mudança repentina, mas ela havia descoberto que estava em conflito. Ela prestaria atenção a coisas nas quais não havia reparado antes. Tinha passado de neutra para ligeiramente a favor, e isso contava como uma mudança. Com o devido tempo, essa mudança seria ainda maior.

Ele voltou a falar com os alunos da UCLA. Eles estavam prontos para água, sombra e ar-condicionado, e nós também, mas Steve sabia que a caminhonete estava parada a uma boa caminhada de distância. Enquanto ele se levantava e se alongava, os alunos mandaram mensagens de texto com a notícia de que haviam tido conversas completas com três pessoas. Steve disse a eles que havia completado apenas uma, mas que tinha sido boa. Esperando, deitado na grama sob a sombra de um carro estacionado, encharcado de suor, tonto, com sede e ouvindo melodia composta por sons de pássaros, cães e cortadores de grama, percebi toda a profundidade do que Steve tinha mencionado antes, enquanto conversávamos nos subúrbios de San Gabriel.

"É por isso que a maioria dos políticos não faz isso", disse ele. "É preciso muito mais esforço do que apenas entregar um papel nas mãos de alguém ou deixá-lo na porta da casa da pessoa."

Assim que o LAB abandonou a argumentação baseada em fatos para adotar essa abordagem, tudo pareceu se encaixar. Quanto mais a equipe de Fleischer conversava com as pessoas, melhor ficava em persuadi-las, e, com um banco de dados de gravações dos seus êxitos, essa melhoria poderia ser aprimorada. O LAB desenvolveu roteiros com diretrizes para ajudar os pesquisadores a se abrirem e extraírem histórias das pessoas e incluiu sessões de treinamento intenso para divulgar seu trabalho e atrair rapidamente novos voluntários para o rebanho.

"O resultado disso foi que, ao longo do tempo, chegamos a um ponto em que tivemos certeza de que estávamos provocando um impacto", disse Fleischer.

Foi quando ele decidiu que era hora de chamar alguns cientistas. Essa decisão geraria a enxurrada de publicidade que quase destruiu tudo pelo que Fleischer havia lutado desde que o LAB bateu à sua primeira porta.

Antes que os cientistas começassem a pesquisar a técnica do Leadership LAB, poucos estudos endossavam a possibilidade de que campanhas pudessem mudar a visão dos eleitores sobre questões polarizadas, partidárias e politicamente controversas, menos ainda com uma atuação de porta em porta.

A literatura acadêmica em ciência política é agressivamente pessimista a esse respeito. Em seu livro *Get Out the Vote!* [Vá lá votar!, em tradução livre], os cientistas políticos Donald Green e Alan Gerber examinaram mais de uma centena de artigos publicados que detalhavam tentativas de influenciar as opiniões dos eleitores por meio de correspondências, conversas, telefonemas e propagandas televisivas. Green e Gerber concluíram que era extremamente improvável que qualquer um desses meios tivesse algum impacto. Zero. Nos raros casos em que uma técnica de comunicação fazia as pessoas mudarem de opinião, elas tendiam a voltar à posição original alguns dias depois de suas redes sociais reafirmarem sua influência.[7]

Fleischer fez uma visita a Donald Green na Universidade Columbia e mostrou a ele o que o LAB vinha fazendo nos últimos anos. Depois de assistir a alguns dos vídeos, Green ficou surpreso.

"Um dia, o Dave me contou que achava ter tido um insight", disse Green. "Ele havia descoberto o que estava por trás da resistência ao casamento entre pessoas do mesmo sexo e que tipo de coisa poderia estimular a mudança de opinião. Eu, cético como sou, disse que ele precisava testar aquilo rigorosamente antes que eu, ou qualquer outra pessoa, acreditasse nele."

Green advertiu Fleischer de que, se elaborassem um estudo para medir os efeitos da pesquisa em profundidade da mesma forma que havia feito com outras técnicas, talvez descobrissem que ele tinha um efeito fraco, de curta duração, ou, pior que isso, que não dava resultado nenhum. Todo o esforço dele poderia ter sido em vão.

Dave respondeu: "Bem, tudo bem, Don, vamos descobrir".

Donald Green mandou um estudante de pós-graduação que estava orientando, Michael LaCour, para fazer o trabalho pesado: quantificar a taxa de êxito do LAB e analisar os números. Os dois se sentaram no final de 2014 para escrever um artigo com base nas observações dele.

A grande descoberta? Publicada na revista *Science* com o título "When Contact Changes Minds" [Quando o contato muda opiniões, em tradução livre], a pesquisa mostrava que a técnica do LAB funcionava muito bem, de uma forma difícil de ser explicada. No entanto, o fato era que os dados mostravam que a técnica mudava de forma confiável as opiniões das pessoas que se opunham ao casamento entre pessoas do mesmo sexo, muitas vezes persuadindo-as depois de uma única conversa à porta de suas casas.[8]

Foi assim que fiquei sabendo do trabalho deles. Estava por todos os lugares para onde eu olhava, e o artigo virou sensação por duas razões. Primeiro, aquele tipo de pesquisa do mundo real era incomum nas ciências sociais, principalmente quando se tratava de um estudo sobre comportamento político. Ao tentar compreender preconceitos, a maioria dos cientistas sociais se via forçada a recorrer a estudos observacionais: observar conexões e amizades, notando posturas convictas e a forma como elas davam origem a grupos, moldavam redes de contato e assim por diante. Ou a estudos de laboratório, que poderiam empregar táticas como dar workshops sobre diversidade a funcionários de uma empresa todos os dias, durante um ano, e registrar o efeito disso na postura deles. Em segundo lugar, naquela época o debate sobre o casamento entre pessoas do mesmo sexo era a questão determinante mais discutida e mais controversa de todas. Se você fosse capaz de mudar a opinião das pessoas sobre isso, seria capaz de mudar a opinião delas sobre qualquer coisa.[9,10,11,12,13]

Na esteira dessa atenção toda, dois cientistas políticos, David Broockman e Josh Kalla, planejaram fazer uma extensão do estudo depois de saber que a equipe de Fleischer estava montando acampamento na Flórida.

Uma nova lei visando impedir a discriminação no uso dos banheiros por pessoas transgênero corria o risco de ser aprovada, e as questões transgênero ainda precisavam ganhar o tipo de atenção ou apoio que o casamento entre pessoas do mesmo sexo. O LAB planejava ensinar a pesquisa em profundidade a ativistas de Miami para ajudá-los a mudar as opiniões na área, e Broockman e Kalla acharam que seria a oportunidade perfeita para ampliar a já famosa pesquisa de LaCour e Green. Basicamente, eles aplicariam o mesmo projeto e os mesmos métodos de pesquisa em profundidade a um novo problema. Mas, quando eles começaram a procurar participantes, se depararam com um problema inusitado.

Para que as pessoas não soubessem que estavam participando de um estudo sobre mudança de ideia, eles pediram que elas participassem de pesquisas não relacionadas e de longo prazo, por uma pequena compensação financeira, assim como LaCour, o estudante de pós-graduação, havia feito. Mas apenas cerca de 2% das pessoas concordaram. Na pesquisa de LaCour, mais de 12% das pessoas haviam concordado. Nas ciências sociais, essa é uma disparidade alarmante, então Broockman e Kalla entraram em contato com a empresa de pesquisa para ver o que eles estavam fazendo de errado. A empresa ficou confusa. Eles disseram que nunca tinham feito nenhum trabalho semelhante àquele. Mais estranho ainda, a pessoa que LaCour indicara como contato na empresa não existia. Depois de alguma investigação, eles encontraram os mesmos números em outro estudo. Por razões ainda desconhecidas, parece que ele havia plagiado dados de antigas pesquisas suas. Broockman e Kalla publicaram suas descobertas, e Donald Green confrontou LaCour na presença de uma testemunha. LaCour negou qualquer irregularidade, mas logo depois Green pediu uma retratação, o que a *Science* providenciou de imediato.[14]

Isso provocou outro frenesi na imprensa, exceto que, dessa vez, todos comentavam sobre como sabiam desde sempre que era bom demais para ser verdade, e que todo mundo deveria ter desconfiado. Era uma ilusão imaginar que se poderia mudar a opinião de alguém em relação a questões como casamento entre pessoas do mesmo sexo, direitos das pessoas transgênero ou política de modo geral. LaCour desapareceu da ciência política depois que Princeton retirou sua oferta de uma cátedra. Green perdeu sua bolsa Carnegie.

Eu ainda estava compilando as anotações das minhas visitas ao LAB na manhã em que as notícias chegaram e liguei para Fleischer e Steve, que disseram que não sabiam o que fazer com aquilo. Então, telefonei para Green. Ele expressou grande tristeza e constrangimento, tanto por não ter vigiado seu aluno de pós-graduação quanto por não ter sido mais rigoroso com os dados. Ele me disse que achava que as pessoas mais atingidas eram as do LAB, que tinham aberto suas vidas para ele e concordado em ser estudadas por alguém em quem elas confiavam.[15]

Temi que o otimismo tivesse me desvirtuado, mas, quando falei com Broockman e Kalla, eles disseram para eu não me precipitar. Àquela altura, outros cientistas, temendo a mácula provocada pelo escândalo, provavelmente teriam se afastado, mas eles queriam seguir em frente. No que dizia respeito a eles, a pesquisa original era falha, mas apenas a pesquisa. Isso não dizia nada de positivo ou negativo sobre os métodos do LAB. O problema era como o método havia sido mensurado, não o método em si. Ainda era preciso que alguém determinasse cientificamente se a pesquisa em profundidade funcionava, e eles estavam prontos para chegar às conclusões a que LaCour não tinha conseguido chegar. Eles foram para Miami e se reuniram com o LAB para continuar de onde haviam parado, e eu fiquei aguardando notícias.

Cuidadosos para registrar meticulosamente os dados, tanto Broockman quanto Kalla participaram da nova pesquisa e mediram o impacto do LAB nos eleitores que se opunham aos direitos das pessoas transgênero em relação ao uso de banheiros. Eles projetaram a pesquisa para se parecer com um ensaio clínico. Depois de conseguir que um grande grupo de eleitores concordasse em participar de uma pesquisa supostamente não relacionada à votação que os acompanharia por vários meses, eles dividiram essas pessoas em dois grupos. Metade dos domicílios recebeu a intervenção — uma conversa de pesquisadores treinados e supervisionados pelo LAB usando roteiros e materiais criados pelo LAB —, e a outra metade recebeu um placebo, uma conversa sobre reciclagem. Broockman e Kalla registraram todas as mudanças de postura e, em seguida, acompanharam essas posturas por meses usando pesquisas discretas para ver se as mudanças de ideia tinham mesmo se consolidado.

O que eles constataram? Resumindo, que tinha funcionado. No fim das contas, a mudança geral que Broockman e Kalla observaram em Miami foi maior que "a mudança de opinião que ocorreu de 1998 a 2012 em relação a gays e lésbicas nos Estados Unidos". Nas conversas, 1 em cada 10 pessoas que se opunham aos direitos das pessoas transgênero mudaram de opinião, e, em média, essa mudança foi de 10 pontos em um "termômetro de sentimentos", como eles o chamavam, de 101 pontos, alcançando e superando a mudança que ocorrera entre o público geral nos catorze anos anteriores.

Se 1 em cada 10 não parece muito, você não é político nem cientista político. É uma quantidade enorme. E, antes desse estudo, era algo inconcebível com uma única conversa. Kalla disse que uma mudança de opinião muito menor que essa poderia facilmente reverter leis, ganhar em um *swing state** ou virar a maré de uma eleição. Mais que isso, uma mudança de 1% tinha o potencial de desencadear um efeito dominó capaz de mudar

---

* *Swing state* é um estado no qual nenhum dos candidatos à presidência possui a maioria dos votos. [*N.T.*]

a opinião pública em menos de uma geração. As conversas haviam sido feitas por pesquisadores que, em sua maioria, tinham experiência limitada com a técnica, e em Miami elas duravam cerca de dez minutos cada. Se os pesquisadores fossem especialistas, se tivessem dado continuidade às conversas por semanas, se as conversas tivessem sido mais longas, as evidências sugerem que o impacto teria sido gigantesco.

Ao escrever sobre o artigo de Broockman e Kalla, a psicóloga Betsy Levy Paluck, da Universidade de Princeton, afirmou que as implicações eram colossais. Ela disse que, à medida que os cientistas refinarem a pesquisa em profundidade ao longo da próxima década, esse tipo de esforço terá o potencial de alterar para sempre a forma como a ciência política e a psicologia enxergam a persuasão e a mudança de postura.

"O que os cientistas sociais sabem sobre a diminuição do preconceito no mundo? Em suma, muito pouco", escreveu ela na *Science*, observando que menos de 11% das pesquisas realizadas em campo envolviam medir as posturas das pessoas fora de um ambiente controlado, e que eram ainda menos focadas em adultos ou em efeitos de longo prazo. Em sua análise, ela disse que deveriam ser feitos todos os esforços para entender por que a pesquisa em profundidade funciona, acrescentando que os cientistas já haviam gastado tempo demais descobrindo o que não funcionava. O burburinho no meio acadêmico era que um grupo de ativistas batendo de porta em porta para diminuir o preconceito tinha dado um impulso à nossa compreensão de como as pessoas mudam de ideia, o que, de outra forma, teria levado gerações no laboratório.[16]

Kalla me disse que o aspecto mais empolgante de seu estudo era que o efeito parecia ser permanente. Eles continuam a monitorar as famílias, e, até a escrita deste livro, as pessoas que mudaram de ideia não deram sinais de que vão voltar aos pontos de vista anteriores, algo quase inédito nas pesquisas em ciência política.

O artigo foi publicado na *Science* em 2016, e as manchetes diziam tudo: "No, Wait, Short Conversations Really Can Reduce Prejudice" [Não, espere, conversas rápidas podem realmente diminuir o preconceito, em tradução livre],[17] escreveu a *Atlantic*. "How Do You Change Voters' Minds? Have a Conversation" [Como fazer os eleitores mudarem de ideia? Tenha uma conversa, em tradução livre], publicou o *New York Times*.[18] Dessa vez, a base científica era sólida, e os dados, legítimos. Após a terceira onda de atenção da mídia, Fleischer e sua equipe disseram que finalmente se sentiam legitimados. Todos aqueles anos de trabalho tinham agora o respaldo da ciência, e repórteres e acadêmicos estavam mais uma vez indo até Los Angeles para fuçar no banco de dados deles e observar o processo, inclusive eu. Voltei assim que o estudo de Broockman e Kalla foi publicado e fiz mais um treinamento com eles, que então saíram com o resto de nós, dessa vez para falar sobre questões transgênero, de forma a dar continuidade à pesquisa.

Depois que a controvérsia se dissipou da cabeça do público, os cientistas começaram a trabalhar como Paluck sugerira, e mais estudos estão por vir. Pesquisadores agora testam a pesquisa em profundidade em questões como reforma do sistema de saúde, justiça penal, mudança climática, imigração, desconfiança em relação a vacinas e racismo — não só em Los Angeles como no Meio-Oeste, em Chicago e no Extremo Sul.

Com grupos-satélite cruzando o país, a equipe principal do LAB voltou suas atenções para os apoiadores de Trump. Em 2020, o People's Action, um grupo que concentra seus esforços em eleitores rurais e de baixa renda, passou o verão inteiro fazendo pesquisa em profundidade com centenas de milhares de apoiadores de Trump nos estados de Michigan, Minnesota, New Hampshire, Carolina do Norte, Pensilvânia e Wisconsin. Broockman e Kalla estudaram o trabalho deles e descobriram que conseguiram produzir, em média, uma virada de 3,1 pontos a favor de Joe Biden.

Mais uma vez, a pesquisa em profundidade ganhou as manchetes de todo o país. Ao cobrir a primeira vez que o método foi usado em uma eleição presidencial, a *Rolling Stone* escreveu: "Em outras palavras, para cada 100 telefonemas concluídos, 3 votos foram adicionados à margem de Biden depois da pesquisa em profundidade". Ao todo, Broockman e Kalla descobriram que a pesquisa em profundidade era 102 vezes mais eficaz que o corpo a corpo tradicional, a televisão, o rádio, a mala direta e o contato telefônico somados.[19]

A questão quando fui apresentado a Broockman e Kalla, a mesma que teremos daqui por diante, não era *se* a pesquisa em profundidade funcionava, mas *como* funcionava, em termos científicos. Para responder a essa pergunta, segundo eles, todos nós precisaríamos passar algum tempo com um grupo de neurocientistas e psicólogos.

"É como se você tivesse essa velha sabedoria, de 2.500 anos atrás, de que, se você mastigasse a casca dessa árvore, a dor de cabeça passaria", disse Broockman. "Um dia, descobrimos que era a aspirina, e então sintetizamos a aspirina. Hoje sabemos que, na verdade, é uma substância química específica da aspirina. Estamos no estágio da casca da árvore. Se fizermos tal coisa, vamos obter resultados, mas não temos ideia do que está gerando o efeito nem por quê, nem de qual é a química subjacente. Agora, sim, começa o trabalho de verdade."

Voltaremos a Broockman e Kalla mais adiante, depois de dar uma olhada na explicação científica de como as pessoas mudam ou não mudam de ideia. Por exemplo, posteriormente encontrei estudos que me ajudaram a explicar o fenômeno que eu via nos arquivos, algo que os psicólogos chamam de cegueira para a mudança de crença: quando as pessoas pareciam não perceber que seus argumentos, no princípio da conversa, não tinham coerência com os que elas compartilhavam ao final.

Uma série de experimentos conduzidos pelos psicólogos Michael Wolfe e Todd J. Williams em 2017 observou esse processo em ação. Eles perguntaram a estudantes universitários se a palmada, um tema relativamente neutro para aquela faixa etária, era eficaz como ferramenta disciplinar. Alguns disseram que sim, outros, que não, mas, independentemente daquilo em que os participantes dissessem que acreditavam, os cientistas apresentavam a eles um ensaio que destacava fortes argumentos contrários. Quando eles trouxeram os participantes de volta ao laboratório depois de algum tempo, perguntaram a eles sobre suas posturas uma segunda vez. Uma parte do grupo havia voltado com pontos de vista alterados. Levando em conta os ensaios persuasivos, se antes eram a favor da palmada, agora tinham passado a ser contra, e vice-versa. Entretanto, quando Wolfe e Williams nos chamaram um a um e pediram para que eles se lembrassem de como haviam respondido originalmente no início da pesquisa, a maioria relatou que suas respostas não haviam mudado. Embora os pesquisadores tivessem provas disso, os participantes em si não tinham consciência de suas próprias viradas de opinião.[20]

A pesquisa de Wolfe e Williams é coerente com a literatura sobre algo que os psicólogos chamam de viés de consistência: nossa tendência, quando não temos certeza, de presumir que nosso eu atual sempre teve as opiniões que tem hoje. Em um dos trabalhos de referência sobre o tema, pesquisadores pediram a opinião de estudantes do ensino médio sobre temas como legalização das drogas, direitos de presidiários e outras questões controversas. Eles consultaram os participantes novamente uma década depois, e mais outra. Descobriram que, entre aqueles que haviam mudado de ponto de vista, apenas 30% estavam cientes disso. Os demais disseram que enxergavam a questão hoje da mesma forma que sempre a haviam enxergado.

Como esse é um processo normal, constante, mas subjetivamente invisível, é mais provável que o percebamos quando acontece nos outros do que quando acontece em nós mesmos. Isso pode levar a um efeito de terceira pessoa, em que vemos a nós mesmos como resolutos, mas aos políticos ou outras figuras públicas como hipócritas ou sem convicção. Em um dos casos mais famosos, em 2004, quando John Kerry estava concorrendo à presidência, muitas das propagandas que o atacavam o chamavam de vira-casaca, pelo fato de ele ter votado a favor de um projeto de orçamento antes de perceber que aquilo era um erro, e depois ter votado contra. Por ter atualizado sua opinião à luz de novas evidências, a oposição dizia que ele não era confiável. As pessoas até levaram chinelos para uma convenção Republicana e entoaram "*flip-flop, flip-flop*!".* Mas o estudo é claro: as mesmas pessoas que protestavam raivosas haviam, assim como Kerry, mudado de ideia inúmeras vezes. Todos nós mudamos, mas, ao contrário de John Kerry, nossas mudanças não ficaram registradas para a posteridade.[21]

Broockman e Kalla disseram que o trabalho deles foi dificultado pelo fato de a equipe que talvez tenha decifrado o segredo sobre como mudar rapidamente a cabeça das pessoas a respeito de questões sociais polêmicas não ter pautado seu trabalho em nenhum conceito psicológico existente. Inclusive, como os membros do LAB me disseram, por anos eles sequer sabiam da existência de estudos psicológicos sobre persuasão. No entanto, como eu descobriria mais tarde, de inúmeras formas a pesquisa em profundidade é colocar em prática uma colcha de retalhos de teses

* A palavra *flip-flop* pode ser traduzida tanto para "chinelo" quanto "vira-casaca", fazendo alusão a uma inesperada mudança de ideia ou de planos. [*N.E.*]

que estavam havia décadas confinadas a artigos científicos: trabalhos de estudantes universitários conduzidos em ambientes de laboratório e ideias não testadas que poderiam ter sido postas à prova por meio do mesmo trabalho de campo que o LAB faz — se os psicólogos tivessem milhões de dólares, milhares de voluntários e tempo de sobra, poderiam se dedicar a um único palpite mesmo depois de fracassar repetidas vezes na tentativa de provar que havia motivo para insistir nele.

Quando pedi a Broockman e Kalla alguma pista, eles me disseram para examinar mais a fundo algo que os psicólogos chamam de elaboração, um estado de aprendizado ativo no qual uma pessoa "liberta" uma nova ideia ao relacioná-la a algo que ela já compreende. Na maioria das vezes, quando estamos no piloto automático ou fazendo tarefas rotineiras, enxergamos o mundo de acordo com nossas expectativas, e, na maioria das vezes, tudo bem; mas o cérebro muitas vezes se engana, porque prefere sacrificar a precisão em nome da velocidade. Quando não apenas seguimos nossos primeiros instintos, nossa "intuição", quando pensamos sobre o nosso próprio pensamento, ficamos mais abertos à elaboração, a acrescentar algo novo a nós mesmos, alcançando uma compreensão mais profunda sobre algo que achávamos já entender muito bem. Em suma, a pesquisa em profundidade provavelmente estimula a elaboração ao oferecer às pessoas a oportunidade de parar e pensar.

Dave Fleischer me disse que as pessoas não têm oportunidades de refletir dessa forma com muita frequência. As preocupações diárias se apropriam dos nossos recursos cognitivos: dar o dinheiro para o almoço dos filhos, avaliar nosso desempenho no trabalho, combinar quem vai levar o carro para a oficina. Sem espaço para a introspecção, mantemo-nos ultraconfiantes em nossa compreensão das questões que mais prezamos. Esse excesso de confiança se traduz em certeza absoluta, e usamos essa certeza para dar suporte a pontos de vista extremistas.

Um dos exemplos mais marcantes disso vem de experimentos sobre o que os psicólogos chamam de ilusão da profundidade de explicação. Quando os cientistas pediram aos participantes que avaliassem quão bem eles compreendiam coisas como zíperes, vasos sanitários e cadeados, a maioria tendia a dizer que tinha uma boa compreensão da mecânica desses objetos. No entanto, quando os experimentadores pediram a esses mesmos participantes que explicassem em detalhes o funcionamento deles, as pessoas tendiam a dar um passo atrás e atualizar suas respostas, admitindo que não faziam ideia de como aquelas coisas funcionavam. O mesmo é válido para questões políticas. Quando incitados a dar opinião sobre a reforma do sistema de saúde, imposto fixo, emissões de carbono e outros assuntos, muitos defenderam opiniões extremistas. Quando os pesquisadores pediram para que justificassem suas opiniões, eles o fizeram com facilidade. Mas, quando foi pedido que explicassem as questões em pormenores, ficaram confusos e perceberam que sabiam muito menos sobre aquelas políticas do que achavam. Como resultado, seus pontos de vista se tornaram menos extremos.[22]

Broockman e Kalla suspeitavam também de que a pesquisa em profundidade estimulava a tomada de perspectiva analógica,[23] um momento-chave no desenvolvimento cognitivo humano. A ideia remonta a Piaget, que primeiro observou que crianças pequenas não conseguiam fazer isso. É a descoberta de que outras cabeças enxergam, pensam e acreditam nas coisas de maneira diferente de nós. Até que essa habilidade se desenvolva, vivemos em um mundo de apenas uma mente — a nossa. Para demonstrar isso, em um experimento os pesquisadores mostraram às crianças uma caixa de giz de cera e perguntaram o que elas achavam que havia dentro. Elas responderam, claro, que estava cheia de giz de cera. Os cientistas então mostraram que, na verdade, ela continha velas de aniversário. Quando perguntadas sobre o que diria uma outra criança que ainda não tinha visto o que havia dentro da caixa, as crianças com menos de quatro anos acreditavam que outras agora também diriam que eram velas.

Quando ganhamos uma teoria da mente, ganhamos também a capacidade de imaginar como outra pessoa deve ser, ver e sentir as coisas como ela, ter opiniões diferentes devido à diferente exposição a diferentes experiências. Isso é a tomada de perspectiva analógica, uma cognição de nível superior que exige muito esforço. Não costumamos fazer isso, exceto quando requisitados.

Quando conversei com o falecido psicólogo Lee Ross sobre o assunto, ele me contou que, quando trabalhou na resolução de conflitos na Irlanda do Norte e nas negociações entre Israel e Palestina, onde havia muita coisa em jogo, as pessoas raramente pensavam na perspectiva do outro lado até que alguém pedisse que o fizessem. Segundo a experiência dele, ambas as partes estavam interessadas apenas em expressar suas próprias perspectivas. Nem uma única vez, disse ele, em quarenta anos de negociação de conflitos, alguém chegou ansioso por saber como o outro lado via as questões em pauta.[24]

Abrir mão de seu próprio ponto de vista por um tempo e experimentar o de outra pessoa é difícil, e não fazemos isso por padrão. A pesquisa sobre a tomada de perspectiva mostra que as pessoas que se opõem às ações afirmativas, por exemplo, muitas vezes culpam a falta de força de vontade ou recorrem a uma forte ética de trabalho para explicar disparidade de rendimentos, em vez de olhar para o preconceito generalizado ou para o racismo institucional. No entanto, quando os pesquisadores pediram a essas mesmas pessoas que olhassem para a foto de um homem negro e escrevessem um ensaio sobre um dia na vida dele, incluindo o máximo possível de detalhes vívidos sobre os pensamentos e os sentimentos dele, os participantes apresentaram uma mudança de postura significativa em relação às ações afirmativas. Ao demonstrar empatia, mesmo que hipoteticamente, as pessoas abrandaram seus pontos de vista — algo que poderiam ter feito a qualquer momento, mas sobre o que nunca haviam pensado até serem instigadas.[25,26]

Broockman e Kalla disseram que as pessoas raramente se envolvem em uma tomada de perspectiva, que é o que a torna uma ferramenta de persuasão tão poderosa na aplicação da pesquisa em profundidade.

"Tomada de perspectiva não é simplesmente fazer com que alguém se sinta triste e, então, fazê-la mudar de ideia", disse Kalla. Todo mundo já sabe que preconceito é ruim. A pesquisa em profundidade evoca memórias carregadas de emoção para que as pessoas se lembrem de como é ser ostracizado, julgado ou inferiorizado, e isso põe em xeque a ideia que elas têm de alteridade. "Agora, de repente, quando digo que a discriminação está errada, eu sinto isso de uma maneira diferente", disse Broockman. "Agora eu entendo: 'Ah, sim, é mesmo horrível ser discriminado e tratado de maneira diferente. Eu consigo perceber como é estar no lugar dessa pessoa'. Fica difícil encontrar justificativas para fazer com que um ser humano se sinta assim."

Quando saí do LAB, eu tinha a sensação de que abordar a base científica da persuasão seria algo inevitável. As hipóteses sobre por que a pesquisa em profundidade funcionava pareciam plausíveis, mas eu ainda não entendia o que agregava todas aquelas ideias. Eu precisava solucionar uma questão que o tempo que passei no LAB só havia deixado mais misteriosa. Se os fatos não funcionam com algumas pessoas — se eles inclusive podem fazer com que se torne menos provável que elas mudem de ideia —, isso explicaria por que os conspiracionistas não mudaram de ideia quando apresentados a evidências; mas por que esses mesmos fatos *convenceram* Charlie Veitch? Eu tinha a impressão de que ainda faltava muita coisa nessa história e que, se eu quisesse desvendá-la, precisaria olhar para os dados científicos que o LAB não tinha, os dados que Broockman e Kalla estavam prestes a abordar. No capítulo seguinte, é para lá que iremos também, começando por alguns neurocientistas que estudam a divergência em si.

Fleischer pediu que eu voltasse quando soubesse mais. Ele também estava interessado na explicação científica por trás de como aquilo funcionava, mas deixou claro: no fim das contas, o segredo deles era apenas uma comunicação aberta e honesta com pessoas que raramente tinham a oportunidade de fazer algo assim.

"Bem, é engraçado, porque de certa forma não é novidade nenhuma. Não inventamos o conceito de que um ser humano pode conversar com outro ser humano", ele me disse, rindo. "Então, de certa forma, não há nada de original aqui e, ao mesmo tempo, é muito original, porque vai completamente contra a cultura política dominante."

Ele se lembrou de uma conversa anos antes, com um sujeito que correu para a varanda assim que Fleischer explicou o porquê da visita. "O cara veio correndo, de tão ansioso que estava para me dizer o quanto era contra o casamento gay."

Ele estava na casa dos setenta anos, e contou a Fleischer com entusiasmo como seria terrível se o país legalizasse o casamento entre pessoas do mesmo sexo. Fleischer perguntou se ele conhecia alguém que era gay, e o homem respondeu: "Claro!". Ele e a esposa haviam ido à Disney recentemente e, para decepção deles, era justamente o Gay Day. "Estava cheio de gays lá, incluindo um cara que vimos usando um grande boá de penas!", contou ele a Fleischer.

Fleischer perguntou se o homem tinha conversado com algum dos gays que viu naquele dia, e ele disse que era claro que não. Por que teria conversado?

Fleischer disse a ele: "Bem, eu esqueci meu boá hoje", e o sujeito riu. Então eles conversaram por um bom tempo. Foi provavelmente a primeira conversa que ele teve com um membro da comunidade LGBTQIA+.

"Ele foi capaz de ver que eu e ele poderíamos nos divertir conversando, mesmo que não concordássemos. Eu não precisava que ele concordasse, certo? Eu não coloquei o dedo na cara dele e disse: 'Agora você tem que mudar de ideia', mas, ao longo da conversa, ele *começou* a mudar. Acho que é assim que uma mudança de ideia acontece."

3
MEIAS E CROCS

Eu estava sentado no restaurante Knickerbocker, em Nova York, me esticando para pegar a manteiga, quando um homem barbudo e de rosto delicado à minha esquerda deslizou entre meu caderno e a cesta de pães uma foto de um ovo estrelado, com a gema em um tom cintilante de verde neon.

"No começo", explicou ele, a imagem ali pairando, "tentamos ovos verdes. Sabe, ovos verdes e presunto?* Mas sem o presunto, só os ovos. Só que não deu certo. Porque as pessoas sabem que os ovos são amarelos."

Quase gritando para se fazer ouvir em meio ao burburinho da hora do almoço, o neurocientista à minha direita abriu bem as palmas das mãos e acrescentou: "Então, o que fazer? O que é algo que é familiar, mas que não tem uma cor distinta?".

Tive dificuldade de encontrar uma resposta. Meu primeiro pensamento foi... *uma caminhonete?* Então pensei: *toalhas, martelos, bicicletas,*

---

* *"Green eggs and ham"*, referência a um livro do Dr. Seuss. [*N.T.*]

quem sabe caixas de lenços de papel? Mas, depois de passar o fim de semana com Pascal Wallisch, um gênio frenético determinado a desenvolver, em suas palavras, "o equivalente cognitivo da bomba nuclear", tive a sensação de que aquela era provavelmente mais uma pergunta retórica visando apresentar outra lição que, novamente, seria rápida demais para que eu conseguisse tomar notas do modo ideal; então, em vez disso, enfiei um pedaço de pão na boca e mastiguei, pensativo.

"Crocs!", gritou Pascal, assustando o garçom que colocava uma salada à sua frente, que viria a permanecer intacta. Quando você pensa em um Crocs, explicou ele, aquelas sandálias de espuma populares entre enfermeiras, jardineiros e aposentados, nenhuma cor específica vem à mente.

"Tente", disse ele. "O que você vê quando fecha os olhos? São brancos, cinza, laranja, camuflados? Cada um vê uma coisa diferente", completou. Eu disse a ele que as minhas não eram de nenhuma cor, ou talvez fossem de todas as cores. Eu não sabia dizer.

"Interessante", respondeu ele, encantado, virando-se para ver a reação de seu colega à minha esquerda, o cientista cognitivo Michael Karlovich, que guardava o celular. Karlovich levantou a cabeça e deu um sorriso, depois explicou que era totalmente compreensível se nada tivesse vindo à mente. Por isso eles ficaram tão animados quando se depararam com os Crocs. Quando são combinados com meias, eles disseram, sob o tipo certo de luz, os dois itens se tornam um único "objeto de cor perceptivelmente ambígua", algo que eles esperavam encontrar meses antes enquanto tentavam chegar ao fundo de um mistério neurocientífico que tinha quase quebrado a internet alguns anos antes. Você deve se lembrar dele simplesmente como *O Vestido*.

Eu tinha ido a Nova York encontrar Pascal e Karlovich porque, se eu quisesse entender por que as evidências que haviam feito Charlie Veitch mudar de ideia não tinham tido o mesmo efeito com os outros conspiracionistas, eu precisava primeiro responder, cientificamente, *como* as pessoas mudam de ideia. Essa pergunta parecia inextricavelmente ligada a outra: o que *muda* de fato nesse processo? As duas questões pareciam fazer parte de uma ainda maior: do que a nossa mente é composta, antes de mais nada? Ou seja, como nossa compreensão do mundo é incorporada à massa gosmenta que se sacode dentro de nossas cabeças? Portanto, eu queria dar um passo para trás, alguns milhares de passos para trás, na verdade, em direção aos neurônios.

Antes de viajar para Nova York, eu fiz essas perguntas a alguns cientistas de diferentes maneiras. As respostas que chegaram tendiam a incluir uma ou duas advertências: aquele era um território perigoso, eles pareciam dizer, a delicada fronteira entre as ciências sociais e neurológicas. Perguntar como formamos nossas opiniões, e depois como as mudamos ou não, não está muito longe de perguntar: *Qual a natureza da consciência?* — uma pergunta que talvez nem tenha resposta, pelo menos não ainda, não dentro da nossa compreensão científica atual nem da linguagem que usamos para expressá-la. Não importava o que acontecesse, disseram eles, eu estava me juntando a uma investigação em andamento, que só recentemente tinha começado a ganhar terreno.

Então, além de conversar com David Eagleman, que estuda plasticidade cerebral e consciência, decidi procurar um neurocientista mais focado em por que, em um mundo pós-internet, um grande número de pessoas divergia de maneira fundamental sobre questões nas quais outras pessoas concordavam com facilidade. Pascal, com a ajuda de Karlovich, havia se tornado acidentalmente um especialista nesse assunto após dedicar anos a estudar por que as pessoas tinham surtado com *O Vestido*, uma fotografia que viralizou em 2015, depois que milhões de pessoas se dividiram em dois campos opostos, debatendo online sobre a própria realidade, porque era fisicamente impossível que concordassem.

Se você não se lembra do *Vestido*, aqui vai uma retrospectiva. Em 2015, antes do Brexit, antes de Trump, antes dos trolls macedônios da internet, antes das teorias da conspiração do QAnon e da Covid-19, antes das *fake news* e dos fatos alternativos, um afiliado da NPR chamou a divergência sobre *O Vestido* de "o debate que quebrou a internet",[1] e o *Washington Post* se referiu à questão como "o drama que dividiu o planeta".[2]

O Vestido foi um meme, uma foto viral que esteve presente em todas as redes sociais por alguns meses. Alguns, quando olhavam para a foto, viam um vestido que parecia preto e azul. Para outros, o vestido parecia branco e dourado. O que quer que as pessoas vissem, era impossível ver de forma diferente. Não fosse pelo aspecto social das redes sociais, jamais saberíamos que algumas pessoas o viam de outra forma. Mas, dado que as redes sociais *são* sociais, saber que milhões de pessoas viam um vestido de modo diferente do que você via gerava uma reação generalizada e visceral. As pessoas que viam o vestido de uma forma diferente pareciam estar claramente, obviamente, equivocadas e provavelmente insanas. Quando *O Vestido* começou a circular na internet, uma sensação tangível de pavor sobre a natureza do que é e do que não é real se tornou tão viral quanto a foto em si.

Essa crise epistêmica em particular entrou em nossas vidas quando Cecilia Bleasdale estava se preparando para o casamento de sua filha Grace.[3] Uma semana antes, ela tirou uma foto de um vestido de 77 dólares em um shopping de Londres. Supondo que poderia usá-lo no evento, ela tirou a foto hoje lendária e a enviou para sua filha para saber a opinião dela. Ao vê-la,

Grace e seu futuro marido, Kier, não concordavam quanto ao que viam, então pediram ajuda a amigos para solucionar a discussão. "Que cor *vocês* veem?" Em vez disso, a discussão se espalhou entre os amigos deles, depois entre os amigos dos amigos, e assim por diante. Algumas pessoas viam preto e azul, outras viam branco e dourado, ninguém conseguia chegar a um acordo, e todo mundo estava confuso sobre o porquê.

Uma semana depois, um músico próximo à família postou a imagem no Tumblr para ver se o mundo, de forma mais ampla, seria capaz de resolver aquilo, mas isso só espalhou a confusão para a internet, e então a internet começou a discutir sobre o que estava vendo. Em poucos dias, *O Vestido* chegou ao *Buzzfeed* e depois às redes sociais.

Em determinados momentos, havia tantas pessoas compartilhando o enigma perceptivo e debatendo sobre o assunto que a página do Twitter nem carregava em seus dispositivos. A hashtag #TheDress apareceu em onze mil tuítes por minuto, e o artigo definitivo sobre o meme, publicado no site da revista *Wired*, teve 32,8 milhões de visualizações únicas nos primeiros dias.[4]

A atriz Mindy Kaling falou pelo time preto e azul no Twitter, escrevendo: "É UM VESTIDO AZUL E PRETO! VOCÊS ESTÃO DE BRINCADEIRA COMIGO". As Kardashians defenderam o time branco e dourado, políticos entraram na conversa de ambos os lados, os telejornais de cidades do mundo inteiro encerraram suas transmissões falando nele e, por algum tempo, *O Vestido* foi a peça central da cultura pop. Onde quer que houvesse um medidor de tendências, era de longe o assunto de maior popularidade.

Para muitos, foi uma introdução a algo que a neurociência conhece há muito tempo, e que também é o principal tema deste capítulo: o fato de que a realidade, como a experimentamos, não é um instantâneo perfeito do mundo à nossa volta. O mundo, como você o vivencia, é uma simulação que acontece dentro da sua cabeça, como sonhar acordado. Cada um de nós vive em uma paisagem virtual de imaginação perpétua e ilusão autogerada, uma alucinação alimentada ao longo de nossas vidas por nossos sentidos e nossos pensamentos sobre eles, atualizada continuamente conforme trazemos para dentro novas experiências por meio desses sentidos e temos novos pensamentos sobre o que sentimos. Para quem não sabia disso, *O Vestido* tornava imperativo usar o teclado para gritar para o abismo ou se sentar e refletir sobre o seu lugar no modo como o mundo funciona.

Os estudos científicos sobre como os cérebros produzem a realidade sempre foram um pouco estranhos. Essa viagem começou no início do século XX, quando um biólogo alemão não conseguia se livrar da ideia de que a vida interior dos animais devia ser radicalmente diferente da dos humanos.

Jakob Johann von Uexküll era fascinado por águas-vivas, ouriços, aranhas e insetos, e se perguntava como seus delicados sistemas nervosos davam origem a suas percepções individuais. Observando que os órgãos dos sentidos das criaturas marinhas e dos insetos podiam perceber coisas que os nossos não podiam, ele notou que porções gigantescas da realidade, portanto, deveriam estar ausentes de suas experiências subjetivas, o que sugeria que o mesmo deveria ser verdade para nós. Em outras palavras, a maioria dos carrapatos não pode curtir um musical de Andrew Lloyd Webber porque, entre outras razões, eles não têm olhos. Eles não têm como enxergar o palco, nem mesmo da primeira fila. Por outro lado, ao contrário dos carrapatos, a maioria dos humanos não consegue sentir o cheiro do ácido butírico viajando pelo ar. E é por isso que, de acordo com Uexküll, não importa onde você se sente na plateia, o cheiro não é um elemento essencial nem desejado de uma apresentação de *Cats* na Broadway.

Uexküll percebeu que a experiência subjetiva de todo ser vivo estava restrita a um universo sensorial particular que ele chamou de *umwelt*: órgãos sensoriais diferentes, *umwelt* diferente, distinto daquele de outro animal no mesmo ambiente. Cada criatura, portanto, era ajustada para captar apenas uma pequena parte do panorama completo. Não que algum animal soubesse disso, o que foi a outra grande ideia de Uexküll. Como nenhum organismo é capaz de perceber a totalidade da realidade objetiva, cada animal provavelmente presume que o que ele é capaz de perceber é *tudo* que pode ser percebido. A realidade objetiva, seja ela qual for, nunca pode ser plenamente experimentada por nenhuma criatura. Cada *umwelt* é um universo particular, uma experiência subjetiva diferente adaptada ao seu nicho, um mundo interno com fronteiras de percepção. Os *umwelten* de todas as criaturas do planeta são como um oceano cheio de uma panóplia de realidades sensoriais flutuando umas sobre as outras, cada uma sem saber que não sabe, e nenhuma sabendo o que não sabe.[5]

As ideias de Uexküll não eram completamente inéditas. Filósofos já se perguntavam sobre as diferenças entre as realidades subjetiva e objetiva desde a caverna de Platão, e se perguntam até hoje. Quando o filósofo Thomas Nagel fez a famosa pergunta "Como é ser um morcego?", ele sugeriu que não poderia haver resposta para essa pergunta, porque seria impossível pensar dessa forma. O sonar do morcego, disse ele, não é nada parecido com qualquer coisa que possuímos, "e não há nenhuma razão para supormos que seja subjetivamente como qualquer coisa que *possamos* experimentar ou imaginar".

O desdobramento dessa ideia é que, se animais diferentes vivem em realidades diferentes, talvez pessoas diferentes também vivam em realidades diferentes. É uma peça central dos escritos de muitos pensadores psiconautas, de Timothy Leary, com seus "túneis da realidade", e da "ótica ecológica" de J. J. Gibson ao psicólogo Charles Tart e seus "transes de consenso". De *Matrix*, das irmãs Wachowski, ao "númeno" de Kant, aos "robôs conscientes" de Daniel Dennett, a todos os episódios de *Black Mirror* e a todos os romances de Philip K. Dick, temos nos perguntado sobre essas questões há muito tempo. Você também, suspeito, já deve ter se deparado com elas, tendo em algum momento perguntado algo como: "Você acha que todos nós vemos as mesmas cores?". A resposta, como *O Vestido* comprova, é não.

Portanto, a noção de que a realidade subjetiva e a realidade objetiva não são a mesma coisa, de que o que experimentamos dentro de nossas mentes é uma representação do mundo exterior, um modelo, e não uma réplica perfeita, vem se consolidando entre as pessoas que estudam o processo de pensamento há muito tempo, mas Uexküll a levou a um novo domínio acadêmico — o da biologia. Ao fazer isso, criou linhas de pesquisa acadêmica sobre a neurociência e a natureza da consciência que estão em andamento até hoje. Um desses estudos vai parecer um pouco desagradável, mas tenha paciência, porque ele vai ilustrar algo importante.

Em 1970, os fisiologistas Colin Blakemore e Grahame F. Cooper criaram um grupo de gatos em um ambiente sem qualquer tipo de linha horizontal. Fora desse ambiente, quando Blakemore e Cooper seguravam uma vareta verticalmente e a balançavam, todas as cabeças dos gatos balançavam em sincronia e se viravam juntas para seguir a vareta enquanto os cientistas andavam com ela. Mas, assim que eles a viravam de lado, os gatos desviavam o olhar em diferentes direções, depois perdiam o interesse e se afastavam. A vareta vertical era fascinante, mas a horizontal não era, porque na realidade interna compartilhada deles o horizontal *não existia*.

Em seu laboratório na Universidade de Cambridge, Blakemore e Cooper pintaram o interior de grandes cilindros de vidro de branco, depois fizeram listras pretas no interior em colunas verticais. As bordas dos cilindros curvavam-se para cima, de modo a formar paredes arredondadas.

Todo o design havia sido pensado para que os gatos jamais vissem uma borda horizontal, e, para garantir isso, os gatinhos usavam cones, parecidos com aqueles que os veterinários colocam neles para evitar lambidas após uma cirurgia. Eles então criaram uma série de gatinhos nascidos na escuridão total que, com duas semanas de vida, começaram a passar cinco horas por dia em um mundo de listras verticais. Os gatinhos ficavam dentro dos cilindros fazendo coisas que gatinhos normais fazem, e, cinco meses depois, Blakemore e Cooper os levaram para fora dos cilindros e deixaram que eles passassem um tempo em uma sala com uma mesa e algumas cadeiras, para ver como eles reagiriam.[6]

Eles perceberam logo de cara que os gatos tinham problemas com o que os fisiologistas chamam de localização visual. Quando os cientistas os colocavam em superfícies planas, como o chão ou uma mesa, os gatos pareciam incapazes de entendê-las. Quando se aproxima de uma superfície plana, um gato criado em um ambiente normal estende os membros para tocá-la com as patas. Os gatos de Blakemore e Cooper não eram capazes de fazer isso. Eles esbarravam nas mesas como se elas fossem transparentes. Quando andavam por uma superfície alta e chegavam à borda, ficavam confusos. As arestas horizontais não faziam sentido nenhum para eles. Se Blakemore e Cooper aproximassem um objeto horizontal de seus focinhos ou empurrassem os gatos na direção de um, eles não se assustavam, porque para eles o objeto simplesmente não estava ali. Quando aproximavam lentamente uma placa de acrílico pintada com linhas horizontais, os gatos eram empurrados para trás como se estivessem sendo atingidos por um campo de força, incapazes de perceber a aproximação da placa até que ela tocasse em seus focinhos.

Blakemore e Cooper repetiram tudo isso com outro grupo de gatos criados em cilindros com anéis horizontais e constataram o mesmo efeito. Os gatos desse grupo não conseguiam perceber bordas *verticais*.

E, se os cientistas brincassem com um misto dos dois grupos, um deles corria atrás de uma vareta horizontal e batia nela com as patas até que ela se virasse para cima, e então a perseguição parava, como se ela tivesse desaparecido. Nesse momento, o outro grupo entrava em ação e dava início à perseguição, como se a vareta tivesse surgido do nada.

Mas essas deficiências não duravam muito. Após cerca de dez horas brincando na sala, sentindo e interagindo com objetos horizontais, o cérebro dos gatos começava a incluir a horizontalidade à sua realidade. Neurônios que nunca haviam sido expostos a esse novo aspecto do mundo exterior começavam a reagir e a fazer as associações esperadas. Em pouco tempo eles conseguiam pular para cima e para baixo nas cadeiras e mesas com facilidade. Passavam a estender as patas quando aproximados do chão e, quando as paredes se aproximavam, eles se afastavam. Seus mundos internos ficaram mais complexos por meio da inclusão de um elemento antes inexplorado do mundo exterior à simulação que rodava dentro de suas cabeças.

Em organizações sem fins lucrativos na Índia, médicos que realizam cirurgias de catarata em pessoas cegas desde o nascimento encontraram efeitos semelhantes em humanos. Quando as bandagens são retiradas, as pessoas não passam a ver as pessoas ao seu redor de imediato. Em vez disso, veem apenas formas e cores, como um bebê. Depois de algumas semanas, porém, elas conseguem pegar objetos e diferenciá-los, mas a princípio não sabem dizer se esses objetos estão perto ou longe. São necessários anos de experiência evocando a terceira dimensão até que elas possam agir de forma ideal dentro dela. Seus neurônios precisam de tempo, assim como os dos bebês, para aprender a compreender as novas informações sensoriais.

Da mesma forma, quando pessoas que eram surdas desde o nascimento recebem implantes que lhes permitem ouvir, a princípio experimentam apenas estática. Se esses procedimentos ocorrem quando a pessoa é jovem, o cérebro eventualmente faz uso do ruído, percebe os padrões internos e os converte em sinais que podem ser distinguidos uns dos outros. Mas, com pessoas mais velhas, o bombardeio de novas experiências sensoriais pode não ser bem-vindo. Elas vinham compreendendo o mundo sem uso dos sons há tanto tempo que, às vezes, retiram os implantes para que possam voltar à realidade silenciosa, mas administrável, que sempre conheceram.[7]

Para o cérebro, no princípio tudo é ruído. Então ele começa a perceber os padrões na estática e sobe um nível, passando a identificar padrões de interação. Ao subir mais um nível, percebe que tais padrões de interação formam conjuntos, que também interagem entre si, e assim por diante. Camadas de percepção de padrões amparadas sobre camadas mais simples proporcionam uma compreensão aproximada do que esperar do mundo ao nosso redor, e as interações entre elas se tornam nosso conceito de causa e efeito. A esfericidade de uma bola, a dureza da borda de uma mesa, o braço macio de um bicho de pelúcia, cada objeto estimula certos caminhos neurais e não outros, e cada exposição fortalece as conexões até o ponto em que o cérebro passa a esperar que esses elementos existam no mundo e se torne melhor em compreendê-los no contexto. Da mesma forma que causas regularmente provocam efeitos, nosso reconhecimento inato de padrões percebe e formula expectativas — mamãe virá se eu chorar à noite; purê de batata vai me fazer feliz; dói quando as abelhas picam. Começamos nossas vidas mergulhados em um caos imprevisível, mas a regularidade das nossas impressões se tornam expectativas que usamos para transformar esse caos em uma ordem previsível.

Mas, quando uma nova informação chega por meio dos sentidos, algo incomum ou ambíguo, ela não é adicionada à realidade subjetiva imediatamente. Continua sendo ruído se não corresponder a um padrão nesse arquivo de previsão em camadas. O cérebro precisa de algumas experiências repetidas com ela, como as linhas horizontais para os gatos com deficiência sensorial e as formas e cores para os pacientes na Índia. E, como toda realidade é subjetiva, um *umwelt* limitado pelos sentidos à disposição de cada criatura, os padrões que nunca são percebidos nunca se tornam parte do mundo interno daquele ser. Se você não consegue perceber o ultravioleta, poderia passar a vida inteira sem saber que ele existe, e assim o universo particular de um camarão-louva-a-deus-palhaço é repleto de cores que os humanos jamais poderão ver nem imaginar.

O que estudos como esse demonstram é que todo e qualquer cérebro entra no mundo aprisionado na abóbada escura do crânio, incapaz de testemunhar em primeira mão o que acontece lá fora. Graças à neuroplasticidade, por meio de experiências repetidas, quando os estímulos são regulares e reiterados, os neurônios rapidamente gravam os padrões recíprocos de ativação. Isso cria um modelo preditivo único no sistema nervoso de cada um, uma espécie de potencial em repouso sob medida para que essas mesmas redes entrem em ação da mesma forma sob circunstâncias semelhantes.

Juntas, elas compõem uma representação interna, um modelo artificial dentro dessa escuridão de como o mundo exterior deve ser, por meio das informações regulares e recorrentes que chegam através dos sentidos. Como disse Bertrand Russell: "O observador, quando parece para si mesmo estar observando uma pedra, está, na verdade, se pudermos confiar na física, observando os efeitos da pedra sobre si mesmo".[8]

O neurocientista V. S. Ramachandran me disse que gosta de pensar nisso como um general dentro de um bunker comandando uma batalha usando uma enorme mesa repleta de miniaturas de tanques e soldados. O cérebro, da mesma forma que o general, depende de batedores que enviam relatórios do campo de batalha para saber como atualizar o modelo.

O general nunca vê o mundo lá fora, apenas a representação simplificada na mesa do bunker. Entre um relatório e outro, a única coisa que ele pode usar para entender a situação atual lá fora é a representação que está diante dele. O que quer que haja naquele modelo, naquele instante, é o que ele usa para planejar, fazer julgamentos, estabelecer objetivos e tomar decisões para o futuro. Se seus batedores não trouxerem atualizações, o modelo permanecerá inalterado, representando um mundo que talvez seja bastante diferente daquele lá fora. E, se os batedores jamais trouxerem determinadas informações sobre o mundo exterior, elas jamais aparecerão no modelo.

Antes do *Vestido*, a neurociência já sabia bem que toda realidade é virtual; portanto, as realidades de consenso são consequência principalmente da geografia. Pessoas que crescem em ambientes semelhantes, cercadas de pessoas como elas, tendem a ter cérebros similares e, portanto, realidades virtuais correspondentes. Se elas discordam, geralmente é em relação a ideias, não sobre a verdade crua de suas impressões. Depois do *Vestido*, bem... entra em cena Pascal, um neurocientista que estuda a consciência e a percepção.

Quando Pascal viu *O Vestido* pela primeira vez, pareceu-lhe obviamente que era branco e dourado, mas, quando ele o mostrou à esposa, ela viu algo diferente. Disse que era obviamente preto e azul. “Passei aquela noite inteira em claro, pensando na explicação que haveria para aquilo.”

Graças a anos de pesquisa sobre fotorreceptores na retina e os neurônios aos quais eles se conectam, ele achava que entendia os cerca de trinta passos na cadeia de processamento visual, mas “tudo aquilo foi pelos ares em fevereiro de 2015, quando *O Vestido* apareceu nas redes sociais”. Como um cientista que estudava aquele tipo de coisa, ele se sentiu como um biólogo ouvindo falar que os médicos tinham acabado de descobrir um novo órgão no corpo humano.

Pascal explicou sua confusão. O espectro da luz visível — as cores primárias aditivas que chamamos de vermelho, verde e azul — são comprimentos de onda específicos de energia eletromagnética. Esses comprimentos de onda de energia emanam de alguma fonte, como o Sol, uma lâmpada, uma vela. Quando essa luz colide, digamos, com um limão siciliano, ele absorve alguns desses comprimentos de onda, e o resto é refletido. O que quer que seja refletido passa por nossa pupila e atinge a retina, no fundo do globo ocular, onde tudo é transformado em uma ativação eletroquímica de neurônios que o cérebro usa para construir a experiência subjetiva de ver cores. Como a maior parte da luz natural é uma combinação de vermelho, verde e azul, o limão absorve os comprimentos de onda azuis e reflete o vermelho e o verde, que atingem nossas retinas, e o cérebro então os combina na experiência subjetiva de ver um limão siciliano amarelo. A cor, porém, existe apenas na mente. Na consciência, o amarelo é uma invenção da imaginação. A razão pela qual tendemos a concordar que limões sicilianos são amarelos (e que são limões) é que todos os nossos cérebros criam a mesma invenção da imaginação quando a luz as atinge e depois chega refletida às nossas cabeças.

Se discordamos sobre o que vemos, geralmente é porque a imagem é ambígua de alguma forma, e o cérebro de uma pessoa está desambiguando a imagem de uma forma diferente do de outra. Pascal disse que, na neurociência, os exemplos de desambiguação são chamados de ilusões visuais biestáveis interpessoais — biestáveis porque cada cérebro se fixa em uma interpretação de cada vez, e interpessoais porque cada cérebro se fixa nas mesmas duas interpretações. Você provavelmente já viu alguns deles: o pato-coelho, por exemplo, que às vezes se parece com um pato e às vezes com um coelho. Ou o vaso de Rubin, que às vezes se parece com um vaso e às vezes com duas pessoas de perfil se encarando.

Como todas as imagens bidimensionais, sejam gotas de tinta ou pixels em uma tela, se as linhas e formas forem semelhantes o suficiente a coisas que vimos no passado, nós as desambiguamos como sendo a *Mona Lisa*, um veleiro ou, no caso de uma imagem biestável, um pato ou um coelho. Mas *O Vestido* era algo novo, uma ilusão visual biestável *interpessoal* — biestável porque cada cérebro se fixava em uma interpretação de cada vez, mas interpessoal porque cada cérebro se fixava em apenas uma das duas interpretações possíveis. Foi isso que tornou *O Vestido* tão confuso para Pascal.

Figura 1: O pato-coelho apareceu originalmente, sem crédito, como um desenho em uma edição de 1892 da *Fliegende Blätter*, uma revista alemã, com uma legenda perguntando quais são os dois animais mais parecidos entre si. Mais tarde, foi popularizado pelo filósofo Ludwig Wittgenstein para ilustrar a diferença entre percepção e interpretação. Ele escreveu: "Achamos certas coisas sobre ver intrigantes porque não achamos todo o processo de ver intrigante o suficiente".

A mesma luz estava entrando nos olhos de todo mundo, e todos os cérebros interpretavam as linhas e formas como um vestido, mas, de alguma forma, nem todos os cérebros convertiam o vestido nas mesmas cores. Alguma coisa estava acontecendo a meio caminho entre a percepção e a consciência, e Pascal queria saber o que era. Ele conseguiu um financiamento e mudou o foco de seu laboratório na Universidade de Nova York (NYU) para lidar com o mistério do *Vestido* enquanto ainda era viral.

Figura 2: O vaso de Rubin tem esse nome por causa do psicólogo dinamarquês Edgar Rubin, que o apresentou em sua tese de doutorado em 1915 para ilustrar o que acontece quando duas imagens compartilham uma fronteira. Se o cérebro se concentra nas bordas internas do vaso de Rubin, as silhuetas se destacam, mas, quando se concentra nas bordas externas, o vaso emerge. A imagem usada aqui foi criada em 2007 por John Smithson.

O palpite de Pascal era que pessoas diferentes viam vestidos diferentes porque, quando não temos certeza do que estamos vendo, quando estamos em território desconhecido e ambíguo, desambiguamos usando nossas *priors*, ou *probabilidades a priori* — as camadas de reconhecimento de padrões geradas por caminhos neurais, gravadas graças a experiências regulares no mundo exterior. O termo vem do campo da estatística e passou a ser usado para dizer que qualquer suposição que o cérebro faça sobre o mundo exterior deve estar em consonância com a forma como aquilo apareceu no passado. Mas o cérebro vai além disso: em situações que Pascal e Karlovich chamam de "incerteza substancial", o cérebro usa sua experiência para criar uma ilusão do que *deveria* estar lá, mas não está. Em outras palavras, em situações inéditas, o cérebro geralmente vê o que espera ver.

Pascal disse que havia uma boa compreensão disso na visão de cores. Podemos afirmar que um suéter é verde quando nosso armário está muito escuro, ou que um carro é azul em uma noite nublada, porque o cérebro "faz uma espécie de Photoshop" para nos ajudar em situações em que diferentes condições de iluminação alteram a aparência de objetos familiares. Todos nós possuímos um mecanismo de correção que recalibra nossos sistemas visuais para "descontar a fonte de luz e obter constância de cores, de modo a preservar a identidade do objeto diante de iluminações variáveis". Ele faz isso alterando a experiência atual para que corresponda a experiências anteriores.

Há um ótimo exemplo disso em uma ilusão criada pelo pesquisador da visão Akiyoshi Kitaoka, em uma imagem que parece uma tigela de morangos vermelhos, mas que não contém qualquer pixel vermelho. Quando você olha para a foto, nenhuma luz vermelha entra em seus olhos. Em vez disso, o cérebro pressupõe que a imagem está superexposta por luz azul. Ele reduz um pouco o contraste e acrescenta um pouco de cor onde ela foi removida, o que significa que o vermelho que você experiencia quando olha para esses morangos não vem da imagem. Se você cresceu comendo morangos e passou a vida inteira vendo morangos vermelhos, quando você vê a forma familiar de um morango, seu cérebro presume que eles *devem* ser vermelhos. O vermelho que você vê na ilusão de

Kitaoka é gerado internamente, uma suposição feita *a posteriori* e sem o seu conhecimento, uma mentira contada a você pelo seu sistema visual para lhe oferecer o que deveria ser a verdade.

Pascal imaginou que a foto do *Vestido* devia ser uma versão rara e natural do mesmo fenômeno. A imagem devia estar superexposta, o que tornava a verdade ambígua; o cérebro das pessoas a desambiguava "descontando a fonte de luz" que julgava estar presente sem que as pessoas estivessem cientes disso.

A foto havia sido tirada em um dia nublado. Com um celular barato. Uma parte da imagem estava clara e a outra estava escura. Pascal percorreu esses detalhes em um *staccato* frenético, então perguntou: "Então, o que isso nos diz?".

"Que a iluminação era ambígua?", arrisquei.

"Exatamente!", respondeu Pascal, animado. Ele explicou que a cor que aparecia em cada cérebro era diferente de acordo com a maneira como cada cérebro desambiguava as condições de iluminação. Para alguns, desambiguava o ambíguo como preto e azul; para outros, como branco e dourado. Da mesma forma que os morangos, o cérebro das pessoas conseguia isso mentindo para elas, criando uma condição de iluminação que não existia. "O que tornava aquela imagem diferente", disse ele, "era que cérebros diferentes contavam mentiras diferentes, dividindo as pessoas em dois campos com realidades subjetivas incompatíveis. Mas por que a diferença era tão grande?"

Com essa hipótese em mente, Pascal acreditava ter encontrado uma resposta. Após dois anos de pesquisa com mais de dez mil participantes, ele descobriu um padrão claro entre eles. Quanto mais tempo uma pessoa ficava exposta à luz artificial (que é predominantemente amarela) — normalmente uma pessoa que trabalha em ambientes fechados ou à noite —, maior a probabilidade de ela dizer que o vestido era preto e azul.

Isso porque ela presumia, inconscientemente, no nível do processamento visual, que a iluminação era artificial, e, portanto, seu cérebro subtraía o amarelo, restando assim os tons mais escuros e azulados. No entanto, quanto mais tempo uma pessoa passava exposta à luz natural — quem trabalha durante o dia, em ambientes externos ou perto de janelas —, maior a probabilidade de subtrair o azul e ver o vestido como branco e dourado. De uma forma ou de outra — e esse é o ponto importante para seguirmos adiante —, a ambiguidade *jamais era percebida.*[9,10]

Independentemente das cores que as pessoas viam subjetivamente, a imagem nunca parecia ambígua, porque conscientemente elas experimentavam apenas o resultado de seus processos, e o resultado diferia de acordo com as experiências prévias de cada pessoa com a luz. O produto era uma mentira contada a elas por seus próprios cérebros, que, portanto, parecia indiscutivelmente verdadeira.

O laboratório de Pascal criou uma sigla para isso: Surfpad. Quando são combinadas *Substantial Uncertainty* [Incerteza substancial, em tradução livre] com *Ramified or Forked Priors or Assumptions* [Priors ou pressuposições ramificados ou bifurcados, em tradução livre], ocorre *Disagreement* [Divergência, em tradução livre].

Em outras palavras, quando a verdade é incerta, nossos cérebros acabam com essa incerteza sem o nosso conhecimento, criando a realidade mais provável que consigam imaginar com base em nossas experiências prévias. Pessoas cujos cérebros removem essa incerteza de maneira semelhante estarão de acordo, como aquelas que viram o vestido como preto e azul. Outras cujos cérebros resolvem essa incerteza de maneira diferente também se verão de acordo, como aquelas que viram o vestido como branco e dourado. A essência do Surfpad é que esses dois grupos acreditam ter razão, e, entre os que pensam da mesma forma, a impressão é de que aqueles que discordam, não importa quantos sejam, só podem estar enganados. Em ambos os grupos, as pessoas começam a procurar razões pelas quais um número tão grande de pessoas em outros grupos não conseguem ver a verdade, sem cogitar a hipótese de que talvez elas mesmas não estejam vendo a verdade.

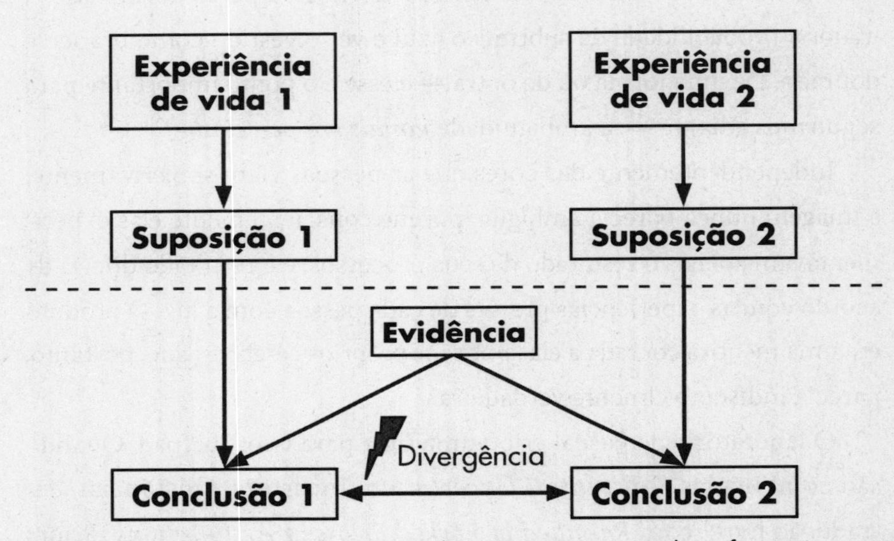

Figura 3: "Conclusões podem ser qualquer coisa que o cérebro ofereça à nossa experiência consciente — percepções, decisões, interpretações. Objetos acima da linha tracejada geralmente não são levados em conta conscientemente ao avaliarmos as conclusões. Alguns deles podem não ser acessíveis conscientemente. Cabe notar que essa não é a única diferença possível entre os indivíduos. É bem possível que os cérebros também sejam diferentes desde sempre. Isso provavelmente é verdade, mas não sabemos quase nada a respeito. Repare que, neste esquema, bastam pressupostos diferentes para que haja diferença nas conclusões. Isso não significa que outros fatores não possam ser relevantes também. Observe ainda que estamos analisando dois indivíduos aqui. Se mais de dois estivessem envolvidos, a situação seria ainda mais complexa" (do blog *Pascal's Pensées*. Disponível em: <https://pensees.pascallisch.net/?p=2153>).

Um exemplo do Surfpad em ação foram as diferentes reações às vacinas contra a Covid-19 oferecidas ao público em 2020. A maioria das pessoas não era especialista em vacinas nem epidemiologia, então as informações sobre como elas funcionavam e o que fazer eram novas e ambíguas. Para dar fim a essa incerteza, as pessoas usaram suas experiências prévias com vacinas e médicos, seus graus preexistentes de confiança nas instituições científicas e suas posturas em relação ao governo para compreender tudo. Para alguns, isso levou à conclusão de que as vacinas provavelmente eram seguras e eficazes. Para outros, a uma hesitação que foi crescendo até se transformar em uma suspeita de conspiração. Para ambos os grupos, as pessoas que viam as coisas de outra forma pareciam cegas para a verdade.

Quando encontramos informações novas que parecem ambíguas, inconscientemente as desambiguamos com base em nossas experiências anteriores. Mas, partindo do nível da percepção, diferentes experiências de vida podem levar a desambiguações bastante diferentes e, portanto, a realidades subjetivas muito distintas. Quando isso acontece diante de uma incerteza substancial, podemos discordar veementemente em relação à própria realidade — mas, como ninguém em nenhum dos lados está ciente dos processos mentais que provocaram a discórdia, isso faz com que as pessoas que veem as coisas de modo diferente pareçam, em uma palavra, erradas.

Após sua pesquisa inicial sobre os efeitos de diferentes antecedentes na percepção de imagens ambíguas, Pascal começou a testar o Surfpad recriando o fenômeno que havia observado com *O Vestido*.

No seu escritório em casa, Pascal me mostrou o espaço onde ele e seu colega Michael Karlovich conduziam suas pesquisas, uma área escura cheia de Crocs de todas as cores, meias de cano longo, várias tiras de LED e pilhas de papéis, evidências do momento eureca que deu origem a uma louca corrida por Nova York em busca das matérias-primas de que eles precisavam para construir sua bomba nuclear cognitiva.

Girando em sua cadeira de escritório, ele me disse que a chamava de bomba nuclear porque, na escada da compreensão científica, sempre vamos da *descrição* à *explicação* e então à *previsão* e à *criação*. Por exemplo, quando se trata de grama, primeiro descrevemos os tipos de grama encontrados em lugares áridos, depois criamos uma taxonomia deles, depois explicamos por que se distribuem daquela forma, então usamos isso para prever o que podemos encontrar em uma região igualmente árida ainda inexplorada. O estágio final, a criação, só é possível quando compreendemos determinada coisa de forma tão completa que somos capazes de recriá-la em laboratório.

Ainda não sabemos como criar grama do zero, mas *sabemos* criar bombas nucleares. Para provocar algo como uma reação nuclear, precisávamos entender de verdade os fatores científicos por trás de seus princípios: da *descrição* à *explicação* e então à *previsão* e à *criação*. Isso não quer dizer que não haja mais nada a aprender. Sempre há. Mas significa que a física, no que tange a esse assunto, foi muito além da previsão, afirmação que não podemos fazer em relação à maior parte da psicologia.

Pascal estava apaixonado pela questão. Ele queria que as ciências sociais voltassem aos primórdios e fizessem pesquisas da mesma forma que a física projeta experimentos. Achava que toda a empreitada precisava de uma reinicialização, um retorno às origens. *O Vestido* era uma oportunidade de fazer precisamente isso, porque era uma imagem bem singular: Pascal estava descrevendo algo que tinha acontecido em uma condição muito específica e possivelmente muito rara. Para testar de fato sua hipótese, ele teria que subir um degrau na compreensão científica. Assim, concretizadas a descrição e a explicação da ciência por trás do *Vestido*, ele passou à previsão e à criação. Ele e Karlovich construiriam o equivalente cognitivo de uma bomba nuclear usando meias e Crocs.

Para replicar *O Vestido*, eles precisavam tirar uma foto de algo cuja cor fosse ambígua: se você visse uma imagem em preto e branco, identificaria o que era, mas teria que chutar a cor com base em seus *priors* inconscientes. Eles então precisavam, de alguma forma, dar diferentes sugestões às pessoas em relação à iluminação. Diferentes experiências com a luz, diferentes palpites, diferentes realidades. A base de pesquisa de Karlovich era a visão de cores, então ele propôs a hipótese de que, se colocassem lado a lado um objeto de cor ambígua com outro cuja cor parecesse óbvia, as pessoas usariam a cor supostamente inequívoca como sugestão de iluminação para desambiguar a outra.

Karlovich passou semanas tentando encontrar um objeto que pudesse cumprir os dois requisitos. Ele tentou todo tipo de coisa, desde ovos — pensando, graças ao dr. Seuss, que algumas pessoas achariam que eram amarelos, e outras, que eram verdes — até falsos flamingos, que talvez algumas pessoas vissem como brancos e outras como cor-de-rosa. Nada deu certo, até que um dia ele se lembrou de uma época na faculdade em que estava ajudando um amigo a cultivar algumas plantas em uma estufa iluminada apenas por luzes verdes. A solução perfeita tinha sido encontrada.

Karlovich explicou que as plantas verdes absorvem todos os comprimentos de onda da luz visível, exceto os que o cérebro interpreta como verdes, que retornam aos nossos olhos. Então, se fosse usada uma luz verde para cultivá-las, as plantas verdes reagiriam como se estivessem na escuridão. Plantas verdes não conseguem "ver" o verde. Dessa forma, você pode trabalhar sob luz verde durante uma noite artificial sem perturbar os ritmos circadianos das plantas. Ele estava com uma pessoa que fazia exatamente isso quando notou algo incomum. Seu amigo estava usando Crocs que Karlovich presumiu serem cinza, porque pareciam cinza sob as luzes verdes da estufa. Mas, lá fora, à luz do sol, eles pareciam cor-

-de-rosa. A coisa estranha, a coisa que confundiu sua mente, foi que, quando eles voltaram para dentro, *eles agora pareciam cor-de-rosa*! Ele não conseguia mais vê-los do jeito que tinha visto apenas alguns minutos antes, e nunca mais conseguiu.

Como cientista especializado em cores, ele tinha um palpite forte sobre o que estava acontecendo. Se iluminarmos um par de Crocs cor-de-rosa apenas com luz verde, ele vai parecer cinza. Isso porque ele não está refletindo nenhuma luz rosa. Sob a luz do sol, no entanto, que contém comprimentos de onda rosa, vemos a cor verdadeira. O fato de que os Crocs não voltaram ao cinza na mente dele depois que ele entrou de volta na estufa significava que, embora a realidade objetiva não tivesse mudado, a realidade subjetiva tinha. As etapas intermediárias no processamento dele estavam fazendo algo novo. De forma análoga à ilusão dos morangos, como agora ele esperava que os Crocs fossem cor-de-rosa, ele os *via* como cor-de-rosa, embora esses comprimentos de onda não estivessem de fato chegando aos olhos dele. Durante a busca por um objeto que pudesse substituir *O Vestido*, algo igualmente ambíguo em termos perceptivos, ele se lembrou de sua experiência inusitada na estufa, e a resposta pareceu óbvia. É só prestar atenção a quem usa Crocs e meias, a maioria meias brancas. Aquela era a solução: meias. Mas não só meias, meias e Crocs juntos.

A ideia era: se eles pegassem alguns Crocs cor-de-rosa e os combinassem com meias brancas, depois iluminassem ambos com luz verde, os Crocs pareceriam cinza, como tinha sido na estufa; mas as meias refletiriam a luz verde de volta e pareceriam verdes. Se você *esperasse* que as meias fossem brancas e as visse assim, inconscientemente presumiria que a luz devia ser verde, como no sol do meio-dia. Seu cérebro, sem seu conhecimento, editaria a imagem para representá-la, reduzindo o verde e aumentando o vermelho, de modo a manter a constância da cor. Meias brancas, Crocs cor-de-rosa. Se Karlovich e Pascal estivessem certos, dependendo da expectativa das pessoas, algumas veriam meias verdes e Crocs cinza; outras veriam meias brancas e Crocs cor-de-rosa.

Uma vez estabelecida essa hipótese, eles foram de loja em loja por toda Manhattan comprando o que precisavam, depois levaram tudo para o escritório de Pascal, onde Karlovich vestiu as meias e os Crocs enquanto Pascal tirava fotos sob luzes verdes de estufa. Eles então mostraram as fotos a participantes do estudo e perguntaram o que eles viam. O resultado? Aconteceu exatamente o que eles achavam que aconteceria. Algumas pessoas viram Crocs cinza e meias verdes, e outras viram Crocs rosa e meias brancas. Assim como com *O Vestido*, se os participantes viam as coisas de uma forma, não era possível vê-las de outra.

Eles tinham sua bomba nuclear. Haviam criado do zero algo que antes só aparecia na natureza em cerca de 1 em cada 10 bilhões de fotos. Isso, por si só, já seria um triunfo no que diz respeito à metodologia científica e projeção de experimentos, mas, para Pascal e Karlovich, era uma evidência, na escala neuronal, de que o Surfpad era válido, porque havia algo mais profundo nos dados: os idosos tinham predisposição maior a ver os Crocs como cor-de-rosa, e as pessoas mais jovens eram mais propensas a vê-los como cinza.[11]

Por quê? Porque as pessoas mais velhas tiveram mais experiências de vida com meias brancas, então era isso que elas esperavam ver. É assim que meias *devem* ser, então elas desambiguavam o ambíguo para torná-las assim. Seus cérebros presumiam que a iluminação era verde, o que significava que os Crocs deveriam ser cor-de-rosa na realidade. Como as pessoas mais jovens tinham tido mais experiências com meias coloridas, seus *priors* diziam que as meias *eram de fato verdes* e, portanto, elas viam a imagem sem qualquer edição inconsciente.

Pascal carregou a imagem em uma televisão gigante pendurada em uma parede acima de sua esteira em seu escritório na NYU e disse: "Se você aceitar o que chega à sua retina pelo que parece, verá cinza, mas as pessoas mais velhas dizem: 'Ah, não. Eu sei o que é isso! Já vi isso antes, deve ser branca! Essa luz deve ser verde'. Então eles inconscientemente subtraem o verde de toda a imagem, e isso faz com que os Crocs fiquem cor-de-rosa em suas mentes".

Para complicar tudo isso, há o fato de que os Crocs *são* cor-de-rosa na luz natural, então as pessoas que os viram como cor-de-rosa estavam vendo a verdade *por trás da imagem*. Mas, como *não há* nenhum pixel rosa nela, as pessoas que os viram como cinza estavam vendo a *verdade da foto*. Mesma imagem, duas verdades, dependendo de suas experiências anteriores com meias. Então, qual verdade subjetiva podemos considerar a mais verdadeira das duas?

Pascal estava em polvorosa com as implicações daquilo. Nenhum dos lados estava certo nem errado, então defender apenas um lado ou outro não levaria a um entendimento mais profundo: que a realidade objetiva e as realidades subjetivas podem divergir. Somente as duas verdades combinadas, a soma de perspectivas compartilhadas, alertariam as pessoas para o fato de que havia uma verdade mais profunda, e somente por meio do diálogo elas teriam alguma esperança de solucionar o mistério.

"As crenças de uma pessoa podem indicar sua percepção das cores", explicou ele com irreverência ao escrever sobre o estudo. "Descobrimos um princípio subjacente à natureza da divergência", acrescentou, "e, por sua vez, entendemos como a divergência ocorre de modo geral." O grupo das meias brancas não atualizou seus *priors*; em vez disso, eles fizeram com que aquilo que estavam vendo se enquadrasse ao seu modelo preexistente. Eles viram o que esperavam ver. Se houve algum efeito, foi que a ilusão das meias e dos Crocs fortaleceu suas suposições.

Pascal passou a metade da minha última tarde com ele e Karlovich explicando por que aquilo que eles tinham demonstrado com meias e os Crocs era vital para entender como e por que as pessoas mudam ou não mudam de ideia quando apresentadas unicamente a evidências. Eles acreditam que a pesquisa literalmente lança luz sobre outros tipos de divergências polarizadas, em relação à política, teorias da conspiração, acontecimentos do presente e negacionismo científico.

"Ocorrem mais de trinta etapas no processamento visual antes que uma imagem chegue à consciência", disse Pascal. Você só tem consciência do resultado, não dos processos. Ninguém, em momento algum do processamento da imagem do *Vestido*, sentiu a incerteza que levou à sua desambiguação. É o fato de a incerteza ser eliminada tão furtivamente — de esses processos serem inconscientes e incontroláveis — que provoca as brigas mais difíceis de solucionar. Quando nossas diferentes experiências e motivações nos levam a desambiguar de maneiras diferentes, não temos como evitar discordar com alto grau de certeza. Mas, quando discordamos dessa forma, não sabemos *por que* discordamos. O resultado é que discutimos sem parar sobre nossa subjetividade para convencer uns aos outros de algo que não parece subjetivo; parece a verdade nua e crua, sem filtros, indiscutível.

Na psicologia, existe um termo para esse ponto cego cognitivo, para quando suas desambiguações parecem inegavelmente verdadeiras. É chamado de realismo ingênuo, e é a crença de que você enxerga o mundo como ele realmente é, livre de suposições, interpretações, vieses ou limitações sensoriais. O famoso psicólogo Lee Ross, que ajudou a popularizar o termo, me disse que isso leva muitos de nós a acreditar que adotamos nossas crenças, posturas e valores após uma análise cuidadosa e racional por pensamentos e impressões não mediados. Ignorando que diferentes *priors* podem dar origem a diferentes desambiguações, você acredita que está absorvendo a realidade pura há anos e que foi sua minuciosa análise dos simples fatos que, naturalmente, levou a todas as suas conclusões. De acordo com Ross, é por isso que as pessoas de ambos os lados de qualquer debate acreditam que o lado delas é o único voltado para a realidade.

Quando as desambiguações entram em choque, como com *O Vestido*, as pessoas têm dificuldade de entender como o outro lado é capaz de ver as coisas de forma diferente, dado que as evidências parecem óbvias.

Pascal e Karlovich explicaram, em um de seus artigos, por que esse trabalho era tão importante: "O grau de polarização em relação aos acontecimentos presentes atingiu a máxima histórica". Um estudo da Pew Research confirma isso. De acordo com ele, "Republicanos e Democratas estão mais divididos em termos ideológicos — e a antipatia partidária é mais profunda e mais extensa — do que em qualquer outro momento das duas últimas décadas".[12]

Da mudança climática à extração de petróleo, passando pela fraude eleitoral e pela reforma do sistema de saúde, pode parecer que as pessoas vivem em realidades completamente diferentes. Em nenhum momento isso ficou mais evidente do que na divisão partidária em relação à Covid-19. De acordo com uma pesquisa recente da Pew nos Estados Unidos, quase 75% dos Republicanos disseram que o governo fez um ótimo trabalho ao lidar com a pandemia durante os piores meses da doença, contra apenas 30% dos Democratas e independentes. Assim que os Democratas assumiram a Casa Branca, os contrários às máscaras entraram em confronto com os defensores das máscaras, e os que hesitavam em se vacinar começaram a discutir com aqueles que insistiam pela vacinação, às vezes em seus leitos de morte, sobre suas diferentes interpretações da realidade.[13]

Refletindo sobre as implicações de sua pesquisa, Pascal e Karlovich disseram que a ciência precisava "entender melhor a divergência, para evitar resultados desagradáveis". O problema de estudar a divergência política, no entanto, é que, embora o resultado pareça simples — dois campos ideológicos em cada uma das pontas de um espectro de crenças —, os inúmeros sistemas de interação humana que se sobrepõem para dar origem a ele são extremamente complexos. A explicação completa para a polarização da interpretação requer uma compreensão gestáltica não apenas da política, mas da psicologia do raciocínio, da motivação, das recompensas sociais, dos custos sociais, das normas, das crenças, das posturas e dos valores, não apenas no nível da interação humana, mas dentro de cada cérebro, chegando até os neurônios, hormônios e gânglios.

"Uma estratégia de pesquisa viável para contornar esse problema é explorar divergências de percepção", escreveram Pascal e Karlovich em sua pesquisa sobre meias e Crocs. "Elas são, sem dúvida, suficientemente livres de preconceitos — suficientemente inocentes — para que as pessoas tenham a cabeça aberta para os resultados dos estudos. Por sorte, fomos abençoados com *O Vestido* — uma imagem que evoca divergências inflamadas sobre percepção."

A primeira lição que *O Vestido* deixa é que nossas divergências começam no nível das suposições perceptivas, porque toda realidade é virtual; mas elas não param aí. Como disse Pascal, uma vez que o mundo dentro da mente de uma pessoa é uma coletânea de suas experiências no mundo até o momento, uma hierarquia de abstrações cada vez mais ilusórias que chamamos de crenças, posturas e valores, "os mesmos princípios que governam a percepção são os que estão por trás das divergências conceituais".

Foi aqui que um dos mistérios centrais começou a parecer muito menos misterioso: por que os fatos que tiveram efeito em Charlie Veitch não tiveram efeito nos outros conspiracionistas — nem na comunidade inteira que acabou por excomungá-lo. Isso ficaria ainda mais claro quando, como você vai ver nas próximas páginas, eu começasse a entender de que modo as forças culturais e a cognição motivada estão em jogo quando pessoas com modelos diferentes se encontram e tentam desambiguar algo que ambas consideram ambíguo.

Muitas vezes não percebemos que estamos diante da incerteza, e, quando tentamos resolvê-la, não apenas nos apoiamos em nossos diferentes *priors* perceptivos; nós os abraçamos, motivados pela necessidade de identidade e pertencimento, por custos sociais, questões de confiança e reputação e assim por diante.

Os psicólogos chamam isso de disputa de perspectivas (*frame contest*),[14] quando há consenso sobre os fatos (tiroteios em massa são um problema), mas não quanto à interpretação desses fatos (é por causa de X / não, é por causa de Y).[15]

Como prevê o Surfpad, é por isso que muitas vezes discordamos em questões que, para ambos os lados, parecem óbvias. Inconscientes do processamento que leva a tal divergência, tudo parece uma batalha pela realidade em si, pela legitimidade dos nossos próprios olhos. Desentendimentos como esses geralmente se transformam em divergências entre grupos porque pessoas com experiências e motivações largamente semelhantes tendem a desambiguar de maneiras largamente semelhantes, e não importa se elas se encontram virtual ou pessoalmente, o fato de que pessoas de confiança enxergam as coisas do mesmo jeito pode parecer toda a prova de que precisam: elas estão certas e o outro lado está factualmente, moralmente ou o-que-quer-que-seja-mente equivocado.

"Apresentar evidências que os questionem não muda suas crenças. Se isso tem algum impacto, é fortalecê-las", explicou Pascal. "Pode parecer intrigante, mas faz todo o sentido em uma estrutura Surfpad." Ele me disse para imaginar uma fonte de notícias confiável que continuamente retrate uma figura política sob uma ótica negativa. Se outra fonte de notícias a retratar de forma positiva, o cérebro não faz a atualização. Em vez disso, age exatamente como faz com as meias brancas. Presume que a luz está errada e a exclui, e subjetivamente isso parece objetividade.

Isso nos leva à segunda lição. Uma vez que subjetividade parece objetividade, o realismo ingênuo faz achar que a forma de mudar a cabeça das pessoas é mostrar a elas os fatos que embasam seu ponto de vista, porque qualquer outra pessoa que tenha lido as coisas que você leu ou visto as coisas que você viu naturalmente veria as coisas do seu jeito, desde que reflita sobre o assunto com a mesma dedicação que você. Portanto, você presume que qualquer pessoa que discorde de suas conclusões provavelmente ainda não está ciente de todos os fatos. Se estivesse, já veria o mundo como você vê. É por isso que você continua copiando e colando links inutilmente de todas as fontes mais confiáveis ao debater seus pontos de vista com pessoas que parecem estar perdidas, malucas, desinformadas ou simplesmente erradas. O problema é que isso é justamente o que o outro lado acha que vai funcionar com você.

A verdade é que estamos sempre chegando a nossas conclusões por meio da desambiguação, mas todo esse trabalho é feito dentro do cérebro de cada um sem que estejamos cientes. Apenas experimentamos, na consciência, o resultado. Você acha que está experimentando o mundo como ele realmente é, e quando muitas pessoas têm certeza de que a versão delas da realidade é a versão real de fato, ao mesmo tempo em que muitas outras pessoas têm certeza de que não, de que na verdade a versão *delas* é que é, a consequência são disputas que "quebram" a internet (como *O Vestido*), mas também a Inquisição, a Guerra dos Cem Anos, o QAnon e os protestos contra as máscaras durante uma pandemia.

Em seu escritório, Pascal me deixou segurar *O Vestido*. Pude ver pessoalmente que era obviamente preto e azul, mas já não tinha mais tanta certeza. Pascal ficou feliz por eu não ter mais tanta certeza. Ele considerou isso uma forma de iluminação.

Um homem da ciência, Pascal é uma pessoa para quem conclusões pautadas em evidências são as únicas que devem ser levadas em consideração. Estar aberto ao fato de que nossos modelos atuais podem estar errados, de que a interpretação atual é apenas isso, uma interpretação, deixa as pessoas abertas a mudar de ideia quando novas evidências questionam sua compreensão atual.

Mas Pascal também compartilha o nome com Blaise Pascal, o filósofo do século XVII cujas impressões sobre debates foram publicadas postumamente em um livro chamado *Pensées* [Pensamentos, em tradução livre]. Em uma delas, ele escreveu: "Ora, ninguém se ofende por não perceber tudo; mas não gostamos de estar errados, e isso talvez decorra do fato de que o homem, naturalmente, não consegue ver tudo, e de que naturalmente ele não pode estar errado em relação ao que vê, pois as percepções dos nossos sentidos são sempre verdadeiras". Mais tarde, acrescentou: "As pessoas geralmente são mais persuadidas pelas razões que elas próprias descobriram do que pelas que vieram à cabeça dos outros".

Pascal concorda com Pascal. Ele inclusive batizou seu blog de *Pascal's Pensées*, em homenagem ao filósofo.

"Precisamos de um discurso 'surfpadizado', uma cultura em que todos entendam, ou pelo menos em que muitos entendam, o que está acontecendo", disse ele, dobrando *O Vestido* e guardando o par de Crocs cor-de-rosa usado na pesquisa. "Você sabia que não conseguimos perceber a terceira dimensão?" Eu sabia que era uma pergunta retórica, então deixei os Crocs de lado e abri meu caderno.

Pascal explicou que a superfície da retina é bidimensional, como uma folha de papel. A luz chega a nós em apenas duas dimensões, e então o cérebro constrói a terceira a partir de pistas familiares, de todas as experiências na infância de quando estendemos a mão para alcançar objetos distantes, de quando batemos a cabeça em objetos próximos e assim por diante. Assim como o amarelo do limão-siciliano, a terceira dimensão é sempre uma ilusão. Sempre esteve e sempre estará inteiramente em nossas cabeças. É por isso que podemos assistir a filmes em 3D e fazer pinturas realistas. Artistas recriam pistas visuais familiares, e nossa experiência nos ajuda a montar uma representação dentro de nossas cabeças que, em suma, é uma mentira a que o cérebro recorre para nos contar a verdade.

O cérebro precisa fazer suposições para navegar em um mundo incerto, disse Pascal. Isso geralmente nos serve bem; na verdade, tem nos servido bem há milhões de anos. Os problemas surgem quando exageramos nessas suposições. Ele compara isso a aceitar cegamente qualquer correção automática sugerida enquanto digitamos um texto.

"Precisamos transcender isso. Precisamos ser capazes de dizer: 'Estou sujeito ao Surfpad, você está sujeito ao Surfpad'. Se formos capazes de fazer isso, vamos para um nível meta. 'Quais são meus *priors*? Quais são minhas pressuposições? Temos *priors* diferentes? Temos pressuposições diferentes?' Talvez, então, consigamos chegar a algum tipo de entendimento sobre de onde a outra pessoa vem. Porque, francamente, eu costumava ver muitas posições chocantes nas redes sociais. Mas agora, em vez de me envolver com elas, não falo nada, porque, sempre que tentei me envolver, ficou ainda pior. Portanto, acho que precisamos de uma nova cultura da divergência. Uma cultura do Surfpad."

Acho que Pascal está no caminho certo. Afinal, ideias científicas como essas mudaram nossa concepção de nós mesmos diversas vezes. A Revolução Copernicana, a evolução pela seleção natural, a teoria microbiana das doenças, a mudança da sede da consciência da alma para o cérebro, o advento da própria psicologia, que nos tornou conscientes das forças inconscientes que influenciam nossos pensamentos, sentimentos e atitudes — tudo isso nos forneceu as ferramentas para conceber nossas suposições mais úteis, mas às vezes muito erradas. Nos meus momentos mais Pollyanna, consigo imaginar alguma versão futura de nós mesmos em que a aplicação do Surfpad seja capaz de melhorar nosso diálogo em um mundo sempre ligado, sempre conectado, plano, onde todas as informações estão sempre disponíveis o tempo todo, tornando tudo muito incerto e muito ambíguo. Um mundo onde a verdade existe, mas é difícil encontrar a confiança.

"O grau de divergência e polarização em relação aos acontecimentos presentes está em uma máxima histórica, e não para de crescer", disse Pascal, "por isso, precisamos entender melhor a divergência para evitar consequências desagradáveis."

O estudo de Pascal e Karlovich sugere que simplesmente apresentar evidências que questionam crenças não é suficiente. Precisamos nos aproximar de uma forma que nos permita perguntar e entender como as pessoas chegaram às suas conclusões. Precisamos ver que as outras pessoas estão usando diferentes *priors* e processos, de modo a ver que o que parece certo para nós parece certo para os outros de uma maneira diferente. Precisamos aceitar que vivemos em comunidades diferentes, inclusive na internet, com problemas, objetivos, motivações e preocupações diferentes e, acima de tudo, que tivemos experiências diferentes. Precisamos admitir que, se tivéssemos experimentado o que os outros experimentaram, talvez até mesmo concordássemos com eles.

Questões polêmicas são polêmicas porque são desambiguadas de formas distintas, inconscientemente, não por escolha própria. Se formos capazes de enxergar isso, podemos chegar a algo que Pascal e outros pesquisadores da NYU têm chamado de empatia cognitiva: a compreensão de que o que os outros experimentam como a verdade chega à cabeça deles inconscientemente, de modo que debater sobre conclusões geralmente é perda de tempo. O melhor caminho, segundo eles, seria que ambas as partes se concentrassem em seus processamentos, em *como* e *por que* veem o que veem, não *no que* veem. Os dados científicos sobre como os cérebros atualizam seus *priors* sugerem que isso seja verdade; inclusive, foi assim que superamos todos os obstáculos que nossa espécie já enfrentou. É assim, literalmente, que as pessoas mudam de ideia. Mas há um porém, e é isso que vamos explorar no capítulo seguinte.

O próximo experimento de Pascal e Karlovich será tentar perceber se, ao receber alguma outra informação prévia, as pessoas que veem meias brancas e Crocs cor-de-rosa passarão a ver a imagem como ela realmente é. Eles querem saber se as pessoas podem ser ensinadas a ver os Crocs de outra forma, a contornar suas próprias suposições — em outras palavras, vão tentar mudar a cabeça das pessoas expondo-as a coisas novas. Eles defendem a hipótese de que não deve ser necessária uma vida inteira de novas experiências para percebermos que talvez estejamos errados, para percebermos que é preciso atualizar os *priors* e adotar uma nova perspectiva. Pascal disse: "Eles precisam experimentar algo que deixe inequivocamente claro que luz é aquela".

Eu disse a Pascal que estava planejando passar algum tempo com antigos membros de seitas, grupos de ódio e comunidades de teóricos da conspiração. De acordo com o que eu havia lido, as pessoas costumam deixar esses grupos não porque suas crenças foram diretamente questionadas, mas porque algo totalmente alheio à ideologia fez com que elas passassem a vê-la de outra forma.

Pascal me interrompeu. "Essa é a estratégia, então. Você precisa abrir uma fresta para deixar a luz entrar."

4

DESEQUILÍBRIO

Depois de passar algum tempo com Pascal Wallisch e os neurocientistas da NYU, acreditei ter alcançado uma compreensão adequada de como as mentes se formam. O cérebro, preso dentro de uma caixa preta, constrói lentamente, com esforço, um modelo de realidade que, com o tempo, se aprimora em prever e explicar as regularidades de seu ambiente, que disparam algumas conexões neurais e outras não. Nossas experiências no mundo começam com formas, sons e cores, e, à medida que nos tornamos cada vez melhores em percebê-los, interagimos com os objetos ao nosso redor e começamos a dividi-los em categorias. Um pouco mais tarde, quando temos idade suficiente, e com a ajuda de outras pessoas que já passaram por esse processo, acrescentamos a linguagem. No começo, associamos os sons atualmente aceitos aos aspectos da realidade que eles descrevem, depois aprendemos sinais que representam esses sons no papel, e então disparamos a aprender sobre coisas que talvez nunca experimentemos diretamente, a não ser por meio de livros sobre o Paraguai, de podcasts sobre assassinos em série e de filmes sobre ursinhos de pelúcia que falam.

Mas o que acontece quando percebemos que o que acreditávamos ser verdade é, no fundo, falso? O que acontece quando aprendemos algo novo que contradiz algo antigo? O que acontece quando nos deparamos com argumentos que divergem das nossas visões de mundo? O que acontece quando vivenciamos algo que põe em xeque uma posição que outrora norteou nossos valores? Agora que sabia como as mentes se formavam, eu queria descobrir como as mentes *mudavam*.

Como decidimos o que é e o que não é verdade é uma conversa que existe há dois mil anos, que levou pessoas mais espertas que eu a deixar de lado essa busca para ir morar em cabanas, onde poderiam se concentrar em bordado e aperfeiçoar suas panquecas.

Para evitar isso, em vez de nos aprofundarmos na filosofia do conhecimento, vamos nos concentrar principalmente na psicologia e na neurociência. Isso não quer dizer que a filosofia não seja digna do nosso tempo; é só que, se você alguma vez abriu um livro sobre epistemologia, o estudo de como conhecemos as coisas, podemos levar várias centenas de páginas para explorar como determinamos se o livre-arbítrio é uma ilusão e, ainda assim, não chegar a uma conclusão satisfatória. Podemos escapar da semântica, de alguma forma, dedicando mais tempo a observar como os cérebros geram os fundamentos dessa semântica.

Como já foi dito, informação codificada no cérebro é ativação e desativação de neurônios. Ela está escrita em um substrato vivo, mas, se ampliada, é tão neutra quanto palavras impressas em uma página.

Quando dizemos que o cérebro armazena informações, isso significa apenas que, quando o cérebro interage com o mundo exterior por meio dos sentidos ou quando interage consigo mesmo por meio do pensamento, o processo no nível mais profundo é físico. A atividade química e elétrica reorganiza moléculas e átomos em sua cabeça, e um cérebro antes de uma interação é fisicamente diferente de um cérebro após uma interação. Quando você ouve uma música, conhece um cachorro ou tem uma discussão sobre mostarda, as conexões entre os neurônios são fortalecidas, enfraquecidas, podadas e alteradas para que partes minúsculas do cérebro não tenham mais a mesma forma nem a mesma disposição que tinham antes desses eventos.

Como isso se traduz em informação? Assim como quando você faz uma marca em uma página com uma caneta ou grava um emblema em cera, a forma física do que é moldado muda. À medida que os sentidos reagem ao mundo natural, eles enviam sinais ao cérebro que alteram sua estrutura física. Como um pé deixando uma pegada na lama ou uma marca feita a fogo na madeira, uma causa gera um efeito, e o efeito traz informações consigo. Acrescente algumas máquinas biológicas capazes de identificar a informação, outras que identificam os padrões dentro dela, mais outras que identificam os padrões nos padrões e você terá o processo de criação de uma mente.

Esses padrões também podem nos ajudar a descobrir verdades escondidas entre eles. O psicólogo Steven Pinker criou um experimento mental para demonstrar isso.

Imagine uma árvore sendo serrada, começa Pinker, depois imagine uma máquina que seja capaz de perceber os anéis no toco. Para cada anel, ela faz uma marca. Cinco anéis, 5 marcas. O padrão nos anéis agora está codificado em outro lugar.

Ele então nos pede para imaginar uma segunda máquina, que seria capaz de produzir a verdade sem "raciocinar". Eis como ela funcionaria: a segunda máquina perceberia os anéis em um toco e faria uma marca para cada um. Cinco anéis, cinco marcas. Em seguida, ela detectaria os anéis em um segundo toco, menor. Três anéis, três marcas.

Se adicionássemos um recurso à máquina para que, a cada anel detectado no toco menor, ela lixasse as marcas que tivesse feito para o maior, teríamos uma subtração. Cinco anéis menos três anéis deixaria dois anéis de sobra. E esse processo puramente mecânico produziria uma verdade oculta.

Os anéis correspondem aos anos, as marcas correspondem aos anéis, então as duas marcas que sobram após a subtração correspondem à idade da árvore maior quando a árvore menor foi plantada: dois anos. Mas podemos ir mais longe. Como os anéis também são uma causa provocada por um efeito, nesse caso os círculos escuros e claros deixados para trás à medida que uma árvore cresce ao longo do período que a Terra leva para realizar uma única órbita ao redor do Sol, as marcas também correspondem a duas órbitas. Depois que a primeira árvore foi plantada, a Terra deu duas voltas ao redor do Sol antes que a segunda árvore brotasse. Tudo isso seria verdade não porque a máquina é "inteligente ou racional por si própria", mas porque ela produziu uma "cadeia de eventos físicos comuns cujo primeiro elo era uma configuração de matéria que carrega informações".[1]

É isso que está acontecendo no cérebro. Ele continuamente "grava marcas" em neurônios que correspondem aos padrões que detecta no mundo exterior, em paralelo com um lixamento contínuo dessas marcas à medida que reconhece outros padrões. O cérebro engloba muitas máquinas biológicas, e cada uma delas é capaz de traduzir as correlações que descobre em mudanças dentro de uma rede compartilhada de neurônios. Em seguida, ele altera seu comportamento com base nessas mudanças internas. Se esses comportamentos aumentam seu grau de êxito, os padrões neurais ficam mais fortes; se não, ficam mais fracos.

Com o tempo, as forças da seleção natural privilegiaram máquinas biológicas capazes de perceber melhor essas correlações e reagir a elas. Em suma, criaturas com sistemas nervosos que codificam informações e então comparam e contrastam correlações tornaram-se melhores em usar essas informações para sobreviver, prosperar e se reproduzir. Organismos de estímulo e resposta, como aranhas e vermes, surgiram de ancestrais unicelulares suspensos em um meio gelatinoso que se moviam em direção a recompensas e se afastavam do perigo. Geração após geração, esse processo produziu máquinas biológicas cada vez melhores, com sentidos e respostas cada vez melhores.

Com o tempo, segundas máquinas emergiram das primeiras. Elas conseguiam ler as informações dentro de si mesmas como se estivessem percebendo padrões no mundo exterior. E podiam fazer uso desses padrões em diferentes níveis, traduzindo correlações em inferências e previsões, o que levou a uma maior taxa de êxito na busca por recursos e na evasão de ameaças.

Foi o que aconteceu até surgirem os primeiros sistemas nervosos complexos. À medida que as máquinas biológicas construídas umas sobre as outras compartilhavam e cruzavam informações, materializou-se uma complexidade que deu origem à inteligência, à avaliação e ao planejamento. Surgiram entidades que, em busca de objetivos como não passar fome e não ser comido, eram capazes de tomar decisões e fazer julgamentos em momentos de incerteza com base na comparação entre informações novas e informações codificadas anteriormente. Em outras palavras, a vida *aprendeu a aprender.* De acordo com a neurociência, mudar de ideia no fundo é isso: uma máquina de aprendizado incessante e que está o tempo todo gravando e apagando informações codificadas.

Em organismos complexos, a sobrevivência depende de prever o que vai acontecer a seguir com base no que já aconteceu antes. A detecção de erros nessas previsões depende da dopamina, um neurotransmissor crucial para inúmeros sistemas no cérebro que regulam os neurônios subjacentes à motivação.

Como diz o neurocientista, o cérebro está imerso em uma "sopa" de dopamina, e, de um momento para o outro, a concentração da sopa influencia o quanto você se sente motivado para dar continuidade a uma tarefa ou abandoná-la em detrimento de outra. Quando a química em nossos cérebros que nos mantém trabalhando, estudando, assistindo a um filme, esperando na fila ou envolvidos em uma conversa passa por uma mudança, nós então nos sentimos desmotivados e prontos para começar outra coisa. Ou, no caso de algo como navegar nas redes sociais, jogar vídeo game ou apostar, podemos sentir uma motivação para permanecer na tarefa às custas de outras motivações, o que nos mantém focados e envolvidos.

Dentro desse sistema de motivação, a dopamina afeta os sentimentos que surgem quando os resultados não correspondem às nossas expectativas, e níveis variados de dopamina nos motivam a perceber, aprender e ajustar nossas previsões no futuro.[2]

Por exemplo, se você pegou um avião para a Islândia e, na restituição de bagagem, descobriu que o aeroporto oferece sorvete grátis para os passageiros que chegam, um pico de dopamina chama sua atenção para um resultado positivo inesperado. Você fica motivado a adicionar um novo comportamento às suas rotinas e escolher aquele aeroporto no futuro. Mas, se você tivesse escolhido esse aeroporto antes e o escolhesse de novo especificamente por causa do sorvete de cortesia na restituição de bagagem, seus níveis de dopamina permaneceriam estáveis. Como sua experiência teria correspondido às suas previsões, você provavelmente manteria esse comportamento. No entanto, se você esperasse um sorvete e ficasse sabendo, na chegada, que o aeroporto não oferecia mais o serviço, experimentaria uma queda nos níveis de dopamina devido ao resultado negativo inesperado e, como resultado, talvez não escolhesse esse aeroporto novamente.

Como o psicólogo Michael Rousell me disse, quando as experiências não correspondem às nossas expectativas, um pico de dopamina que dura cerca de um milissegundo nos motiva a parar o que estávamos fazendo e prestar atenção. Após a surpresa, nos sentimos motivados a aprender com a nova experiência para errar menos no futuro. Para nossos ancestrais, ele disse, "surpresa era sinônimo de perigo iminente ou de uma grande oportunidade, mas pensar sobre isso em vez de agir significava que você poderia ou sucumbir ao perigo ou perder a oportunidade, e qualquer um desses desfechos poderia removê-lo do *pool* genético".

Quando nossos modelos não correspondem às nossas experiências, seja uma festa surpresa em nossa casa ou um hambúrguer faltando no nosso pedido de delivery, os imprevistos nos estimulam a atualizar nossos comportamentos. Eles nos fazem mudar de ideia sem que percebamos, pois o cérebro retifica silenciosamente nossos esquemas preditivos, eliminando a surpresa ao torná-la mais previsível no futuro.[3]

Toda a realidade subjetiva é construída assim, em camadas de padrões e esquemas preditivos, mas, graças à plasticidade neural, essa construção não acaba nunca. Como "pedreiros neuronais" constantemente acrescentando cômodos a uma catedral de confiança, nossos cérebros estão continuamente desconstruindo e reconstruindo nossos modelos de realidade a todo momento, de maneira a compreender a novidade e a surpresa. Nossas mentes estão sempre mudando e se atualizando, escrevendo e editando. E, graças a essa plasticidade, muito do que consideramos real e irreal, verdadeiro e falso, bom e ruim, moral e imoral muda à medida que aprendemos coisas que não sabíamos que não sabíamos.[4]

Como *você* vai aprender neste capítulo, o cérebro não é apenas um amontoado de crenças e associações. Esse processo de gravação e apagamento pode começar pelos sentidos, mas leva a uma hierarquia de abstrações. No fundo, estão sensações puras e simples, como formas, sons e cores. No meio, coisas concretas, como lagartas e passarinhos. No topo, conceitos mais elevados, como humildade e furacões. Cada nível depende dos que estão abaixo dele para dar sentido aos níveis acima.

Na maioria das vezes, quando aprendemos coisas novas, apenas reordenamos essa hierarquia, mas às vezes o projeto em andamento exige grandes expansões. Por exemplo, se você aprende uma nova forma de preparar um frango, basta acrescentar essa receita ao seu repertório. Você *assimila* o que aprendeu e depois aplica a outras receitas, inclusive aquelas que não são de aves. A hierarquia continua como estava, com algumas pequenas atualizações. Mas, se você visita um aviário e testemunha galinhas com pernas extras comendo galinhas sem perna nenhuma, pode se sentir compelido a fazer uma grande atualização para *acomodar* o que você testemunhou.

São esses dois processos, assimilação e acomodação, que orientam todas as mudanças de ideia, e temos que agradecer ao grande psicólogo Jean Piaget por essa forma de entender como os cérebros criam e interagem com o conhecimento.[5] Mas, antes de nos aprofundarmos nisso, parece apropriado dar um passo atrás e fazer uma breve atualização sobre o que significa *saber*, bem, qualquer coisa.

Na filosofia, a ideia de "saber" alguma coisa não significa *acreditar* que você sabe alguma coisa. Significa saber alguma coisa que por acaso também é verdade. Por exemplo, se você acredita que, ao dar descarga simultaneamente em um vaso sanitário na Austrália e em outro no Canadá, a água em cada um vai girar em direções opostas, bem, isso não é conhecimento, porque não é verdade. O sentido em que a água gira é sempre consequência do ponto em que ela começa a jorrar naquele vaso em particular, então, se você acredita em outra coisa, isso não conta como conhecimento, apenas como crença. Para os filósofos, crença e conhecimento são coisas distintas, porque podemos acreditar em coisas que são falsas.

O problema em tentar responder à questão de como determinar se algo é ou não verdade vem do fato de que primeiro precisamos estabelecer que a nossa definição de verdade é verdadeira. É por isso que existem cerca de 2.600 maneiras de analisar o verbo *saber* e, depois que você se forma em uma faculdade de filosofia, não consegue deixar de ver uma cadeira mais como uma coleção de crenças e ideias do que como um combinado de madeira e estofado.

É aqui que o termo *pós-verdade* começa a parecer um tanto bobo, porque, filosoficamente, há cerca de dois mil anos, mais ou menos, ninguém é capaz de concordar quanto ao significado da palavra "verdade". Não podemos estar no mundo da pós-verdade se nunca vivemos em um paraíso cheio de verdade, para começo de conversa. E há milênios debatemos não apenas o que a verdade *é*, mas *quais* as formas de determiná-la. O único modo de escapar desse curto-circuito foi estudar como chegamos a um consenso sobre os fatos de forma geral, a disciplina acadêmica conhecida como epistemologia.

A epistemologia é o estudo do conhecimento em si — fatos, ficções, racionalizações, justificativas, racionalidade, lógica, tudo isso. Bem antes de termos uma palavra para ela, essa era a preocupação central da própria filosofia. Antes que tivéssemos microscópios e lasers, podia-se ganhar a vida pensando profundamente sobre um assunto até que se criasse mais uma epistemologia para somar a outras, em aberta competição pela melhor forma de identificar um fato. Epistemologia é isso: uma estrutura para classificar o que é verdadeiro. Dado o quão difícil isso pode ser, podemos ter empatia pelas pessoas que ficam presas em discussões na internet sobre se cachorros-quentes são sanduíches ou não e, por extensão, por pessoas debatendo se a Terra é plana ou se o Onze de Setembro foi uma armação.

A maior parte das reflexões psicológicas e filosóficas sobre o assunto concorda que o conhecimento existe em basicamente duas formas. O "o quê" nós temos como saber. Sobremesas existem e árvores são altas, ontem choveu, amanhã é domingo. Esse é o conhecimento declarativo. Também podemos saber o "como": o método por trás de um estilo de dança ou de como trocar um pneu. Isso é o conhecimento processual. Em ambos os casos, se alguém afirma reter determinada forma de conhecimento, por muito tempo, a forma como essa afirmação foi testada foi por meio do uso de proposições.[6,7]

Proposições não são verdadeiras nem falsas, apenas afirmações que podem tomar qualquer um dos dois rumos. Alguém usa uma frase para afirmar algo que pode ser verdade, como "Patrick Swayze interpretou James Bond em *007: Na mira dos assassinos*". Então essa proposição é desafiada quando pedimos sua justificativa. Nesse caso, as evidências sugerem que James Bond já foi interpretado por diversos atores, nenhum deles Patrick Swayze. Então, pelos padrões das proposições, esta não se justifica. Portanto, é falsa.

As proposições também permitem que exista a chamada lógica proposicional. "Há 1,2 milhão de cães de rua em Houston. Houston é uma cidade no Texas. Portanto, há mais de 1,2 milhão de cães de rua no Texas." Às vezes, no entanto, mesmo quando a evidência apresentada é verificável e a lógica é sólida, não podemos nos apoiar em uma proposição para chegar a uma conclusão definitiva. Por exemplo, se você afirma que todos os cisnes são brancos e a sua justificativa é que todos os cisnes que você já viu eram dessa cor, bastaria um cisne negro para provar que sua afirmação é falsa. Nesse caso, sua afirmação ainda seria uma crença, uma que você poderia manter em alta conta, mas, como pode haver um cisne negro por aí que você nunca viu, isso não conta como conhecimento, filosoficamente falando.[8]

No fim das contas, a epistemologia trata de traduzir evidências para confiança. Ao avaliar algo em que acreditamos por meio de algum tipo de sistema que o organiza e o classifica em relação às evidências disponíveis, nossa certeza em relação a uma verdade deve aumentar ou diminuir. Mas algumas maneiras de descobrir que raios está acontecendo são melhores que outras, dependendo daquilo que você queira saber. Em uma estrutura epistemológica, podemos alcançar um grau de confiança que sugere que a Lua controla as marés. Em outra, podemos estar cada vez mais certos de que ela controla os nossos sonhos.

Felizmente, quando se trata de verdades empíricas, a epistemologia a que chamamos ciência parece ter vencido, já que é a única capaz de proporcionar tanto iPhones quanto vacinas. Em algum momento do século XVII, desenvolvemos o método científico para testar nossas crenças baseadas em fatos e chegar a um consenso sobre o que é objetivamente verdadeiro em meio ao que é observável e mensurável. Na ciência, tratamos todas as conclusões como probabilidades, e, em vez de pensar a fundo por meio de proposições ou de meditar usando peiote, dedicamos nosso tempo a elaborar experimentos rigidamente controlados. Então usamos os resultados para criar pilhas de evidências para cada uma das inúmeras hipóteses concorrentes. As pilhas que crescem muito se tornam teorias e, juntas, viram modelos que predizem como serão os experimentos futuros. Enquanto esses experimentos continuam a dar os mesmos resultados, os modelos se mantêm. Quando isso não acontece, atualizamos o modelo.

A ciência, enquanto epistemologia, é ótima para coisas que dependem apenas de fatos. Por que o céu é azul? De onde vem o petróleo?

Quando se trata de questões sobre as melhores políticas públicas, sobre moralidade e ética, o melhor que a ciência pode fazer é aconselhar outras epistemologias. Mas a filosofia do método científico também funciona nesses domínios, porque ela insiste que devemos sempre trabalhar para refutar nossas conclusões e as dos outros, não para confirmá-las, que é o que normalmente preferimos fazer.

Antes de explorarmos a ciência por trás das razões pelas quais preferimos confirmar nossas conclusões, quero examinar novamente a sobreposição de filosofia, psicologia e neurociência. Nessas questões, elas parecem se sobrepor no fato de que a informação sensorial bruta e os pensamentos que temos sobre ela não contam realmente como conhecimento até que pensemos em termos de condições.

As condições nos permitem criar regras não só para o que é verdade mas também para o que não é verdade, e isso nos dá a possibilidade de usar uma palavra muito importante: *errado*. Com as condições, podemos estar errados sobre todo tipo de coisa, não apenas geometria ou como preparar uma lasanha, mas sobre o que é bom e mau, justo e injusto.

Por exemplo, não podemos nos referir a algo como um quadrado até estarmos de acordo sobre quais condições devem ser cumpridas para chamá-lo assim. Podemos dizer algo como: "Se uma figura bidimensional tem quatro lados iguais e quatro ângulos retos, então ela é quadrada". Assim, se uma pessoa olhar para um triângulo e nos disser que é um quadrado, podemos dizer que ela está errada. Mais importante, podemos subir um nível a partir do quadrado, fazendo com que ele sirva de recurso para uma ideia mais complexa. Depois de ter uma definição para quatro lados iguais em duas dimensões, podemos nos referir a um cubo como um objeto composto por seis quadrados iguais em três dimensões.

Uma vez que tenhamos cubos, podemos usá-los como blocos para construir outros objetos em três dimensões e estabelecer uma camada inteiramente nova de conceitos comuns. Esses conceitos se tornam partes de conceitos maiores e, eventualmente, podemos debater abstrações como justiça e compreender fenômenos como as placas tectônicas. Nos níveis mais elevados, cada ideia depende das camadas de conjuntos de condições acordadas que a sustentam, e cada camada em si depende das camadas abaixo como evidência de que está factualmente correta e que, portanto, é conhecimento.

O único problema é que, depois de fazer isso por tanto tempo, sabemos muita coisa, mas ainda não sabemos o quanto não sabemos. Pior ainda, também não sabemos que não sabemos que não sabemos. Uma vez que só podemos criar uma realidade consensual a partir daquilo que *sabemos* ou que *acreditamos* que sabemos, muitas vezes não temos como saber quando estamos absurdamente equivocados. Tanto em mentes individuais quanto em grupos de mentes que concordam, parafraseando a escritora de ciência Kathryn Schulz, vencedora do Pulitzer, até sabermos que estamos errados, estar errado é exatamente igual a estar certo.[9]

Como o cérebro não sabe o que não sabe, quando constrói narrativas causais ele preenche lacunas na realidade com explicações provisórias. O problema é que, quando um grupo de mentes usa a mesma construção provisória, boa o bastante por enquanto para tapar esse buraco, com o tempo essa explicação provisória compartilhada pode se transformar em consenso — um senso *comum* do que é e do que não é verdade. Essa tendência deu origem a inúmeras crenças inusitadas compartilhadas ao longo dos séculos, realidades consensuais que hoje parecem absurdas. Por exemplo, por um bom tempo a maioria das pessoas acreditou que gansos nasciam em árvores.

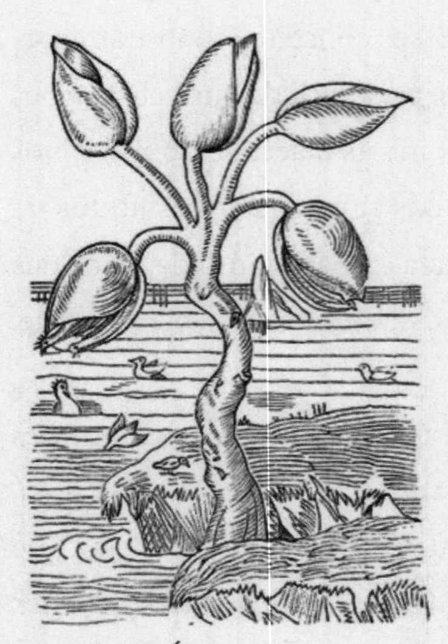

Figura 4: *Árvore dos gansos*, de John Gerard (1597).

Séculos atrás, as pessoas costumavam encontrar um certo tipo de craca presa em troncos que flutuavam. Essa craca tinha um longo tubo que saía de uma concha branca, com algumas listras amarelas nas laterais, e, por pelo menos setecentos anos, as pessoas em toda a Europa medieval achavam que essa craca era algum tipo de protoganso, porque se parecia um pouco com os pescoços e as cabeças dos familiares gansos que viviam na mesma área onde as cracas sempre apareciam. Textos de naturalistas que remontam ao século XII descrevem misteriosas "árvores de ganso" com estranhos frutos a partir dos quais, segundo eles, as aves se formavam, eclodiam, balançavam, se desprendiam e voavam.[10]

É claro que gansos não crescem em árvores. Então por que quase todo mundo acreditou nisso por tanto tempo? A resposta é que eles não sabiam o que não sabiam, e o que eles não sabiam em particular era que alguns dos gansos que viviam nos pântanos da Grã-Bretanha migravam para se reproduzir e botar seus ovos. Para as pessoas do século XII e antes, a migração ainda era uma incógnita desconhecida. Eles nem sequer a cogitavam como uma opção. Dado que só podemos construir modelos da realidade a partir dos materiais disponíveis, eles construíram um modelo a partir do que *sabiam*, ou pelo menos do que achavam que sabiam. Deram um salto que parecia perfeitamente realista na época. Concluíram que os troncos à deriva deviam ser galhos caídos. Deduziram que aquela coisa estranha presa a eles devia ser um "broto de ganso" que ainda não havia se transformado por completo em uma ave adulta quando caiu do pé de ganso.[11]

Na época, a geração espontânea era uma verdade aceita, parte do modelo de realidade compartilhado por todo mundo. As pessoas acreditavam que carne podre dava à luz moscas, que pilhas de trapos sujos podiam se transformar em camundongos e que lenha queimada gerava salamandras. Quase todo o resto vinha do lodo ou da lama. Uma árvore que dava brotos de aves parecia razoável, principalmente se, em quinhentos anos, você jamais tivesse visto um ovo dessa ave. Monges eruditos que supostamente registraram esse processo consolidaram ainda mais a crença. Para comprová-la, eles ilustraram os misteriosos pés de ganso e seu estranho processo de crescimento, dando origem a livros muito bonitos. Esses mesmos monges também alegavam que se podia comer um ganso-craca durante a Quaresma, porque não era uma ave. Essa crença ficou bem estabelecida e bastante popular porque, em 1215, o papa Inocêncio III declarou que, ainda que todos soubessem que davam em árvores, a Igreja proibia estritamente o consumo de gansos-cracas, fechando efetivamente a brecha aberta pelos astutos monges.

A maioria das pessoas não tinha provas pessoais da existência de pés de ganso, de modo que confiavam nas autoridades sobre o assunto. Era algo que se aprendia. Elas estavam erradas, mas esse erro no fundo não afetava suas vidas de forma significativa, então o mito sobreviveu até parte do século XVII, quando exploradores descobriram os locais de nidificação dos gansos na Groenlândia. Essa foi a primeira anomalia. Então, quando as pessoas começaram a bisbilhotar aqueles estranhos botões, surgiu um segundo conjunto de anomalias. Ray Lankester escreve em seu livro de 1915, *Diversions of a Naturalist* [Desvios de um naturalista, em tradução livre], que a crença morreu no início do século XVII, "quando a estrutura da craca que se encontrava dentro da concha foi examinada sem nenhuma ideia preestabelecida e se percebeu que a semelhança com qualquer ave era mínima". Hoje, em inglês, essas duas criaturas são chamadas de *goose barnacle* (literalmente "craca-ganso", efetivamente "percebe") e *barnacle goose* (literalmente "ganso-craca", efetivamente "ganso-de-faces-brancas" ou "ganso-marisco"), resquícios de uma crença que uma vez existiu em todas as mentes daquela região, mas que hoje não existe em nenhum.

Velhas realidades consensuais — grandes lobos que perseguem o Sol e a Lua no horizonte; a teoria humoral da medicina, em que toda a saúde era resultado de um equilíbrio adequado entre bílis negra, bílis amarela, sangue e fleuma; o modelo geocêntrico do universo, com um céu fechado em esferas celestiais concêntricas de cristal, que explicavam como o Sol, a Lua, as estrelas e os planetas se moviam; a teoria miasmática, segundo a qual toda doença era consequência da inalação excessiva dos vapores nocivos de coisas que fedem: todas essas coisas não pareciam de todo irracionais. Como qualquer visão de mundo obsoleta, elas só parecem absurdas em retrospecto, e, como todas as visões de mundo, apesar de erradas, as pessoas que se valiam delas para se orientar em seu dia a dia se recusavam a abrir mão delas sem lutar.

A crença no ganso-craca não se dissipou imediatamente, porque alguns naturalistas encontraram evidências em contrário. De início, as pessoas as assimilaram. Interpretaram as evidências como confirmação daquilo que já achavam que entendiam. Foi necessária a adição de informações novas e não confirmatórias, uma série de anomalias de várias fontes que não podiam ser explicadas pelo modelo existente, até que crenças como as de que gansos cresciam em árvores dessem lugar a novas explicações.

Examinando a história da ciência, o filósofo Thomas Kuhn e o psicólogo cognitivo Jean Piaget notaram, mais ou menos na mesma época, que teorias científicas superadas, como a das árvores de ganso, revelavam algo fundamental sobre como as ideias mudam ou não mudam, o que deu origem a dois modelos mentais para explicar os próprios modelos mentais. Para Kuhn, "a mudança de paradigma". Para Piaget, os dois mecanismos psicológicos mencionados anteriormente, "assimilação" e "acomodação". Eu tendo a preferir Piaget, mas ambos vão guiar nossa exploração pelo restante deste livro. Para entendê-los, vejamos como esse mesmo tipo de sobrecarga de anomalias ocorre nas mentes dos indivíduos.

Em 1949, dois psicólogos de Harvard, Jerome S. Bruner e Leo Postman, criaram um experimento usando cartas de baralho para testar a capacidade das pessoas de atualizar seus modelos.

Eles projetaram em tela imagens de cartas individuais, uma de cada vez. Para cada slide, os cientistas pediam ao participante para identificar as cartas que havia visto, dizer o nome de cada uma em voz alta e então apertar um botão para passar para o slide seguinte, com outra carta. "Ás preto de paus." *Clique.* "Três vermelho de ouros." *Clique.* E assim por diante.

Os participantes não sabiam que, em meio àquelas cartas, os cientistas haviam plantado algumas anomalias, cartas que eles nunca tinham visto antes. De vez em quando, a cor e o naipe estavam trocados, como copas preto e espadas vermelho, por exemplo. No começo, os participantes não repararam nas cartas inéditas. Eles as identificaram em voz alta como se fossem normais e familiares. Mas, sem que os participantes percebessem, seus cérebros notaram que havia algo errado, e seus tempos de resposta ficavam maiores à medida que uma nova carta anômala aparecia.

Os cientistas foram aumentando gradualmente o número de anomalias à medida que apresentavam mais cartas aos participantes, acrescentando um número maior de falsificações à coleção. A maioria dos participantes continuou a identificar erroneamente as anomalias como normais, mas também começou a mencionar algum desconforto. Ao ver uma carta com a cor trocada, eles muitas vezes diziam que ela parecia marrom-acinzentada, vermelha-escura ou até mesmo roxa. Sentiam que havia algo errado, mas não conseguiam identificar o quê, e seus tempos de resposta começaram a estagnar enquanto eles refletiam sobre aquela confusão.

Quando foram acrescentadas ainda mais cartas de cores trocadas, alguns indivíduos começaram a vivenciar o que os cientistas chamaram de "choque da percepção". Quando uma carta anômala aparecia, metade dos participantes dizia coisas como "Nem em sonho eu consigo dizer se isso é vermelho ou sei lá o quê!", "Nem parecia uma carta daquela vez" ou "Eu já nem sei mais a cara que tem uma espada! Meu deus!".

Finalmente, depois de uma longa perturbação cognitiva, os participantes chegaram ao que Bruner e Postman chamaram de "choque da percepção". Em uma epifania súbita e emocionante, eles perceberam que algumas das cartas haviam sido manipuladas. Por isso elas pareciam tão estranhas. Houve um suspiro de alívio. "Ah! As cartas estão com as cores trocadas!" E, a partir desse ponto, em vez de tentar fazer com que as anomalias correspondessem às suas expectativas, eles mudaram suas expectativas para dar conta do novo tipo de carta. Uma vez que aceitaram que as cores *poderiam* estar trocadas, eles conseguiam vê-las como eram. Então identificaram instantaneamente e sem esforço cada uma nas apresentações subsequentes do experimento,[12] e seus tempos de resposta voltaram ao normal.

Em seu livro *A estrutura das revoluções científicas*, Thomas Kuhn disse que o experimento de Bruner e Postman ilustrou perfeitamente como as pessoas mudam de ideia, tanto dentro quanto fora da ciência. No início, as cartas com as cores trocadas eram invisíveis, assim como as linhas horizontais eram para os gatos de Blakemore e Cooper. Mas, quando as anomalias se tornaram numerosas demais para serem ignoradas, eles tentaram assimilá-las aos seus modelos existentes. Primeiro supuseram que as cartas existiam em algum meio-termo perceptivo, não propriamente vermelho, não propriamente preto. Quando essa assimilação deu errado, seus cérebros cederam e criaram uma nova categoria perpétua: cartas manipuladas para serem de uma cor alternativa.

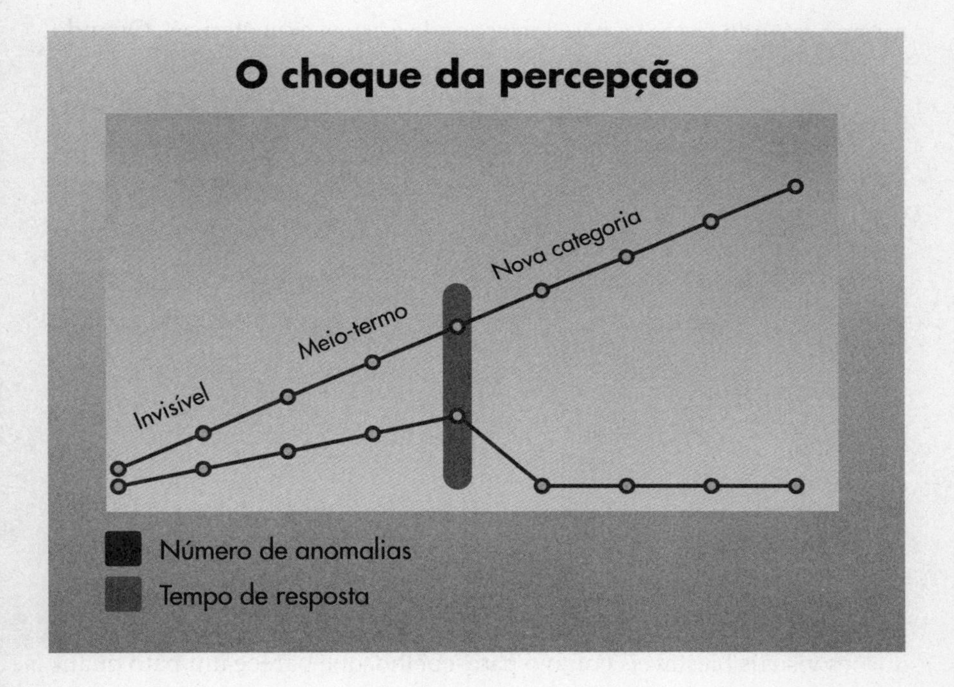

Quando suspeitamos que podemos estar errados, quando as expectativas não correspondem à experiência, nos sentimos profundamente desconfortáveis e resistimos à acomodação tentando aplicar nossos modelos atuais de realidade à situação. É somente quando o cérebro aceita que seus modelos existentes nunca vão dar conta das incongruências que ele os atualiza, criando uma nova camada de abstração para acomodar a novidade. O resultado é uma epifania, e, como todas as epifanias, é a percepção consciente de que mudamos de ideia que nos assusta, não a mudança em si.

Kuhn escreveu que "a novidade emerge somente mediante à dificuldade (dificuldade que se manifesta através de uma resistência) contra um pano de fundo fornecido pelas expectativas".[13] Em outras palavras, quando você não sabe o que não sabe, a princípio só vê o que espera ver, mesmo quando o que vê não corresponde às suas expectativas. Quando temos aquela sensação de "talvez eu esteja errado", a princípio tentamos admiti-la interpretando a novidade como confirmação, procurando evidências de que nossos modelos ainda estão corretos, criando narrativas que justificam a manutenção de nossas noções preconcebidas, selecionando apenas evidências de que estávamos certos o tempo todo. A menos que sejam radicalmente subvertidos, nossos modelos devem dar errado algumas vezes antes de começarmos a nos acomodar.

Quando acontece na ciência, Kuhn chama isso de mudança de paradigma, o momento em que um modelo que não pode mais incorporar suas anomalias é aposentado e substituído por um que pode. Como exemplos de quão rápido isso pode acontecer, ele apontou para ilusões de ótica que podem ser vistas de duas maneiras distintas — uma caixa que parece estar voltada para duas direções diferentes ou uma daquelas ilusões visuais biestáveis como o pato-coelho, que parece um pato quando visto de um jeito e um coelho quando visto de outro. Kuhn estava sugerindo que, quando fazemos uma atualização, não é a evidência que muda, mas nossa interpretação dela. O mundo natural permanece o mesmo de um paradigma para o outro, mas, à medida que as anomalias em nossas explicações se acumulam ao longo do tempo, elas nos obrigam a buscar explicações diferentes para o que antes achávamos ser líquido e certo. Em determinado momento, segundo Kuhn, "o que eram patos no mundo do cientista antes da revolução posteriormente são coelhos".[14]

Figura 5: O pato-coelho. *Fliegende Blätter*, 1892.

Jean Piaget concordava com muito do que Kuhn tinha a dizer, mas discordava em um ponto importante. Sua pesquisa sobre o desenvolvimento infantil através de fases sugeria que os modelos antigos nunca são jogados fora; em vez disso, eles nos servem de base. Ele via a mudança de ideia como uma espécie de Navio de Teseu, substituindo suas peças pouco a pouco no mar para não correr nunca o risco de afundar.

Há um grau de sobreposição alto o suficiente entre essas duas visões para que se possa argumentar que são basicamente as mesmas, mas Kuhn estava falando sobre como os paradigmas mudam na ciência e Piaget estava falando sobre como a mudança ocorre nos indivíduos. Juntos, podemos ver que, sim, às vezes percebemos que nossos modelos antigos estão, em uma palavra, errados, mas nunca os jogamos em nenhum tipo de lixeira cognitiva e começamos do zero. O que Kuhn chamou de revolução ou mudança de paradigma Piaget viu como um momento de integração, não de substituição. Ele escreveu que todo conhecimento, "por mais novo que seja, a princípio nunca é totalmente independente do conhecimento prévio. É apenas reorganização, ajuste, correção ou acréscimo em relação ao conhecimento existente. Mesmo dados experimentais desconhecidos até determinado momento devem ser integrados ao conhecimento existente. Mas isso não acontece naturalmente; é preciso um esforço de assimilação e acomodação".[15]

Piaget passou a maior parte de sua vida escrevendo sobre como os cérebros criam conhecimento a partir da experiência. Tendemos a pensar nele como o psicólogo que estabeleceu as fases do desenvolvimento infantil e a permanência do objeto. Ele criou inúmeros experimentos divertidos para descobrir quando as crianças aprendem que, quando você verte suco de um copo pequeno para um maior, não cria magicamente mais suco. Mas todo esse trabalho estava a serviço da compreensão da assimilação e da acomodação, o que ele chamou de epistemologia genética. Nesse sentido, Piaget estava convencido de que a criação da nossa realidade subjetiva e, portanto, a nossa compreensão do mundo, do próprio conhecimento, era um processo ativo, e não um estado.

Por exemplo, quando uma criança vê pela primeira vez um pequeno animal com quatro patas e um rabo, e um dos genitores lhe diz "Cachorro!", a criança cria uma categoria para animais não humanos com quatro patas. Mais tarde, quando essa mesma criança vê um cavalo e exclama "Cachorro!", o genitor deve corrigi-la. "Não, isso é um cavalo." Nesse momento, a criança abandona a assimilação e a troca pela acomodação, revisando a velha categoria que antes abrigava todos os quadrúpedes e criando uma nova, com espaço para mais.

Piaget introduziu esses dois conceitos, assimilação e acomodação, como parte de sua teoria do construtivismo, que é amplamente utilizada hoje na educação para desenvolver planos de aula modernos pautados na ciência do desenvolvimento humano. Se Kuhn via a mudança de ideia como semelhante ao equilíbrio pontuado na evolução, longos períodos de estase e resistência pontuados por explosões de mudanças repentinas e muitas vezes traumáticas, Piaget a via como algo contínuo e equilibrado. Para Piaget, os organismos estão continuamente se adaptando na busca por tornar seu ambiente ideal até terem a sensação de que dominaram esse ambiente a contento. Nesse momento, eles atingiram o que ele chamou de equilibração.

Equilibração é tanto assimilação, "integrando novas informações em estruturas preexistentes", quanto acomodação, "mudando e construindo novas estruturas para compreender a informação". Como disse um pesquisador: "Quando há uma harmonia entre esses dois processos, há adaptação e um grau de equilíbrio é alcançado".

A chave para sintetizar as ideias de Kuhn e Piaget é o que Piaget chamou de desequilíbrio.

O cérebro é uma entidade plástica, sempre aprendendo, sempre se atualizando, mas com cuidado, em um ritmo que se protege dos riscos ao não favorecer nem a estase nem o caos. Nos momentos em que esse ritmo cauteloso é interrompido, em momentos de extrema mudança no ambiente ou de incerteza avassaladora, experimentamos um desequilíbrio excruciante. Nós nos sentimos motivados a tirar a assimilação e a acomodação do pano de fundo das nossas vidas mentais. Nós nos concentramos conscientemente nelas, propositalmente, até mesmo obsessivamente. É nesses momentos que testemunhamos a maior mudança de todas.

Quando as expectativas fundamentais de uma pessoa são extraordinariamente subvertidas de uma forma que torna impossível manter a estabilidade na mudança, essa pessoa pode experimentar um trauma psicológico profundo, inevitável, que resulta no colapso de todo o modelo de realidade que ela antes usava para compreender o mundo.

Psicólogos que estudam esse tipo de trauma descobriram que, na sequência disso, as pessoas tendem a seguir um de dois caminhos. Algumas entram em uma espiral de má adaptação, recorrendo ao uso de drogas ou a outros tipos de comportamento autodestrutivo, afundando-se cada vez mais, até atingirem uma estase sombria. Para as pessoas que seguem esse caminho, o sofrimento psicológico extremo muitas vezes se torna um catalisador para o desenvolvimento de novos problemas psiquiátricos ou exacerba tendências latentes que ainda não haviam sido ativadas de maneira significativa. No entanto, se houver um sistema de apoio social sólido, a maioria das pessoas não segue esse caminho. Elas intuitiva e imediatamente recorrem a amigos, parentes e à internet para obter novas informações, novas perspectivas, matéria-prima bruta para se reconstruir.

Ao longo do final dos anos 1990 e do início dos anos 2000, psicólogos como Richard G. Tedeschi e Lawrence G. Calhoun reuniram evidências para propor uma nova teoria sobre como as pessoas lidam com mudanças extremas. Eles descobriram que, para a maioria dos indivíduos, sobreviver a um trauma leva a uma espiral *adaptativa* de desenvolvimento *positivo*, um despertar de um novo eu através do que eles chamam de crescimento pós-traumático.

Em um dos estudos, Tedeschi e Calhoun entrevistaram um músico que havia ficado permanentemente paralisado, incapaz de tocar, e que, como muitos outros participantes, dissera aos pesquisadores que aquilo era "a melhor coisa que já me aconteceu". Ele disse que, mesmo que pudesse mudar o rumo que as coisas tomaram, não o faria. Antes, ele era um alcoólatra sem um propósito claro, sem planos além do próximo show e do próximo bar. Disse que preferia ficar paralisado como seu novo eu do que ter sua vida como um músico autodestrutivo de volta junto com suas suposições equivocadas e sua ignorância generalizada. O mesmo vale para os participantes que um dia viram suas vidas viradas de cabeça para baixo por causa de acidentes de avião, incêndios em suas casas, perda de membros e assim por diante. Como eles explicam, "na esteira confusa e apavorante do trauma, quando suposições fundamentais são severamente postas em xeque", as pessoas precisam atualizar "sua compreensão do mundo e seu lugar nele". Se não o fizerem, o cérebro entra em pânico, incapaz de compreender a realidade. Processar esse pânico demanda uma nova postura, novos pensamentos, novas crenças e um novo conceito de eu.[16]

Nem todos compartilham do sentimento do músico de que jamais mudariam nada, mas o estudo de Tedeschi e Calhoun mostra que, depois de receber um diagnóstico de câncer terminal, perder um filho, passar por um divórcio destruidor, sobreviver a um acidente de carro, a uma guerra ou a um ataque cardíaco, é muito comum as pessoas relatarem que as circunstâncias negativas inevitáveis que enfrentaram as tornaram pessoas melhores. Elas abandonaram uma série de pressupostos ultrapassados que, até o trauma, nunca haviam tido motivos para questionar, e, portanto, nunca souberam que estavam erradas. As pessoas relatam que parece que espaços inexplorados se abriram dentro de suas cabeças, prontos para serem preenchidos com novos conhecimentos derivados de novas experiências.

Apesar dos benefícios em potencial, pode ser preciso algo como um acidente de avião ou um diagnóstico de câncer para passarmos por esse tipo de transição porque evitamos a todo custo os resultados catastróficos de jogar fora nossas antigas visões de mundo e identidades. Sem uma rede forte, nossas crenças, posturas e valores se desfazem. Perdemos nosso senso de significado e nos vemos nus diante do mundo, em total perplexidade.

Ainda assim, reinicializações totais do eu às vezes são inevitáveis, e, quando isso acontece, a vida cotidiana pode ser intensamente traumática. Durante uma crise dessas, tudo parece anômalo. Tedeschi e Calhoun escrevem que um "abalo sísmico psicológico" pode "reduzir a escombros muitas das estruturas esquemáticas que guiavam o entendimento, a tomada de decisões e o significado". O evento traumático contradiz e, em alguns casos, anula o entendimento com o qual uma pessoa conta para oferecer contexto e previsibilidade de tal forma que questiona o "propósito geral e o sentido da existência dessa pessoa".

Ampliando essa metáfora, Tedeschi e Calhoun dizem que o processo de reconstrução cognitiva que ocorre após um evento traumático como esses é semelhante à reconstrução que se segue a um terremoto. Apenas as estruturas mais fortes sobrevivem, as que lentamente aprendemos que ainda são úteis. Tudo que foi reduzido a escombros não será reconstruído da mesma forma não confiável de antes. O resultado é uma nova visão de mundo "muito mais resistente à destruição". Em uma crise, tornamo-nos radicalmente abertos a mudar de ideia.

O crescimento pós-traumático é uma versão acelerada do processo normalmente invisível, contínuo e gradual de atualização de nossos *priors*, aquela coleção de pressupostos que não parecem pressupostos. O psicólogo Colin Murray Parkes se refere a essa coleção como nosso "mundo presumido": uma constelação de fenômenos mentais que fornece nossas noções de previsibilidade e controle, muitas das quais herdadas e internalizadas de nossas culturas — um conjunto de conhecimentos, crenças e posturas que guia nossas ações, nos ajuda a entender as causas e as razões para o que acontece e forma o eu que dá uma sensação de pertencimento, significado e propósito.[17]

O mundo presumido nos serve de três maneiras principais. Primeiro, coloca o presente imediato em contexto. Ele nos diz *quem*, *o quê*, *quando*, *onde* e o *porquê* da nossa existência, segundo a segundo. Quem é a minha mãe? Quando eu devo ir para a cama? Onde está minha correspondência? Por que o ovo se espatifou no chão?

Esse mundo presumido também nos fornece uma biblioteca de instruções "se..., então". Essas narrativas causais nos dizem o que acontecerá no futuro quando interagirmos com o mundo de determinada forma. A curto prazo, sabemos que, se virarmos a chave, a ignição vai ligar. Se você deixar um ovo cair, vai fazer uma sujeira. Se dermos um tapa na cara do nosso chefe, não vamos receber um bônus. O mundo presumido nos permite formular planos para atingir metas hoje, na próxima semana e daqui a décadas. No longo prazo, presumimos que, se permanecermos na faculdade, vamos obter um diploma; se continuarmos comendo bolo, vamos precisar de roupas novas; que é uma boa ideia juntar dinheiro para a aposentadoria e que viveremos o suficiente para apreciá-la.

E a terceira forma pela qual o mundo presumido ajuda em nossa compreensão da realidade é ao nos dizer como devemos nos comportar se quisermos manter nossas redes de apoio social. Se queremos manter nossos amigos, cônjuges, amantes e parentes próximos, adotamos os comportamentos que supomos que devemos e nos abstemos dos demais.

O crescimento pós-traumático é a rápida mudança mental que ocorre em uma pessoa após um questionamento amplo e súbito da precisão de seu mundo presumido. Quando nossas suposições dão totalmente errado, o cérebro entra em um estado de crise epistêmica. Para seguir adiante, para recuperar um senso de controle e certeza, percebemos que alguns dos nossos conhecimentos, crenças e posturas devem mudar, mas não sabemos ao certo quais. O que está claro, no entanto, é que não existe mais a opção de continuar agindo como se os modelos atuais fossem válidos, então entramos em um estado de aprendizado ativo no qual avaliamos imediata e constantemente outras perspectivas, ponderamos honestamente nossos pontos fracos e trabalhamos para mudar nossa postura de modo a solucionar a crise. No fim das contas, um volume tão grande de fatos é substituído — crenças e posturas que povoavam nossos antigos modelos de realidade — que nosso próprio *eu* muda.

Esse processo é automático. Ninguém escolhe buscar significado após o trauma ou desenvolver um novo eu na esteira dele. É uma chave biológica, um mecanismo de sobrevivência que entra em cena assim que necessário. Tedeschi e Calhoun dizem que é importante lembrar que os sobreviventes de traumas não se veem propriamente "embarcando em jornadas pela busca de significado ou em tentativas de tirar algum proveito de suas experiências". Na maioria das vezes, as pessoas estão apenas tentando sobreviver.

Eles apontam para como o poeta americano Reynolds Price escreveu sobre o câncer que provocou sua paralisia. Price disse que, quando não podemos escapar da reviravolta de nossa identidade, ela nos força a "ser outra pessoa, o seu próximo eu viável — inteiramente outra pessoa, com um olhar completamente novo". Analisando o diagnóstico em retrospecto, ele disse que gostaria que alguém o tivesse olhado nos olhos desde o primeiro momento e lhe dito: "Reynolds Price está morto. Quem você vai ser agora? Quem você pode ser, e tem como trabalhar dia e noite para chegar lá?".[18]

Na neurociência, assimilação e acomodação têm nomes diferentes: conservação e aprendizagem ativa. Quando novas evidências põem em xeque nossas expectativas e nossas conclusões, alguma coisa precisa mudar para solucionar o número cada vez maior de incongruências que o modelo atual parece incapaz de resolver. É o momento da dúvida, aquela sensação visceral, o sentimento de "talvez eu esteja errado" que os psicólogos chamam de dissonância cognitiva. Quando confrontada com novas informações que parecem não estar de acordo com os nossos *priors* atuais, a dissonância cognitiva chama nossa atenção para o fato de que talvez tenhamos que atualizar nossos *priors*. Se não pudéssemos passar por isso, jamais poderíamos mudar de ideia. Isso é dolorosamente aparente no caso da sra. G, uma paciente de David Eagleman que sofreu um derrame que danificou seu córtex cingulado anterior, o CCA.

A sra. G estava em recuperação quando Eagleman a conheceu e conheceu seu marido. Durante o exame, quando Eagleman pediu que ela fechasse os dois olhos, ela só conseguiu fechar um. Percebendo a extensão de sua condição, Eagleman lhe perguntou se os dois olhos estavam fechados, e ficou surpreso ao ouvi-la responder que sim. Dando sequência ao exame, ele levantou três dedos e perguntou quantos ela estava vendo. Ela respondeu três. Eagleman então perguntou como ela sabia que ele estava mostrando três dedos se seus dois olhos estavam fechados.

A sra. G. não disse nada.

Eagleman então colocou a sra. G. diante do espelho e perguntou se ela podia ver seu reflexo. Quando ela disse que sim, ele pediu que ela fechasse os dois olhos. Quando ela disse que os tinha fechado, Eagleman perguntou se ela ainda conseguia se ver. A sra. G. disse que conseguia. Ele então perguntou como era possível que ela estivesse vendo seu reflexo se seus dois olhos estavam fechados.

A sra. G. mais uma vez não disse nada.

A sra. G não ficou confusa nem alarmada, mas também não atualizou suas crenças à luz dessa alarmante evidência contraditória. Em vez disso, ela ficou em silêncio por um tempo, como um computador reiniciando.

Eagleman diz que isso é comum em pacientes com anosognosia, um distúrbio que faz com que as pessoas neguem outro distúrbio. Ele chama isso de obstrução cognitiva, quando crença e percepção discordam. A sra. G tinha sofrido danos nas áreas do cérebro que resolviam tais disputas, as partes que Harris e seus colegas identificaram, em particular o CCA, e, assim, a crença de que ela tinha os dois olhos fechados e a evidência no espelho que contradizia essa crença não conseguiam ceder terreno uma à outra. Eagleman diz que é incrível e desconcertante testemunhar casos como esse, em que "ambas as partes se cansam até o ponto de atrito" e, por fim, a questão é simplesmente esquecida sem que haja uma conclusão.[19]

Se o sistema que produz a dissonância cognitiva está adormecido ou desfeito, o alarme que geralmente vem com o conflito está ausente, e percepções e proposições contraditórias que provocariam desconforto na maioria das pessoas passam pela mente sem encontrar resistência. Como a sra. G não podia experimentar a dissonância cognitiva, também não conseguia superá-la. Fisicamente, biologicamente, ela não conseguia mudar de ideia ao perceber que estava errada.

Quando me encontrei com Eagleman, ele concordou com Piaget e Roussel. Disse que, quando as coisas não saem como esperamos, ficamos alertas e direcionamos todos os nossos sentidos e faculdades cognitivas para a fonte da nossa surpresa. Percebemos que talvez precisemos "mudar de ideia" quando os efeitos que esperamos não correspondem aos modelos de causa e efeito que usamos todos os dias para correr atrás dos nossos objetivos e planejar ações.

Quando as expectativas são frustradas, quando não conseguimos o que desejamos, quando nossas previsões dão errado, entramos em um estado de aprendizado no qual nosso modelo é cuidadosamente atualizado. Mas o cérebro só quer resolver a dissonância. Ou seja, a triste verdade é que experimentar a sensação de "talvez eu esteja errado" não garante que as pessoas se acomodem, apenas que seus cérebros estejam alertas para um potencial conflito. A menos que seja motivado em outro sentido, o cérebro prefere assimilar, incorporar novas informações a sua compreensão prévia do mundo. Em outras palavras, a solução para "talvez eu esteja errado" costuma ser "mas provavelmente não estou".

O cérebro anda na corda bamba da adaptabilidade, alternando entre escrever por cima das informações antigas e conservar aquilo que ele já contém. Em outras palavras, estamos sempre nos equilibrando entre a assimilação e a acomodação, porque, se mudássemos de ideia quando não devemos, poderíamos ficar perigosamente equivocados; ao mesmo tempo, podemos *nos manter* perigosamente equivocados se não mudássemos de ideia quando devemos. Para nos orientarmos da melhor forma, as atualizações são feitas com cautela. Portanto, se novas informações exigem que atualizemos nossas crenças, posturas ou valores, experimentamos uma dissonância cognitiva até que ou mudemos de ideia ou mudemos nossa interpretação.

O exemplo clássico disso é um experimento observacional de 1957 do psicólogo Leon Festinger, que se infiltrou em uma seita apocalíptica em Chicago. A líder da seita, Irmã Thedra, dissera a seus seguidores que uma nave espacial estava vindo para salvá-los de uma enchente que acabaria com o mundo em 21 de dezembro de 1954. Os membros da seita se desfizeram de seus pertences e suas casas e se despediram de seus amigos e familiares. Então, o dia chegou e passou. Nenhuma nave espacial. Quando suas expectativas não corresponderam à realidade, eles experimentaram uma enorme onda de dissonância cognitiva. Para resolvê-la, eles poderiam ter acomodado e admitido que todos haviam sido enganados. Mas, em vez disso, disseram aos repórteres que suas vibrações positivas haviam convencido Deus a impedir a enchente. De improviso, eles interpretaram as anomalias como confirmações para que pudessem assimilá-las a sua realidade compartilhada e assim mantê-la. Dissonância resolvida.[20]

Então, quanta dissonância cognitiva é necessária para uma pessoa passar da assimilação para a acomodação? Existe um ponto quantificável em que o cérebro percebe que seus modelos estão incorretos ou incompletos e muda da conservação para o aprendizado ativo? É possível estabelecer um valor?

O cientista político David Redlawsk e seus colegas decidiram responder a essa pergunta simulando uma eleição presidencial na qual as pessoas progressivamente descobriam coisas cada vez mais terríveis sobre seus candidatos preferidos. Redlawsk projetou o estudo para se parecer com as eleições presidenciais primárias norte-americanas; dessa forma, as pessoas só ficavam sabendo de coisas sobre os candidatos de seu partido de escolha. Cada um dos participantes se registrou como Republicano ou Democrata e recebeu centenas de informações sobre as posições de 4 políticos inventados em relação a 27 diferentes questões.[21]

Para simular o constante vai e vem da imprensa em uma eleição, os pesquisadores distribuíam um fluxo constante de notícias em um computador. Os participantes podiam escolher ler o máximo ou o mínimo de informações que quisessem enquanto um cronômetro fazia a contagem regressiva até o final da campanha. O que os participantes não sabiam era que, quando preencheram os questionários no início da pesquisa, os cientistas haviam pegado suas respostas e as usado para criar notícias negativas sobre os candidatos escolhidos geradas sob medida para cada um deles. Uma eleitora a favor da legalização do aborto poderia descobrir que seu candidato era contra. Um que valorizasse a civilidade descobriria que seu candidato era egoísta e que tratava mal os colegas de trabalho. Redlawsk e sua equipe criaram 5 grupos diferentes. Para cada um, ajustaram de uma forma diferente a quantidade de informações questionadoras que os participantes receberam. Um grupo controle não recebeu nenhuma notícia negativa, e os outros receberam uma mistura de 10%, 20%, 40% ou 80%.

À medida que a campanha se arrastava, a cada poucos minutos os cientistas interrompiam os participantes com um telefonema. “Se a eleição fosse hoje, em quem você votaria?” Os cientistas anotaram as respostas e geraram um gráfico que as acompanhava ao longo do tempo. Entre cada uma dessas consultas, as pessoas continuavam a ler notícias, mas estava a cargo dos indivíduos o quanto de informação eles liam — e alguns leram uma quantidade enorme. Alguns participantes chegaram a examinar até 200 informações em 25 minutos.

Quais foram os resultados? Assim como os conspiracionistas e como as pessoas que seguiam a Irmã Thedra, as pessoas nos grupos de 10% e 20% só ficaram ainda mais seguras. Inclusive saíram do estudo com uma visão mais positiva sobre seus candidatos do que as pessoas no grupo controle, que não haviam descoberto algo de negativo. De acordo com Redlawsk, a postura positiva delas interagiu com emoções negativas desencadeadas por novas informações, e elas fizeram um esforço cognitivo para dar sentido às novas informações de uma maneira que reduzisse a dissonância. “Esse processo pode levar ao fortalecimento de posturas”, explicou ele.

No entanto, isso não foi verdade para os grupos de 40% e 80%. “As pessoas se tornaram mais negativas, e isso de forma consistente ao longo do tempo”, disse-me Redlawsk. No final da campanha, os grupos de 40% e 80% haviam mudado completamente de ideia e abandonado seus candidatos. “Um ambiente ameaçador gera uma ansiedade cada vez maior, que atua de modo a que a pessoa aprenda mais sobre o ambiente para preparar uma reação”, explicou Redlawsk. “Assim, aumentar a ansiedade leva ao aprendizado, que normativamente deveria levar a mais, não a menos, atualização precisa das avaliações.”

A assimilação, eles descobriram, tem um limite superior natural. Redlawsk e sua equipe o chamam de “ponto de inflexão afetivo”, o momento após o qual as pessoas não têm mais justificativas para ignorar uma enxurrada de evidências em contrário. Redlawsk me disse que nenhum organismo seria capaz de sobreviver sem algum tipo de "disjuntor" para quando as evidências contrárias se tornarem esmagadoras. Quando uma pessoa atinge o ponto de inflexão afetivo, o cérebro muda do modo de conservação para o de aprendizado ativo.

Em níveis baixos de ameaça, o que ele chama de "pequenos volumes de incongruência", ficamos alertas, mas ainda nos mantemos do lado de nossos *priors* ao avaliar os dados que chegam. Os participantes dele começaram a experimentar a sensação de "talvez eu esteja errado" quando cerca de 14% de todas as notícias que liam pintavam seus candidatos com cores desfavoráveis. Nesse nível de incongruência, eles ainda viam o que esperavam ver, ainda contra-argumentavam e resistiam à atualização. O resultado foi a assimilação e uma versão mais consolidada de sua visão de mundo do que antes. Em níveis mais altos, porém, a ansiedade em relação a um potencial equívoco levou os participantes a dar preferência a um ponto de vista atualizado, a mudar de ideia. Para a maioria, disse ele, o ponto de inflexão ocorreu quando 30% das informações recebidas eram incongruentes.

Redlawsk disse que, no mundo real, é provável que as pessoas tenham muitas nuances. Algumas podem precisar de um pouco mais de contra-argumentos que outras. Além disso, algumas podem estar em uma situação em que a contra-argumentação é pouco provável, podem estar isoladas de conceitos que desafiem suas crenças, expostas a um *feed* de informações que fica abaixo do limiar. Dependendo da fonte, das motivações de uma pessoa, da questão em pauta, do volume de exposição a conceitos que desafiem suas crenças e assim por diante, pode ser mais difícil alcançar o ponto de inflexão afetivo, de forma que o importante não é o número específico encontrado nesse único estudo, apenas o fato de que *existe* um número, um grau mensurável de dúvida em que admitimos que é provável que estejamos errados e que nos impele a atualizar nossas crenças, posturas e valores. Antes de chegarmos a esse grau, as incongruências fazem com que nos sintamos mais seguros, não menos.

Kuhn e Piaget usaram termos e metáforas diferentes, mas suas conclusões foram semelhantes. Ambos perceberam que as pessoas mudam de ideia da mesma forma que as novas teorias científicas substituem as antigas.

Na ciência, se um experimento apresenta um resultado que não corresponde às expectativas, que não se encaixa no modelo predominante, os pesquisadores colocam as anomalias de lado, em uma "caixa de espera". Dessa forma, eles podem continuar a trabalhar em problemas usando as ferramentas que o modelo atual oferece e voltar à caixa mais tarde, caso as anomalias se acumulem e transbordem.[22] Quando surge uma incongruência, a primeira hipótese é que não há problemas com o modelo, que deve ter havido algum erro nas medições, nas ferramentas, quem sabe nos próprios cientistas. Mas, com o tempo, essa caixa começa a se encher de anomalias, e chega um ponto em que fica pesada demais para ser ignorada. Regras de ouro deixam de ter serventia. As exceções deixam de confirmar a regra. Variações e nuances revelam estereótipos pelo que eles são.

Piaget nos mostrou que isso é semelhante à forma como as mentes se atualizam. Você se lembra de como, no experimento das cartas de baralho, as anomalias eram invisíveis no começo? No início, os participantes não sabiam que existiam cartas de cores trocadas. Na ausência dessa categoria mental, eles não esperavam ver esse tipo de carta e, portanto, também não *conseguiam* vê-las. Uma vez que as *viram*, tentaram encaixá-las em seu modelo antigo, aquele em que esses tipos de cartas não existiam. Somente quando esse modelo fracassou na hora de explicar o que eles estavam vivenciando foi que eles se sentiram compelidos a acomodar, a mudar de ideia.

À medida que experimentamos a realidade objetiva por meio de nossos sentidos limitados, construímos representações subjetivas dentro de nossas cabeças para melhor navegar no mundo fora delas. Ao nos depararmos com informações novas em momentos de incerteza, não temos escolha a não ser dar ouvidos a essas representações. É perigoso estar errado, mas também é perigoso ser ignorante; portanto, se novas informações sugerirem que nossos modelos podem estar incorretos ou incompletos, primeiro tentamos encaixar as anomalias em nosso entendimento prévio. Se isso der certo, continuamos a usar esses modelos até que eles fracassem vezes demais para ignorarmos.

Os estudos sobre o crescimento pós-traumático e o ponto de inflexão afetivo revelaram que todos nós temos um ponto de ruptura a partir do qual entramos no modo de aprendizado, ansiosos para compreender um fluxo implacável de informações que nos contradizem.

A menos que você seja um eremita na cabana ou o seguidor de uma seita, a maioria de nós se depara regularmente com outras mentes que veem o mundo de uma forma diferente. No capítulo anterior, vimos que um estudo da NYU mostrou que muitas vezes supomos, a princípio, que as pessoas que chegam a conclusões diferentes das nossas devem estar enganadas. O modelo Surfpad diz que, em momentos de incerteza substancial, pessoas com diferentes *priors* farão diferentes suposições, e, graças ao realismo ingênuo, o resultado é uma discordância substancial sobre o que é e o que não é verdadeiro, moral e bom.

Mas, como a pesquisa de Redlawsk revelou, pode chegar um ponto em que percebemos que resistir à mudança é mais arriscado que admitir que talvez estejamos errados. Para entender melhor como isso acontece, eu quis conhecer algumas pessoas que fizeram exatamente isso, e é para lá que nós vamos agora.

5

WESTBORO

Era fevereiro, Dia dos Namorados, e fazia frio em Topeka na manhã em que bati à porta da Igreja Batista de Westboro. O sol parecia fraco, mais distante de algum modo, seus raios já minguados quando chegavam ao Kansas, aquecendo os campos amarelos nos arredores da cidade apenas alguns graus acima de zero.

Eu imaginava que a Westboro ficasse no final de uma longa e sinuosa estrada de terra, aninhada em meio a um monte de árvores em decomposição. Fiquei chocado ao virar uma esquina em um bairro residencial e descobrir que era apenas uma casa. Talvez fosse um pouco maior que as outras, com seus telhados inclinados, empenas marrons e paredes brancas, mas era apenas uma casa. Ficava em um bairro suburbano comum, a dois quarteirões de uma Starbucks, e, à primeira vista, parecia uma pitoresca casa de campo norte-americana com a qual alguém havia feito uma brincadeira de mau gosto prendendo uma faixa gigante na lateral com os dizeres: GODHATESAMERICA.COM [DEUSODEIAOSESTADOSUNIDOS.COM, em tradução livre].

Com as orelhas e as bochechas doendo de frio, reparei que havia uma quadra de basquete atrás de uma série de portões. Acima dela, uma bandeira dos Estados Unidos virada de cabeça para baixo pairava sobre um letreiro. O letreiro havia sido instalado acima da cerca para que pudesse proclamar à movimentada estrada que levava a um Sonic Drive-In e ao resto do país: AMOR GAY = DEPRAVAÇÃO! SÃO VALENTIM É JUSTIFICATIVA PARA O PECADO! DEUS ABOMINA ISSO! ROM I. Um segundo letreiro, menor, proclamava que O CASAMENTO GAY DESTRÓI AS NAÇÕES.

Um jovem vestindo um colete elegante e uma gravata colorida sobre uma camisa rosa abriu a porta. Ele se apresentou como Isiah. Quando apertamos as mãos, ele me perguntou se eu tinha ligado antes. Eu disse que não. Tinha ido para ver se poderia assistir ao culto daquele dia.

"Bem, apenas fique bem quieto e não grite", disse Isiah, e me levou para dentro.

Eu havia passado o dia anterior com Zach Phelps-Roper, ex-membro e um dos muitos netos do fundador da Westboro. Zach, como suas irmãs e seu irmão mais velhos, tinha abandonado de vez a igreja havia pouco tempo, e eu queria ver o que ele havia deixado para trás.

Mais tarde, eu passaria algum tempo com sua irmã, Megan, porque queria saber como ela e Zach haviam deixado para trás crenças e posturas de longa data com tanta rapidez. Depois de ter observado as explicações científicas por trás de como as pessoas mudam de ideia, agora eu queria entender como essa mudança pode ser estimulada por terceiros, *como as pessoas mudam outras pessoas*, e, portanto, queria entender o que havia persuadido Zach, Megan e outros como eles a abandonar grupos como a Westboro, e se suas histórias seriam de alguma forma semelhantes à história de Charlie. Eu já sabia que ambos haviam falado sobre como tinham sido sumariamente excomungados imediatamente após a partida e como os grupos religiosos modernos costumam se referir a essas pessoas, “desassociados”. Havia uma semelhança com a história de Charlie; exceto que, no caso de Zach e Megan, deixar o grupo significava deixar a mãe, o pai e outros parentes, os quais imediatamente, e talvez permanentemente, haviam rompido todo o contato com eles.

É claro que devia haver algo em comum nessas histórias, pensei, algo que eu pudesse apresentar aos cientistas para pedir uma explicação. O que os tornava diferentes das pessoas do outro lado da tela do meu computador que se recusavam a ceder a pontos de vista muito menos controversos? Nestes tempos turbulentos, em que as pessoas parecem tão incapazes de se olhar nos olhos, em que o engajamento parece tão improvável, o que levara Zach, Charlie e Megan a mudar de ideia de maneira tão rápida e drástica?

Descobri que, embora as histórias de Zach e Megan fossem diferentes, ambas compartilhavam algo fundamental com a de Charlie, uma verdade essencial sobre o que mantém os mais resistentes de nós incapazes de mudar.

De acordo com o Southern Poverty Law Center, uma organização que monitora grupos de ódio, a Westboro é “indiscutivelmente o grupo de ódio mais agressivo e raivoso dos Estados Unidos”.[1]

Eles têm sido o foco de inúmeros documentários, livros, séries de reportagens e outras tentativas de compreender suas ações. Foram parodiados em alguns filmes de Hollywood, incluindo um que terminava com uma igreja quase idêntica à Westboro se envolvendo em um tiroteio sangrento com a Bureau of Alcohol, Tobacco, Firearms and Explosives (ATF) [Agência de Álcool, Tabaco, Armas de Fogo e Explosivos, em tradução livre]. Em outro, Colin Firth assassinava toda a congregação em uma cena que a rádio NPR disse ter sido "claramente inspirada" na Westboro. Como esses filmes mostraram, a Westboro é tão famosa no momento que pode servir de metáfora quando é preciso retratar um grupo de cristãos radicais cheios de ódio.*[2]

Westboro é o nome do subúrbio onde fica a igreja, e pode ser deprimente ver os negócios locais que compartilham do mesmo nome. Não muito longe dali, um shopping center chamado Westboro Mart possui uma galeria de arte e um florista, um decorador de interiores e um antiquário. Para o resto de nós, a palavra "Westboro" entrou no imaginário público em 1998, depois que a igreja fez um protesto contra o funeral de Matthew Shepard, um jovem gay que foi espancado, torturado e morto em uma parte remota do Wyoming por dois homens que lhe ofereceram carona para casa na saída de um bar.[3] No funeral, a igreja levou cartazes que diziam NO TEARS FOR QUEERS [SEM LÁGRIMAS PARA QUEERS].[4] Por mais de uma década, o site da igreja tinha um GIF animado de Shepard envolto por chamas ao lado de um contador que dizia quantos dias fazia que ele estava no inferno.[5]

A Westboro logo se tornou famosa por seus letreiros extravagantes e chamativos e por seus protestos durante todo o ano, mas isso não começou com a morte de Matthew Shepard. Começou não muito longe da igreja, no Gage Park, em Topeka. Em 1991, Fred Phelps e sua família fizeram um protesto que eles chamaram de "A grande carreata da decência de Gage Park" depois que membros da família alegaram ter sido abordados por homens gays que iam ao parque em busca de encontros casuais. A publicidade chamou a atenção local, e em seguida, nacional.[6]

---

* Os filmes eram *Seita Mortal*, de 2011, e *Kingsman: Serviço Secreto*, de 2015. [*N.T.*]

A igreja passou a fazer protestos regularmente depois disso, alimentando uma publicidade garantida até ficar conhecida no mundo todo. Mas, como explica o Southern Poverty Law Center (SPLC) [Centro de Direito da Pobreza do Sul, em tradução livre], a Westboro sempre foi uma pequena "seita de personalidade baseada na família, construída em torno de seu patriarca, Fred Phelps". Quarenta anos antes do episódio do Gage Park, ele foi brevemente retratado na revista *Time* por atrair multidões de uma centena ou mais de pessoas como pregador de rua, bradando para estudantes sobre a luxúria no *campus* da John Muir College, em Pasadena, onde obteve seu diploma.[7]

Pelas suas próprias contas, com uma congregação de cerca de noventa pessoas, a maioria filhos e netos de Fred Phelps (já falecido), a Westboro realizou quase 60 mil protestos, mais de 500 deles em funerais.[8] Em 2006, uma família de Maryland pediu indenização pelo protesto feito no enterro de seu filho, Matthew Snyder, um soldado que morreu no Iraque, em um acidente não relacionado a combate. O caso chegou à Suprema Corte dos Estados Unidos. Onze dos filhos de Fred Phelps são advogados, e uma delas, Margie J. Phelps, defendeu a família no julgamento, descrevendo como eles haviam agido dentro da lei, mantendo distância e fazendo o protesto apenas onde a polícia pedira que eles ficassem. O tribunal decidiu por 8 votos a 1 a favor da Westboro.[9] Durante tudo isso, os membros da igreja protestaram do lado de fora, carregando cartazes que diziam GRAÇAS A DEUS PELOS SOLDADOS MORTOS.

Encontrei com Zach em um pequeno café chamado The Blackbird, a alguns quarteirões da igreja. Apesar do frio, ele usava bermudas e gigantescas luvas bufantes. Desarrumado, com uma barba loura, 25 anos, usava também um boné com a palavra SORRIA.

Enquanto me contava sua história, muitas vezes olhava para trás de mim, pelas janelas, e fazia longas pausas para organizar as ideias. Zach explicou que não deixou a igreja por discordar de seus ensinamentos sobre gays nem por seus protestos em enterros de soldados; isso veio depois. Ele saiu porque discordava de seus pontos de vista sobre os médicos, mas foi só depois que ele machucou as costas e eles se recusaram a permitir que ele procurasse atendimento médico adequado.

Em seu primeiro dia de trabalho como enfermeiro, Zach estava colocando um homem grande e idoso em uma cadeira de rodas quando esbarrou nela. A cadeira se afastou, deixando Zach com o paciente inerte nas mãos. "Foi uma situação meio ruim, porque ele era muito pesado e a cadeira de rodas mecanizada dele meio que disparou por conta própria, em vez de ficar onde deveria. Ou eu fazia um movimento brusco para colocá-lo de volta onde ele estava sentado com segurança, ou ele deslizaria e cairia no chão. Era uma coisa ou outra."

Zach optou pelo movimento brusco, e levaria meses para se recuperar. Ele por fim passou por uma terapia de infiltração, entre outros procedimentos, mas primeiro tentou aliviar a dor com remédios caseiros. Ele trabalhava no turno da noite no hospital. Em casa, pedia à família que aplicasse gelo na região lombar várias vezes ao dia, porque não conseguia fazê-lo confortavelmente por conta própria. Parecia ajudar, disse ele, mas só temporariamente. À medida que a dor se intensificou, ele foi ficando preocupado. "Eu não sabia direito o que estava acontecendo comigo."[10]

Ele se debruçou sobre seus livros de enfermagem e outras literaturas médicas em busca de pistas sobre o que fazer. O tempo todo, seu pai lhe dizia que a dor persistia porque ele não estava rezando o suficiente. Zach tinha acabado de concluir a faculdade de enfermagem, e aquilo parecia absurdo. Tudo bem rezar, mas Zach queria alívio.

"Não é que eles não acreditem em nenhum remédio", explicou Zach. "A Westboro não é assim. Eles apenas enxergam os médicos como mordomos. Deus deu aos médicos a capacidade de ajudar os outros, mas não agradecemos aos médicos. Agradecemos a Deus."

Aos olhos deles, explicou ele, é a fé de cada um que dá aos médicos o poder de curar o corpo. Zach estava pegando livros e provas antigas, folheando toda a literatura. Para o pai, aquilo parecia uma afronta às suas crenças, à família.

Zach disse que tinha começado a se sentir frustrado com a família antes mesmo de machucar as costas. Com a saúde de Phelps debilitada, a igreja mudou sua estrutura de poder, e um grupo de nove anciãos assumiu, seu pai entre eles. Com essa mudança, novas regras, como códigos de vestimenta mais rígidos e opções de carreira inadmissíveis, se tornaram dogmas. Zach quis se tornar médico depois de dissecar um porco na aula de anatomia e fisiologia. Quando contou isso aos pais, eles disseram que ele não poderia seguir essa carreira. Quando ele perguntou por quê, eles disseram: "Nós não temos que te dar uma resposta".

A prioridade número um dele era respeitar os mais velhos e obedecer às suas vontades, disseram eles. Disseram para ele parar de fazer perguntas e seguir em frente. Mais tarde, quando os anciãos disseram a todos os membros da igreja que todos dentro da Westboro agora eram iguais, para Zach parecia que os dois conceitos não se encaixavam. Quando os anciãos lhe disseram que ele poderia virar enfermeiro ou programador, ele escolheu a primeira opção, mas a raiva não foi embora.

Sua irmã Megan havia comprado um livro sobre inteligência emocional, e ele o leu enquanto se recuperava. Começou a tentar dar nome aos seus sentimentos. "Eu dizia: 'Ok, estou me sentindo muito triste agora. Minha mãe está no telefone brigando comigo. Ok, isso é raiva'. Meu pai dizia: 'Zach, você não entende nada sobre seus ombros' ou alguma coisa assim. Parecia que ele estava me fazendo sentir vergonha de mim mesmo, então essa foi outra emoção que eu identifiquei." Ele começou a imaginar como seria juntar algum dinheiro e se mudar para o Havaí. Cinco semanas após a lesão, a dor nas costas e nos ombros aumentou tanto que ele pediu aos pais que o levassem ao pronto-socorro. Quando eles se recusaram, ele começou a pensar em fugir.

"O momento em que percebi que precisava ir embora foi quando meu pai estava gritando comigo, na minha cara, e eu senti medo e percebi", disse Zach. "Não era a primeira vez que ele gritava comigo." Ele implorou por ajuda com as costas e conta que seu pai lhe disse: "Sabe, Zach, essa é a terceira vez que você me pede isso hoje, e eu só quero que você pare com isso já".

Ele perguntou ao pai se ele simplesmente não acreditava em Zach, e a resposta foi: "Não acredito".

Zach perguntou: "Quando te dei motivo para não acreditar em mim?".

Quando o pai começou a gritar, Zach gritou de volta: "Eu vou embora esta noite mesmo!".

Enquanto fazia as malas, seu pai o ficou rondando e tentando diminuir a tensão, mas Zach disse a ele: "Vou tornar isso bem fácil pra você, pai. Eu não amo mais essa religião".

Para a Westboro, sair por qualquer motivo que seja é se juntar aos condenados, aos perversos, ao mundo maligno dos abandonados que há décadas eles tentam salvar. A única maneira de sobreviver à ira divina era cruzar a linha dos protestos e se juntar à sua igreja, a de Topeka, e nenhuma outra. Cruzar essa linha na outra direção era o mesmo que se juntar ao exército de Satanás, então ninguém é mais odiado do que aqueles que abandonaram a fé; eles consideram que essa decisão exige o corte de todos os laços com a congregação.

Sua mãe correu para pegar o telefone de Zach e apagou todos os seus contatos. Zach desceu as escadas correndo, paralisado de medo, e se sentou à mesa do computador por alguns minutos, então reuniu forças para sair correndo porta afora. Ele correu oito quarteirões na calada da noite até a casa de seu primo e o acordou. Na manhã seguinte, seu pai ligou e disse para ele ir buscar suas coisas.[11] Quando Zach chegou, encontrou tudo que havia em seu quarto empilhado do lado de fora. Depois de alguns dias, foi morar com outro primo a uma distância maior da igreja.

No dia em que Zach partiu, ele levou consigo todas as crenças e posturas sobre as pessoas LGBTQIA+ que defendia nos protestos desde criança, mas tudo começou a mudar algumas semanas depois, enquanto estava sentado em um Olive Garden com sua irmã Grace.

Grace havia deixado a igreja alguns anos antes, junto com Megan. Elas também tinham se decepcionado com os anciãos e tentado, a princípio, convencê-los a agir de outra forma, mas foi Grace quem mais sofreu com a postura deles. Ela queria estudar arte e, assim como aconteceu com Zach, os anciãos a proibiram.

Grace tinha feito amizade com um casal que havia se juntado à igreja recentemente. Justin e Lindsey[12] tinham viajado pelo mundo antes de se converterem, e Grace e Megan passavam horas com eles ouvindo suas histórias sobre como era lá fora, trocando mensagens de texto para combinar visitas e perguntar sobre suas vidas. Quando Lindsey disse aos anciãos que estava desconfortável com o fato de Grace mandar mensagens de texto para o seu marido, “o castigo foi rápido”, nas palavras de Megan. Grace, Megan e Zach foram proibidos de ter qualquer contato com o casal. Mais tarde os anciãos orientariam Justin a manter Lindsey em casa e afastada do resto da Westboro até que ela aceitasse ser batizada.

Muitas das mudanças que eles fizeram na cultura da igreja foram nesse sentido, dirigidas a mulheres que se recusavam a se curvar, a obedecer, a andar na linha. Como punição por trocar mensagens de texto com um homem casado, eles fizeram Grace aceitar um emprego de digitação de dados no departamento fiscal do Kansas. Ela era proibida de deixar o edifício enquanto seu turno não acabasse, de modo que fazia suas pausas em um sofá no banheiro.

Mas não foi Grace quem fez Zach mudar de ideia no Olive Garden naquele dia; foi o garçom que os serviu. No final da refeição, em vez de deixar a conta, o garçom disse a Zach que queria pagar pela refeição. Inclusive, já tinha pagado. Zach protestou, mas o garçom não deu ouvidos. Ele explicou que sabia que Zach havia saído recentemente da Westboro. Como homem gay, ele queria demonstrar sua gratidão a Zach.

Zach não sabia como interpretar o que estava acontecendo. Parecia absurdo. Por toda a sua vida, ele havia acreditado que as pessoas LGBTQIA+ eram grotescas. Tinha passado anos fazendo protestos com cartazes que tentavam convencer os outros do mesmo. Ao relembrar aquele momento, ele disse, em relação aos gays: "Eu não conhecia nenhum. Só presumia que fossem bestiais".

Depois daquela refeição, ele começou a se questionar sobre a veracidade de todas as suposições que tinha. Se suas crenças sobre gays estavam erradas, então o que mais estaria? Seus primeiros pensamentos se voltaram para Lady Gaga e Katy Perry e sobre como a Westboro havia dito que as garotas que iam aos shows delas eram "meras vadias". Ignorantes, estúpidas e promíscuas. Imediatamente, e pela primeira vez, Zach questionou aquilo. Ele se sentiu sobrecarregado por uma torrente de informações que, outrora, havia classificado como ruído. Subitamente, começou a sentir uma profunda incerteza não só em relação à verdade, mas em relação a quem era.

Ele disse que a coisa mais alarmante foi perceber que, se tivesse ido ao Olive Garden enquanto ainda estava na igreja, o ato de gentileza do garçom poderia não ter feito a menor diferença. Ele teria encontrado uma maneira de interpretá-lo de outra forma. Zach ainda estava processando o significado de tudo aquilo. Ficou chocado ao notar que estava aberto a todo tipo de mudança, e, uma vez que percebeu isso, uma série de outras crenças, posturas e valores se tornou possível.

"Da primeira vez que conversei com um judeu, me lembrei do que a Westboro havia ensinado, e então pensei: 'Não quero saber disso'. Quero deixar a cabeça aberta e fazer descobertas. Existem muitos mistérios neste mundo, neste universo em que eu vivo."

Hoje, ele diz: "Tenho amigos gays. Tenho amigos bissexuais. Tenho amigos pansexuais". No entanto, ele ainda estava lutando, ainda reconstruindo seus modelos, expandindo sua mente. Zach disse que, há pouco tempo, começou a se envolver com o budismo.

Zach reiterou que não deixou a igreja por ter mudado de opinião; ele mudou de opinião porque deixou a igreja. E deixou a igreja porque ela havia se tornado intolerável por outras razões. Abandoná-la abriu a ele a possibilidade de estar errado sobre muitas coisas, e isso deu início a um difícil período de renascimento. Ele havia desenvolvido problemas de confiança, e passaria por uma série de relacionamentos ruins ao mesmo tempo em que encarava graves crises de depressão. Ele se internou em uma clínica psiquiátrica depois de ter fantasias de autoflagelação. Disse que foi como sair do fundo de um poço escalando com as mãos.

"Eles me ensinaram a ser muito julgador na Westboro. Eu me sinto meio que dividido, porque parte de mim quer praticar o amor incondicional, mas não dá pra confiar em qualquer um por aí, sabe?"

Um dia depois de ouvir a história de Zach, bati na porta da Igreja Batista de Westboro e fui levado por uma sala com sofás baratos e painéis de madeira até um dos três pequenos bancos de convidados nos fundos.

Eu tinha chegado cedo, e a igreja estava vazia, exceto pelo zumbido monótono das lâmpadas. Havia um velho órgão em uma das extremidades da sala, ao lado de um computador antigo. Do outro lado, uma fileira de cadeiras confortáveis estava coberta de potes Tupperware cheios de bugigangas. Com seu piso bege claro e suas paredes e colunas de madeira em um vermelho intenso, o aspecto era suburbano e simples, como um porão reformado da década de 1980. Em meio ao silêncio, tentei imaginar Fred Phelps gritando do púlpito.

Fiquei folheando o hinário laminado enfiado no bolso do banco à minha frente até que os fiéis, cerca de quarenta pessoas ao todo, chegaram. A maioria dos membros da igreja eram vizinhos. Uma cerca alta de madeira conectava todas as casas, fazendo do quarteirão uma espécie de complexo, com a igreja em uma das esquinas. Para chegar ali, eles simplesmente abriam as portas dos fundos e atravessavam seus gramados.

Enquanto eles entravam, várias pessoas pararam para me dar as boas-vindas. As mulheres usavam vestidos longos e cobriam os cabelos. Os homens usavam calças jeans ou de tecido, tênis de corrida e sapatos sociais, suéteres e casacos Under Armour. Todos nós então nos sentamos, e cada um recebeu uma cópia impressa do sermão. O pregador, um dos anciãos, repetiu palavra por palavra enquanto todos liam. Estava escrito em tom de conversa, com as piadas e os apartes já incluídos. Megan me diria mais tarde que essa havia sido outra mudança implementada pelos anciãos. Antes de assumirem, Phelps não usava anotações e passava de uma citação para outra de cabeça, deixando o público inteiro em pânico folheando a Bíblia até encontrar a passagem à qual ele estava se referindo antes que ele saltasse para outra.

Naquele dia, o sermão foi sobre o Armagedom e os judeus. Desde o Onze de Setembro, a Westboro ficara obcecada com o fim dos tempos, vendo o ataque como um sinal divino de que eles eram os escolhidos e que deveriam se preparar apropriadamente. Apesar dos letreiros na porta sugerindo que os cartões LGBTQIA+ do Dia dos Namorados abriam o caminho para uma Sodoma e Gomorra moderna, houve apenas uma leve menção da presente "festa secular pecaminosa que celebrava a fornicação e a sodomia", e nenhuma menção a quaisquer outros acontecimentos atuais ou realidades políticas. Eles não se desviaram do tema, que era o fim do mundo para o qual eles deveriam continuar a se preparar. Depois do sermão, cantei alguns hinos, apertei a mão de algumas pessoas, contei a elas por que estava fazendo aquela visita e entreouvi conversas sobre como consumir mais fibras e sobre como as crianças estavam crescendo. Todo mundo estava feliz, sorrindo, beijando crianças que não estavam nem aí, paralisadas diante de livros que ensinavam ortografia por meio de personagens de desenhos animados. Eu esperava ouvir brados inflamados sobre a homossexualidade ou louvores animados pela morte de soldados americanos. Esperava ser isolado, convidado a me retirar ou impedido de sair. Esperava alguma coisa terrível. Em vez disso, quanto mais eu pensei sobre isso, mais senti algo ainda mais inquietante.

Eu cresci no Mississippi, frequentando lugares como aquele todo domingo. Reunido, ali, cantando "Gently, Lord, O Gently Lead Us", tudo lembrava bastante todas as outras Igrejas Batistas em que eu já havia estado. O bom e o ruim não eram chocantes, mas sim familiares.

Quando o culto terminou, saí pela porta da frente da Westboro, atravessei a rua e me encontrei com Caitlyn Cameron na varanda da Equality House.

Em 2013, uma organização humanitária sem fins lucrativos chamada Planting Peace comprou a casa em frente à Westboro por 81 mil dólares e a pintou com as cores da bandeira arco-íris do Orgulho Gay. Ao longo dos anos, a Equality House promoveu shows de drags, vendeu limonada, encenou um casamento entre Dumbledore e Gandalf e, mais tarde, organizou um casamento gay de verdade, logo após a decisão da Suprema Corte legalizando o casamento entre pessoas do mesmo sexo.

"Este é um sinal de que não é isso que nossa comunidade pensa sobre os gays, não é o que o país pensa sobre os gays", explicou Caitlyn. "A ideia da Westboro é uma ideia, mas também existe outro ponto de vista aí fora, e queríamos defendê-lo."

Caitlyn disse que estava de passagem, que era voluntária do AmeriCorps Vista, uma das muitas que passam algum tempo na Equality House no exercício de serviços comunitários. Ela me disse que não era raro as pessoas da Equality House conversarem com os membros da Westboro durante o café da manhã, enquanto andavam até o letreiro na calçada para trocar suas mensagens semanais de ódio. Eles muitas vezes acenavam, diziam algumas palavras e depois voltavam para suas realidades separadas com verdades separadas.

Caitlyn disse que trabalhava com um dos superiores da Westboro na prisão local. No trabalho, ela disse que ele era descontraído, engraçado. Ele falava e fazia piadas com ela e todos os outros.

"De segunda a sexta, eu o vejo todos os dias, e então, no domingo, eu o vejo na frente da minha igreja segurando um cartaz, e fico tipo: 'Ah. Esse cara é aquele cara...'", ela fez uma pausa para o timing cômico, "...que eu conheço do trabalho."

Eu disse que talvez fosse uma questão de civilidade. Em outros tempos, isso provavelmente não poderia acontecer. Uma das duas casas teria que atear fogo à outra. "Eles fazem uma encenação", disse ela. "Pelas ações deles, podemos ver que a coisa mais grave que fazem é protestar. Que é algo rude, ofensivo e desrespeitoso, principalmente ir a enterros de militares e esse tipo de coisa e ser totalmente desrespeitoso. Não tenho como tolerar isso, mas, se isso é o mais grave que eles fazem, bem, há um monte de exemplos piores de outras culturas."

Caitlyn disse que, para ela, o fato de a Westboro existir e ser tolerada, de que sabemos que eles vão sempre se manter dentro das linhas da lei, de que nunca vão bombardear uma igreja, é um sinal de progresso. Eles sabem que as cabeças mudaram no mundo lá fora; sabem que as posturas, crenças e valores de seu grupo são considerados errados. "Por que, então", perguntei a ela, "depois de todas as interações deles com pessoas como ela e membros da Equality House, eles não param de atualizar aquele letreiro? Todos os dias eles veem que vocês não são monstros. Por que eles continuam?".

"Quando você cresce acreditando em certas coisas, e as pessoas que você ama e em quem confia lhe dizem essas coisas, e você é uma criança, não há outra opção que não internalizá-las", disse ela. "Aposto que muitos membros da Westboro não querem matar alguém que seja diferente deles, afastá-los da sociedade nem os queimar na fogueira. Mas é muito difícil quando você passa todo o seu tempo com um grupo de pessoas que esperam isso de você. Você tem que cumprir esse papel."

Do lado de fora, sentado no meu carro, olhei para a quadra de basquete, a bandeira tremulando acima dela, e me lembrei da sensação familiar dos sermões de domingo, a comunhão, o canto, a segurança da multidão, o sentimento de família. Minha Igreja Batista compartilhava das mesmas posturas em relação às pessoas LGBTQIA+ que a Westboro. Minha igreja não fazia protestos, não controlava onde eu queria trabalhar. E, no entanto, havia coisas que eu sabia que não podia ou não deveria fazer, carreiras que seriam tabus, roupas, palavras e ideias que levariam os outros a me ver como um estranho, como o outro.

Deixei a Igreja Batista por volta dos dez anos, depois que minha professora da escola bíblica de férias nos contou a história da Arca de Noé. Enquanto ela folheava um livro infantil com ilustrações de leões e antílopes, perguntei por que eles não comeram uns aos outros, e ela disse: "Ah, nós não fazemos essas perguntas".

Fiquei constrangido por ter perguntado, mas, quando contei ao meu pai o que havia acontecido, ele disse que eu não precisava voltar se não quisesse. Ele mantinha uma arma e uma Bíblia na mesa de cabeceira, mas rejeitava a religião organizada depois de ter sobrevivido à Guerra do Vietnã. Nunca explicou os motivos disso para além de dizer que não confiava em pregadores. Era minha mãe que queria que eu fosse, para fazer o mesmo que os irmãos e irmãs dela. Quando parei de ir, ela ficou com o coração partido, mas passou a criar desculpas para minha ausência além da de meu pai.

Estacionado entre a Westboro e a The Rainbow House, me perguntei o quão cabeça aberta eu realmente era. Em quantas coisas eu acreditava e pensava, quantas coisas sentia agora porque as pessoas em quem eu confiava e que amava compartilhavam dessas mesmas convicções? Meu senso de certo e errado vinha de dentro ou de fora? Se não fosse por aquele dia, será que essa versão minha acharia que salvar as pessoas LGBTQIA+ do inferno era o objetivo mais nobre imaginável? Eu teria visto compaixão onde agora vejo ódio?

Quando conversamos, Megan Phelps-Roper estava morando em Dakota do Sul. Ela e seu marido adoravam a série *Deadwood*, da HBO, e, quando eram namorados, maratonaram os episódios. Mais tarde, eles se hospedaram em uma pousada na região, se apaixonaram pelo local e logo se mudaram para uma cidade próxima. Ela disse que a maior parte de seu tempo nesses dias era ocupada pela filha, Sølvi Lynne, uma imensa fonte de alegria e uma lembrança diária da família que havia deixado para trás. Ela disse que desejava que sua mãe pudesse passar algum tempo com Sølvi, e ainda tinha esperança de que talvez, um dia, isso acontecesse.

Megan e sua irmã Grace deixaram a igreja ao mesmo tempo, em 2012, mas foi Megan quem passou quase uma década sob os holofotes da mídia, uma frase que capta muito mal a imensa atenção que se voltou para ela quando apareceu em entrevistas ao redor do mundo, em documentários e *talk shows*, e, como ativista, falou durante anos para grandes e pequenos públicos.

Em 2015, um perfil de Megan na revista *New Yorker* fez bastante sucesso nas redes sociais, levando-a a escrever sua autobiografia, *Unfollow*, lançada em 2019 e que rapidamente se tornou um best-seller internacional. Seu TED Talk foi visto mais de seis milhões de vezes, e o presidente da TED, Chris Anderson, disse sobre ela: "Raramente encontramos alguém com a coragem e a lucidez de Megan Phelps-Roper". Ela passou a ser consultora de agências de segurança que monitoram grupos extremistas e atua no Conselho de Confiança e Segurança do Twitter.[13]

Hoje em dia, "minha filha é a prioridade. Eu preciso começar por aí", me disse ela. "Ela está com dois anos e meio, a melhor idade. Estou obcecada. É simplesmente incrível. É como se eu estivesse me preparando para ser mãe, porque é como aprender uma forma totalmente diferente de pensar sobre as crianças."

Perguntei o que ela queria dizer com aquilo. Ela falou sobre a igreja: "É muito autoritária. É muito controladora". Eles esperavam que todos reprimissem emoções inaceitáveis, principalmente as crianças. "Há um versículo que diz que temos que levar 'cativo todo o entendimento à obediência de Cristo'."

Eu disse a ela que crianças são uma ótima maneira de ver em ação muito do que os estudos dizem sobre como o cérebro se atualiza, e ela me pediu para explicar melhor aquilo. Falei sobre o Surfpad: como, em momentos de incerteza, muitas vezes não nos sentimos incertos porque o cérebro usa nossos *priors* para desambiguar a situação sem que estejamos cientes. Expliquei que, quando isso acontece, pode fazer com que as pessoas que veem o mundo de uma forma diferente, pessoas que compreendem o mundo da mesma maneira entre si, dentro de determinado grupo, pareçam estar iludidas ou, nos casos mais extremos, loucas. Ela riu e disse que isso casava perfeitamente com suas experiências na igreja.

Então, contei a ela sobre assimilação e acomodação, como primeiro tentamos fazer com que informações novas e questionadoras se enquadrem à nossa visão de mundo, até chegar o momento em que percebemos que precisamos atualizar nossa visão de mundo para abrir espaço para elas. Quando uma criança como Sølvi aprende que um cavalo não é um cachorro, ela também aprende que cães e cavalos fazem parte de uma nova categoria, um novo nível de abstração para compreender o mundo. Contei a ela que Piaget disse que, quando aprendemos a jogar um jogo como damas, não aprendemos apenas as regras do jogo, aprendemos que jogos têm regras. Quando passamos para o xadrez, já aprendemos a aprender a jogar um jogo e que os jogos existem, o que torna o aprendizado mais fácil do que se tivéssemos começado pelo xadrez.

Megan começou a chorar. "Ainda me surpreende como isso foi acontecendo aos poucos. E é exatamente esse processo que você descreveu, o de tentar absorver essas novas informações e ajustá-las àquilo em que eu já acreditava. Foi esse o processo. E, na época, me lembro de achar que tinha levado muito tempo, mas hoje eu penso: 'Um ano e meio. Só levou esse tempo?'."

Megan disse que suas dúvidas, como as de Zach, surgiram a partir das novas regras estabelecidas pelos anciãos. A igreja sempre isolava os "problemáticos", mas o tratamento dado a membros da família, como sua irmã Grace, parecia injusto.

Depois que Lindsey contou à igreja sobre Grace ter mandado mensagens de texto para seu marido, a Westboro fez uma reunião, como de costume, onde, segundo ela, "essencialmente todos os membros da igreja" estiveram presentes, como se fosse um processo judicial, e foi montado um caso contra Grace. Não importava o que as pessoas dissessem, "tudo que parece ruim é ruim, e tudo que parece bom também é ruim. Então, se a ação não está errada, então a intenção está errada. O coração está errado. E foi assustador. É assustador assistir. Porque você não quer que isso aconteça com você".

Quando criança, Megan disse que confrontos como aquele pareciam uma extensão da criação dos filhos. Pessoas mais velhas que ela sabiam melhor como lidar com outras pessoas mais velhas que ela. Ela sabia que nunca seria uma líder no grupo, então não dizia nada. No entanto, "eu pensava com muita frequência, tipo, não estou vendo o que eles estão vendo. Devo estar deixando passar alguma coisa. Devo estar errada sobre esse assunto".

Mas isso foi antes de o Twitter a abrir para a hipótese de que era a igreja é que poderia estar errada.

Em 2009, Megan criou uma conta no Twitter e começou sua desconversão com um tuíte sobre a morte de Ted Kennedy: "Ele desafiou Deus a cada passo, pregando a rebelião contra Suas leis. Ted está no inferno!". Ela deu continuidade com tuítes sobre o protesto da Westboro em uma apresentação do *American Idol.* Megan conquistou rapidamente um público graças a respostas implacáveis dadas a comediantes e outras celebridades que a retuitavam tirando sarro de suas postagens.[14]

A igreja a apoiou. Eles sentiram que Megan estava levando sua mensagem para as redes sociais, recusando-se a recuar quando provocada por contas com milhões de seguidores. Megan foi alvo de raiva, constrangimento, hostilidade e nojo, e, assim como os protestos, ela respondia a essa energia com desprezo. Mas nem todo mundo no Twitter a recebeu com tanto ódio.

"A primeira contradição com que deparei veio desse cara, David Abitbol, que tinha um blog chamado *Jewlicious*", me disse Megan. "Ele falou que não estava tentando me convencer de nada. Disse que estávamos tendo essas conversas em público para que as pessoas pudessem ver nossas ideias e para ajudar a dar a outras pessoas o vocabulário para argumentar contra esse tipo de ideia. E acho que isso era verdade. Mas também acho que ele percebeu minha humanidade, percebeu que eu acreditava de verdade que estava fazendo a coisa certa. E, assim, a conversa sobre a qual estou prestes a contar aconteceu na verdade por mensagem privada. Não estava à vista do público."

A Westboro havia começado a fazer protestos em frente a sinagogas e durante celebrações judaicas. Foi nessa época que Abitbol começou a responder aos tuítes de Megan. Ativista e programador, anos antes Abitbol havia criado o *Net Hate*, um diretório de todos os sites de nacionalistas brancos, antissemitas e baseados em ódio na internet. Ele debatia com extremistas pela internet muito antes de as redes sociais tornarem isso rápido, fácil e conveniente, e então começou a responder diretamente aos tuítes de Megan, questionando a interpretação que ela fazia das escrituras. Quando pesquisou sobre ele, descobriu que a Jewish Telegraphic Agency [Agência Telegráfica Judaica, em tradução livre] o listava como a segunda pessoa judia mais influente no Twitter, então ela o viu como uma oportunidade de fazer proselitismo diretamente para judeus do mundo todo. De início, eles faziam piadas um sobre o outro. Abitbol provocava Megan incessantemente, e ela o provocava de volta.

Depois de meses de debate, ela descobriu que Abitbol estava organizando um *Jewlicious Festival* em Long Beach, na Califórnia, e incentivou a Westboro a ir até lá protestar. As notícias da viagem deles se espalharam pela internet, e vários grupos se reuniram para fazer um contraprotesto.

"Minha irmã estava segurando um cartaz que dizia: SEU RABINO É UMA PROSTITUTA", disse Megan, "e havia um grupo enorme. Esses protestos foram insanos." Centenas de pessoas saíram para zombar da Westboro, e logo os policiais chegaram. Alguns contramanifestantes começaram a puxar briga, mas a igreja se recusou a revidar. "Pessoas fantasiadas de coelhinho da Páscoa e todo tipo de coisa, que eram muito violentas fisicamente, empurrando as pessoas. Foi mesmo uma atmosfera meio louca."

Foi quando David Abitbol reconheceu Megan e abriu caminho em meio à multidão. No início, ele serviu de escudo humano, e depois pediu aos contramanifestantes que dessem espaço. Então ele riu da placa dela e fez algumas piadas. Eles deram início a um debate, salpicado de humor e sarcasmo. "Foi muito parecido com a nossa energia, muito semelhante ao jeito que era no Twitter, que é meio brega e provocador, mas também genuinamente tipo: 'E aí, tudo bem com você?'."

Megan sempre tentou se concentrar na lógica da Bíblia, seguir exatamente o que as escrituras diziam, justificar suas crenças com capítulos e versículos. Abitbol perguntou a Megan por que a Westboro não condenava comer camarão, fazer sexo durante a menstruação ou viver de acordo com muitas das outras prescrições do Levítico. Megan se lembra de se sentir confusa. Ele estava apresentando bons argumentos, e ela não tinha argumentos à mão para justificar suas posições. Quando eles encerraram, ela avisou que faria protestos na Assembleia Geral das Federações Judaicas no final do ano, em Nova Orleans, e ele disse que adoraria continuar a conversa lá. "Eu também", disse Megan. "Assim que entrou, ele me disse que tinha levado para mim uma caixa de *halvah* de um mercado em Jerusalém, onde ele morava. Eu havia levado para ele uma barra do meu chocolate com hortelã preferido, um chocolate fino. Eu dei o chocolate para ele, e ele baixou a cabeça para procurar um símbolo *kosher* na embalagem." Ela ficou intrigada, e, enquanto Abitbol estava lá ensinando Megan sobre comidas *kosher*, ela segurava um cartaz escrito DEUS ODEIA JUDEUS.

De volta para casa, eles passaram a se falar por mensagem privada, e o tom de Abitbol mudou de forma a se adequar a suas conversas mais pessoais. Ela descobriu que ele não apenas era especialista no Antigo Testamento, tendo estudado os textos em hebraico, como era extremamente engraçado e encantador, paciente e simpático, e ele achou o mesmo dela. Apesar das diferenças, eles se tornaram amigos.

"Um dia, estávamos falando sobre doutrinas. Não me lembro como o assunto surgiu, mas ele falou especificamente sobre a minha mãe", disse Megan. "Minha mãe teve meu irmão mais velho antes de se casar. Então, isso era uma coisa que às vezes era jogada na cara dela como 'Ah, veja só, você também é uma pecadora'. E nós sempre dizíamos, sim, bem, mas o padrão divino não é a ausência de pecado, é a penitência. Ela se arrependeu desses pecados. Você pode jogar o pecado dela na cara dela, mas isso não contradiz nada do que estamos falando."

Abitbol apontou que a Westboro exibia cartazes que pediam PENA DE MORTE PARA OS GAYS. Megan disse que era o que as escrituras diziam no Levítico. "E ele respondeu, sim, mas, bem, Jesus não disse: 'Quem nunca tiver pecado que atire a primeira pedra'?"

Megan disse que sua resposta ensaiada a isso era sempre: "Sim, mas não estamos atirando pedras. Estamos em uma calçada pública nos manifestando com palavras". Abitbol respondeu dizendo a ela que o cartaz defendia que o governo atirasse as pedras. "E eu fiquei tipo 'Ah, é. Sim, isso parece muito estúpido. Parece muito estúpido agora'." Megan disse que se sentiu incapaz de responder. "É como se você tivesse essas respostas, e todas elas parecessem uma boa resposta. Parecessem a resposta certa e a verdade até que alguém realmente articulasse algo assim. Eu fiquei tipo 'Ah, meu Deus, ah meu Deus'. Essa passagem estava falando sobre o governo. A pena de morte."

Enroscada em uma cadeira, tuitando de casa, Megan disse que se sentiu "de cabeça para baixo". Então Abitbol continuou. Ele disse que, segundo a leitura que ela fazia das escrituras, a própria mãe dela mereceria a pena de morte. "Ela não teria tido a oportunidade de se arrepender e ser perdoada, e nossa família não existiria." Ela pensou em outro cartaz que dizia DEUS É AMOR, ÓDIO, MISERICÓRDIA E IRA e em como a Westboro nunca pensava em misericórdia no contexto de ninguém além da igreja. "A misericórdia só se aplicava a nós."

Ela não conseguia solucionar as contradições. Ficou claro para ela, depois de alguns dias, que, se os gays não podiam se arrepender, isso ia diretamente contra a doutrina central deles. Pela primeira vez, ela pensou: "O que é que estamos fazendo?". Tinha se tornado tão importante se diferenciar das pessoas de fora da igreja que isso se tornara a coisa *mais* importante. Eles seriam contra qualquer valor que os de fora defendessem, por uma questão de princípio, independentemente do que a Bíblia dissesse sobre o assunto. "Eu me lembro de estar totalmente perdida naquele momento." Megan questionou o cartaz entre os outros membros da igreja, mas eles não viam as coisas como ela. Continuaram a usá-lo, mas ela decidiu parar de carregá-lo; não era mais capaz de defendê-lo e tinha receio do que poderia acontecer caso se recusasse a defendê-lo na frente dos outros.

Essa contradição, disse ela, a abriu para outras contradições em seu aprendizado, e ela começou a se encher de dúvidas. Enquanto isso, foi ficando mais ativa no Twitter, conversando com mais pessoas como Abitbol, pessoas que brincavam com ela e lhe davam espaço, pessoas que perguntavam sobre sua vida além dos protestos. Ela começou a espiar os *feeds* dessas pessoas para além das conversas, fotos de suas vidas pessoais, tuítes sobre comida e cultura pop. Abordava as pessoas quando elas pareciam deprimidas e começava a falar sobre outras coisas que não a Bíblia.

Quando Grace foi levada perante os anciãos, percebeu que aquele tipo de coisa nunca havia acontecido com alguém de sua casa, com alguém mais jovem que ela. "Quando aconteceu, eu já havia tido essas experiências no Twitter, onde, mais uma vez, essas doutrinas individuais pareciam inconsistentes. Pela primeira vez na vida eu tive um pequeno senso de confiança no meu próprio julgamento, mais que no da igreja. A ideia de que eu poderia estar certa sobre determinado assunto e eles poderiam estar errados; eu jamais teria colocado fé nessa ideia antes disso."

Grace e Megan começaram a trocar mensagens de texto, questionando os anciãos em segredo. Enquanto isso, Megan flertou com alguns estranhos que despertaram seu desejo por um parceiro romântico, desejo que sufocava repetidamente, para sua frustração. Relacionamentos com pessoas de fora da igreja eram proibidos para as mulheres, então ela escondeu dos outros um romance que se desenrolava com um homem que tinha conhecido no Twitter, transferindo a conversa para o aplicativo Words with Friends. Ele manteve sua identidade em segredo, apresentando-se como C.G., e Megan começou a ouvir as músicas e ler os livros que ele recomendava em seus flertes furtivos.

Ao mesmo tempo, as restrições em suas vidas diárias foram ficando cada vez mais draconianas, como ela descreveu. Cada uma era justificada por um trecho das escrituras, "abster-se de toda aparência do mal", uma passagem tão ambígua que poderia ser desambiguada para justificar quase qualquer coisa. Grace não podia mais ir ao parque para subir nas árvores. Era a aparência do mal, diziam. Esmaltes coloridos eram proibidos, e as mulheres agora eram obrigadas a usar camisas que cobriam até o pescoço e vestidos abaixo dos joelhos. Se saíssem para comprar roupas, estas deveriam ser inspecionadas por um homem antes de serem usadas. Uma de suas primas foi excomungada por se rebelar.

Sob essas novas regras, o marido de Lindsey, Justin, entrou em contato com Grace pelo Twitter. Temendo o que poderia acontecer se a igreja descobrisse, Grace se entregou, e os anciãos deixaram claro que mais uma infração levaria à sua excomunhão. Quando os anciãos contaram ao resto da família, Megan chegou ao ponto de ruptura. Enquanto estava pintando o porão da tia com Grace, ela teve "um momento de terrível lucidez".

Megan me contou que não foi o Twitter, as novas regras dos anciãos, a gentileza de Abitbol nem suas conversas com C.G.. Era tudo isso junto, cada uma dessas coisas uma anomalia que, isoladamente, poderia ter sido assimilada, novas informações que criavam uma dissonância cognitiva cada vez maior que, em outro momento de sua vida, poderia ter sido amenizada, interpretada como uma confirmação de sua visão de mundo de alguma forma, mas que, somadas, pareciam uma refutação avassaladora.

Ainda assim, foi preciso algo incontestável e inevitável para levá-la a um ponto incontornável, e a possível excomunhão de Grace serviu como catalisador. No dia seguinte, em seu quarto, deitada na cama, ela disse a

Grace: "E se não estivéssemos aqui?". Grace perguntou o que ela queria dizer com aquilo. Megan respondeu: "E se estivéssemos em outro lugar?".

Nas semanas seguintes, Megan continuou a consolar Grace, que estava apavorada com o que poderia acontecer. A princípio, Grace resistiu ao ponto de Megan tentar persuadir a igreja, de modo a adequá-la aos seus novos valores. Como um cônjuge que tenta consertar o que está errado no relacionamento antes de se render ao desejo de acabar com ele, elas decidiram apresentar suas objeções à igreja, na esperança de mudá-la.

Megan começou por sua família imediata, sinalizando como várias aplicações de suas doutrinas pareciam incoerentes. Ela falou com a mãe, que se sensibilizou um pouco. Falou com o irmão, que não se sensibilizou. Falou com a irmã, Bekah, que disse que era melhor Megan levar suas dúvidas aos anciãos. Ela usou o Words with Friends para entrar em contato com Justin e Lindsey, que estavam completamente isolados do resto da família desde o incidente com Grace. Juntos, eles cogitaram apresentar algum tipo de pedido formal de desculpas público de Grace para Lindsey. Quando ela levou essa ideia ao pai, ele explodiu de raiva. Ela desistiu. Estava na hora de ir embora.

Nos meses seguintes, Megan e Grace colocaram suas coisas em caixas, as etiquetaram e as levaram para a casa de um primo. Elas procuraram o professor de inglês de Megan, que concordou em ajudar. O plano estava indo bem, mas então Lindsey enviou um e-mail para o pai revelando a intenção de Megan e Grace de ir embora ao mesmo tempo em que acusava Grace de ter um caso com o marido dela. Os pais de Megan e Grace chamaram as duas ao quarto deles. A mãe começou a gravar um vídeo com o celular. Enquanto o pai lia o e-mail em voz alta, Megan percebeu que tinha acabado. Grace seria excomungada, com certeza. Talvez ela também fosse. Ela se virou para Grace e sussurrou: "Temos que ir embora".

Elas correram para seus quartos para arrumar o que faltava de suas coisas enquanto o pai estava aos berros. A mãe implorou para que elas apelassem ao avô, Fred Phelps. Em vez disso, Megan atravessou os quintais compartilhados até a casa dele e deu um abraço de despedida nele e na avó.

Quando os anciãos apareceram, ela rumou de volta para o quarto, abraçando e se despedindo dos membros da família pelo caminho. Poucas horas depois, elas carregaram a minivan da família com a ajuda do pai. Ele as levou até um hotel, pagou ao funcionário, descarregou a van, deu um abraço nas duas e foi embora.

Mais tarde, eles ligaram para o professor de inglês de Megan, Keith Newbery, e no final da noite estavam instaladas no porão da casa dele. Ele ficou lá com elas por algumas horas, e então elas pegaram no sono nos sofás. Na manhã seguinte, voltaram com um caminhão, o encheram e foram embora de vez.

"Desde que deixei a igreja, minhas impressões sobre muitas coisas mudaram", disse Megan. "E é chocante para mim como muitas dessas mudanças foram fáceis. Por exemplo, meu pensamento em relação aos gays ou aos judeus, todas essas pessoas que tínhamos como alvo, esses grupos nos quais miramos quando eu estava na igreja. Todas as coisas em que acreditávamos sobre eles estavam simplesmente erradas."

Assim como Zach, Megan deixou a igreja porque não conseguia tolerar sua vida doméstica. Foi só depois de sair que ela mudou de ideia sobre crenças e posturas específicas, principalmente em relação aos gays. Mas, ela disse: "Foi muito fácil para mim mudar de direção. Parte disso, claro, aconteceu porque achávamos que estávamos amando as pessoas. Não foi como se eu as odiasse e depois tivesse passado a amá-las. Eu achava que as amava. Então percebi que não é assim que se ama as pessoas. Existe uma forma muito melhor de fazer isso".

Perguntei a Megan por que ela e Zach nunca tinham ficado balançados enquanto ainda estavam na igreja. Eles tinham estado diante de pessoas que viam o mundo de uma outra forma milhares de vezes enquanto faziam protestos por todo o país, enquanto interagiam nas redes sociais. Tinham visto muitos contraexemplos de como tratar os outros, de como pensar, sentir e acreditar.

"Comunidade", respondeu ela, reiterando o que Caitlyn me dissera na Equality House. "Estou cercada por todas essas pessoas que eu amo e que me amam, que me mostram que me amam de formas muito práticas, o tempo todo, não apenas uma pessoa, mas o mundo. Esse é o ar que você respira. Então, quando você cresce em um ambiente como esse, especialmente como a Westboro, que é extremamente doutrinadora..." Ela procurou as palavras certas. "Nós pensávamos e conversávamos sobre versículos da Bíblia e todas as evidências para dar suporte aos nossos pontos de vista... o tempo todo. Líamos a Bíblia... todos os dias. Decorávamos os versículos... todos os dias. Íamos para a rua conversar com as pessoas, defendendo aquelas crenças... todos os dias. Essa era a narrativa, a história que você aprende. Você tem inúmeros motivos para acreditar nela. Tem todas essas experiências que mostram que isso está certo, que esse é o caminho. Há muita inércia."

Eu disse a ela que isso fazia sentido, que os estudos confirmavam o que ela estava dizendo, mas, mesmo assim, e todos aqueles protestos? Por que aquilo nunca tinha gerado nenhuma dúvida?

"Desde que eu tinha cinco anos, eu estava na rua, sendo colocada em posição de defender essas crenças. E, para fazer isso, você precisa mesmo conhecê-las, entendê-las e ser capaz de fazer tudo aquilo em um instante. Porque, nos protestos, pode ser um ambiente muito caótico. Sabe, as pessoas te atacam e estão muito irritadas e hostis. Você tem que estar muito preparado para responder a tudo. E isso também era um requisito. Sabe, estar pronto para dar uma resposta. 'Estai sempre preparados para responder com mansidão e temor a qualquer que vos pedir a razão da esperança que há em vós.' Então, sua capacidade de defender essas coisas é um reflexo da sua salvação. É essa a sensação."

Megan disse que ainda estava descobrindo novas maneiras de estar errada. Três anos antes de Sølvi nascer, ela leu todos os livros que conseguiu encontrar sobre criação de filhos, mas atribui a fonte central de suas revelações à observação de como as pessoas de fora lidavam com as crianças. Quando as crianças faziam manha em público, ela disse que sentia "uma espécie de choque" ao constatar que os pais não perdiam a cabeça.

Eu disse que isso me lembrava de uma coisa sobre a qual havíamos conversado antes, um insight de Piaget: como, uma vez que aprendemos que uma coisa é incorreta, aprendemos também que a fonte de onde aprendemos essa coisa *pode estar* incorreta, o que nos abre para a possibilidade de que talvez as fontes em que confiamos possam estar erradas sobre muitas outras coisas. Como Pascal havia me dito, talvez essa fosse a brecha que deixava a luz entrar.

"Sim, isso aconteceu comigo. E, em alguns momentos, eu me pergunto quantas vezes realmente tive uma epifania no último ano, nos últimos meses. Quantos episódios desses são necessários para alguém eventualmente chegar ao lugar em que cheguei?", comentou Megan, referindo-se aos abusos, surras e coisas piores que ela, Grace e Zach sofreram.

"Era indiscutível que era demais", disse ela, "e não era raro. E, claro, eu sabia que eu jamais faria aquilo. Eu não queria bater na minha filha. Eu nunca faria isso." Mas a epifania mais profunda que Megan teve se relacionava a quão mais eficazes as emoções afirmativas poderiam ser para crianças pequenas.

"É incrível o quão mais rápido todas as coisas negativas desaparecem quando você deixa as crianças as colocarem para fora. Quando você está lá para dar apoio a elas nessas emoções em vez de tentar reprimi-las. É incrível, tendo observado não apenas meus pais, mas meu irmão mais velho, a forma como ele lidava com os filhos. Quanto mais ele reprimia, mais eles resistiam. O que só tornava tudo muito mais difícil para eles e para as crianças. E é incrível ver a maneira como a minha filha reage a coisas que minha família provavelmente teria visto como mimos. Estou fazendo algo errado ao tratá-la dessa maneira. Mas, caramba, ela é tão emocionalmente inteligente e compreensiva, como quando ela olha para uma boneca, que em tese está chorando e ela diz que não tem problema chorar. Não tem problema se sentir chateada."

Quatro filhos e mais de vinte netos de Fred Phelps deixaram a Westboro. As pessoas que hoje frequentam a igreja não são isoladas do mundo. Os adultos ainda trabalham na comunidade, e as crianças ainda frequentam a escola local. Enquanto fazia parte dela, Zach podia jogar *Diablo* e *Mortal Kombat* no computador; podia entrar na internet e assistir a filmes e programas de televisão. Megan lia David Foster Wallace, assistia a comediantes como Jake Fogelnest, ouvia bandas como Foster the People. Para a Westboro, essas coisas eram triviais. Eles estavam lutando contra o verdadeiro mal do mundo, então não era grande coisa se um dos netos quisesse lutar contra um demônio digital em um videogame ou ouvir uma banda punk reclamar do capitalismo. O contato com o mundo dos pecadores nunca foi proibido, mas a natureza desse contato era rigidamente controlada e, na maioria das vezes, era hostil e antagônico.

Apesar disso, Zach me disse que não tinha amigos, que nunca tinha conversado com pessoas que não fossem da família. Fora da igreja, ele era um fantasma. Zach conseguiu fazer faculdade de enfermagem e, embora dissesse que gostava de seus colegas, nunca criou nenhum vínculo com eles. Acreditava que as pessoas do mundo secular iriam para o inferno; elas não eram o povo de Deus como as pessoas da igreja, então ele mantinha uma distância respeitosa, como sempre fizera. Durante toda a vida, Zach esteve preso ao dogma, vestindo-o como um traje de mergulho, interagindo com o mesmo mundo das pessoas que gritavam do outro lado dos protestos, mas sem nunca estabelecer uma conexão humana real com ele.

Zach já tirou esse traje. Está até participando do universo paralelo do outro lado da rua. Passou um tempo na Equality House e participou de protestos contra a igreja, segurando cartazes com mensagens como VOCÊ É BELO e PERDOAR E ESQUECER. Nesses protestos, ele grita: "Vamos matá-los de tanta gentileza" e "Vamos mostrar a eles o que é amar o próximo".

Cinco meses depois de deixar a igreja, Zach fez uma cessão de perguntas no Reddit, uma sessão online de perguntas e respostas ao vivo aberta a qualquer um. Ele disse aos participantes que agora defendia totalmente os direitos da comunidade LGBTQIA+. "São todos humanos para mim, e todos merecem a proteção da lei. Quem sou eu para proibir o amor ou dizer que eles não podem se casar?"

Ele implorou aos comentadores para que tratassem os membros da igreja com amor, acrescentando que, desde que se afastara, havia extirpado toda a maldade de seu coração. Durante anos, havia rezado para que pessoas morressem. Agora, queria que todos fossem felizes. Expressou arrependimento por fazer protestos em enterros de soldados e explicou que na época acreditava estar "fazendo a coisa mais gentil do mundo" ao alertar as pessoas de que elas iriam para o inferno a menos que se desviassem do pecado.

"Você participou de um protesto no enterro do meu irmão", disse um dos comentadores. "Ele era um soldado que morreu no Afeganistão. Me ajuda um pouco saber o que todos vocês estavam pensando naquele momento. Estou feliz por você ter saído, e, se é que importa, eu perdoo você e sua família. Espero que eles consigam encontrar a paz que estão realmente procurando."[15]

Zach ainda acredita que a igreja pode mudar, mas apenas se as pessoas com quem eles se depararem de agora em diante se recusarem a retribuir seu desprezo. Se eles esperam ódio, receber amor provaria a eles que suas crenças estavam erradas.

"Dizer 'foda-se' pode ser facilmente esquecido, e não muda a crença de ninguém, só faz o outro se sentir validado", explicou ele. "Se os tratarmos com gentileza, eles vão perceber que as interpretações que fazem da Bíblia estão do avesso, e então vão abrir a cabeça. Acredito fortemente nisso."

Ele me disse que espera voltar a atuar na área médica, porque passou os primeiros 23 anos de sua vida injetando "maldade" no mundo. Disse que tinha interesse em cuidados paliativos. Detestava a ideia de que as pessoas talvez estivessem sozinhas em seus últimos dias.

Zach disse que se interessou pela ideia porque o avô, o fundador da Westboro, passou grande parte dos últimos seis meses de vida sozinho. Ele morreu em 2014, aos 84 anos. Antes disso, Zach o visitava uma ou duas vezes por semana e assistia a *Judge Judy* com ele, um programa que Fred Phelps adorava. Ele chamava de "comédia-arte", disse Zach. Seu avô também cortava o cabelo dele a cada três meses mais ou menos por toda a sua vida. "Não quero negar meu coração a pessoas que eu sinto que estão no mesmo lugar desesperador em que ele estava."

Embora a igreja negue, Zach diz que Fred Phelps estava sozinho em seu leito de morte porque havia sido excomungado.[16] Os anciãos de uma igreja construída sobre as crenças dele o rejeitaram pelo que Zach chama de "mudança de coração".

"Eu estava lá quando ele foi excomungado", disse ele. "Ele saiu pela porta da frente da igreja e gritou para a casa do arco-íris. Ele disse: 'Vocês são boa gente!'."

Perguntei a ele: "O que poderia ter motivado aquilo, depois de uma vida inteira de ódio?".

Zach disse que acha que foi porque a saúde de sua avó estava em grave declínio. Ela tinha sido internada. Teve que ser entubada. Margie Phelps estava casada com Fred havia 62 anos. Eles tiveram treze filhos, 54 netos e sete bisnetos. A perspectiva da morte dela foi profundamente traumática para ele.

"Não sei. Não tenho certeza, mas, com base na minha experiência, quando me senti deprimido, comecei de fato a buscar melhorar, mudar de ideia e tentar olhar o mundo de outra forma", disse Zach. "O que eu quero dizer é que tempos de grande aflição provocam grandes mudanças."

Antes de eu passar algum tempo com Zach e Megan, a resposta mais atraente para o motivo de eles terem deixado a Westboro era que eles tinham mudado suas crenças em relação aos gays, entrado em conflito com a igreja e depois ido embora por causa de todos aqueles desentendimentos. Mas não foi exatamente isso que aconteceu. As posturas de Zach e Megan em relação às pessoas LGBTQIA+, ao judaísmo, a como criar os filhos e até sobre si mesmos — tudo isso só mudou *depois* de eles terem partido.

As histórias de Zach e Megan foram diferentes em muitos aspectos, mas tinham em comum o fato de que foi a perda do senso de comunidade que os levou a ir embora. Isso os abriu para o potencial da mudança de ideia, então eles começaram a reavaliar evidências que antes pareciam invisíveis, sem sentido ou irrelevantes. Ainda assim, mesmo quando tiveram as primeiras dúvidas, foram necessárias outras pessoas, de fora, que ouviram e mostraram contra-argumentos repletos de bondade, para realmente afastá-los. Para Zach, foi a faculdade de enfermagem, depois pessoas como Caitlyn Cameron. Para Megan, foi o Twitter, depois pessoas como David Abitbol. Para ambos, não foi possível deixar suas visões de mundo para trás até sentirem que havia uma comunidade do lado de fora que os acolhesse.

Com todos esses conceitos e as explicações científicas por trás deles frescos na cabeça, senti que estava pronto para voltar à história de Charlie Veitch. Ouvindo Megan, eu me lembrei do que Charlie dissera sobre os teóricos da conspiração; sobre como seus colegas pareciam animais para ele quando, depois de ele tentar convencê-los de que estavam errados, ridicularizavam os mortos e os entes queridos que eles haviam deixado para trás. Em discussões como aquelas, suas convicções ficavam ainda mais fortes, mas as dele ficavam mais fracas.

Eu não tinha reparado nisso quando ouvi a história dele pela primeira vez, mas agora parecia claro. Assim como Megan, ele também estava passando um tempo com pessoas de fora, mas a trajetória de Charlie diferia no fato de que ele não estava morando em uma espécie de complexo naquela época; ele não fazia parte de uma família que o criara desde o nascimento. Ainda assim, *fazia* parte de uma comunidade, e embora ela fosse principalmente virtual e ainda muito incipiente, como você vai ver no próximo capítulo, os mecanismos psicológicos que o motivaram são os mesmos que continuam a motivar as pessoas que permanecem na Westboro. E, no fim das contas, os mecanismos que o incentivaram a sair são idênticos aos que levaram Zach, Megan e outros a fazerem o mesmo.

6
A VERDADE É TRIBAL

A um quarteirão do estabelecimento que ele estava ansioso para me mostrar — uma fusão de loja de discos e cafeteria —, Charlie parou de andar e me apontou um mural ao longe, que ele disse ser, no fundo, uma mentira.

De onde estávamos, a obra de arte pintada com spray parecia um pássaro bonito e realista empoleirado em um amontoado de trepadeiras retorcidas que se arqueavam na pedra, mas ele me mostrou que, de perto, era possível ver o logotipo da fabricante de tênis Converse logo abaixo e à direita do pássaro. Ele riu e esperou que eu ligasse os pontos. Fiquei ali meditando, me sentindo pressionado. Não tinha certeza quanto à visão de Charlie. Para ele, todo padrão tinha algo de fascinante. A cada passo, ele parecia atento a significados ocultos, para como o mundano se encaixava em um sistema maior de ideias e pautas. Presumi que o mural, para ele, seria uma espécie de canário pintado com spray na mina de carvão. Até mesmo o grafite pode ser uma mentira corporativa. Era um sinal para qualquer um que tivesse olhos ver que o mundo não era o que parecia. Dei um leve suspiro para comunicar minha desilusão e balancei a cabeça. Charlie sorriu e virou a esquina, continuando a caminhada.

Ao longo do caminho, olhei para o mural. Era o trabalho de uma artista de Sheffield chamada Faunagraphic, com uma lista de clientes que incluía a Liquitex e a Ikea. Ela havia sido contratada pela Converse para pintar murais em todo o Reino Unido, como parte de um projeto de publicidade que eles chamavam de Wall to Wall [De parede à parede, em tradução livre], e uma equipe de empreiteiros usando duas enormes gruas e tinta spray havia levado dois dias para executar aquela arte. Bom ou mau? Eu não sabia dizer, mas sem dúvida era uma camada de verdade que eu jamais teria levantado se não tivesse Charlie Veitch como guia.[1]

Perguntei a Charlie como ele havia se tornado um conspiracionista. Ele me disse que nunca tinha feito parte de nenhuma comunidade estável que o levasse a sério até os teóricos da conspiração o receberem. Seu pai era um marinheiro escocês, primeiro oficial de um petroleiro. Ele conheceu a mãe de Charlie quando trabalhava no Rio de Janeiro. Charlie passou seus primeiros sete anos no Brasil, antes de ele, o irmão e a mãe se mudarem para a Tanzânia, e depois para onde quer que o pai fosse designado — parte Ocidental da África, Catar, Arábia Saudita e outros lugares. A cada poucos anos, ele deixava os amigos que havia feito e recomeçava em uma nova escola, uma nova cidade, um novo país, uma nova cultura. Visto sempre como alguém de fora, ele sofria bullying constantemente. Quando teve idade suficiente para morar sozinho, os pais o mandaram para um internato no Reino Unido enquanto permaneceram na Arábia Saudita. Lá, ele sofria insultos racistas diariamente por conta da cor de sua pele e a cadência tipicamente brasileira do seu jeito de falar.

Charlie disse que sua vida de constante mudança terminou abruptamente dentro do conforto gelado de um cubículo. Depois de se formar em filosofia, ele encontrou um emprego no setor bancário. Em uma rotina composta por dormir, ir para o trabalho, voltar, ver TV, dormir etc., ele disse que deixou de se sentir um "ser humano de verdade". A filosofia começou a ficar em segundo plano à medida que, relutantemente, ele foi se acostumando à vida de executivo. Sua sensação era a de não pertencer a lugar algum. Ele não tinha uma tribo.

Então, em 2006, Charlie assistiu a um vídeo no qual Alex Jones explicava como o Onze de Setembro havia sido uma armação. Intrigado, começou a passar bastante tempo na internet assistindo a vídeos que apresentavam argumentos como o de Jones. Em pouco tempo, começou a participar de grupos de debate. E, por fim, a fazer parte dos próprios grupos.

"Eu era um jovem com raiva, com raiva das estruturas de poder, das elites e de quão injusto o mundo era, então aquilo casou bem com o meu desejo de ter uma narrativa, que é como eu acho que a maioria das pessoas vai parar nas teorias da conspiração", disse Charlie. "Você está em busca de um bode expiatório, sua vida não tem sentido, você é apenas um pequeno ninguém, mas de repente você se sente parte de uma elite. Você sabe de coisas."

"Você está no exército dos iluminados", eu disse.

"Sim, você é como o Neo no carro depois de falar com o Oráculo, e está olhando para todas aquelas pessoas, pensando tipo, 'Uau, olha só a Matrix. Olha só todas essas pobres pessoas; elas não sabem nada. Eu sei de tudo; eu sei a verdade'. Isso é ego. Boa parte disso é ego, sabe, quando você vai parar nessa história."

Charlie começou a fazer seus próprios vídeos, primeiro satirizando a Igreja da Cientologia, depois sobre protestos locais e sobre viver sob vigilância em uma Londres pós-Onze de Setembro. Ele fez parceria com outros youtubers conspiracionistas, e estavam sempre no centro de Londres com megafones, fazendo anúncios orwellianos sarcásticos de serviço público. Essas performances atraíram multidões e policiais e rendiam centenas de milhares de visualizações.

Os policiais muitas vezes mandavam Charlie embora, mas, quando ele fez um vídeo em frente à embaixada dos Estados Unidos, a polícia o deteve e pediu que ele parasse de filmar. Ele resistiu e continuou a filmar, mas, à medida que mais policiais foram se aproximando, alguns armados com fuzis de assalto e vestindo coletes à prova de balas, eles o informaram que tinham o direito, no abrigo da lei antiterrorismo do Reino Unido, de ver seus vídeos e se certificar de que ele não estava usando sua câmera em conexão com o planejamento de algum ato de terrorismo nem para a coleta de informações para fins terroristas.

Charlie postou todo o episódio no YouTube. Para os conspiracionistas à procura de imbecis orwellianos, o vídeo foi uma confirmação eletrizante de seus medos mais profundos. O vídeo viralizou imediatamente. Em poucos dias, Charlie estava ao telefone com o mundialmente famoso teórico da conspiração Alex Jones. Para ele, foi como se uma mão tivesse sido estendida de dentro dos próprios vídeos que haviam despertado sua paixão no princípio. Ele foi pinçado da plateia e convidado a participar da conversa que estava acontecendo no palco.[2]

Em 2009, Charlie e seu vídeo da embaixada apareceram no programa de rádio e de YouTube de Alex Jones, e Charlie direcionou o público de Jones para seu próprio canal no YouTube, dizendo que eles poderiam encontrar dezenas de vídeos semelhantes àquele expondo o iminente estado de autoritarismo. Quanto mais acessos ele tinha, mais conteúdo produzia. Em pouco tempo estava ganhando um bom dinheiro. Quando foi despedido do banco, não procurou outro emprego.

Perguntei a Charlie sobre suas impressões em relação a Alex Jones e David Icke quando os conheceu. Certamente, ele havia pesquisado no Google e descoberto que Jones acreditava que a vacina contra a gripe era uma ferramenta de escravização, que os *chemtrails* [rastros deixados pelos aviões] faziam sapos virarem gays e que todos os governos do planeta estavam preparando uma arma biológica capaz de afetar etnias específicas. Icke achava que estava em contato psíquico com répteis que viajavam pelo espaço.

Ele disse que a sensação de pertencimento, de aceitação, era mais importante para ele naquele momento do que qualquer detalhe incomum. Ele se tornou flexível, disposto a suspender sua descrença para não se sentir sozinho.

—

Depois de passar algum tempo com Megan Phelps-Roper e seu irmão Zach, tive a sensação de ver o contorno de algo que ambos compartilhavam com Charlie Veitch, e as primeiras pistas vieram quando entrevistei dois neurocientistas que questionavam as pessoas enquanto elas estavam deitadas em um scanner cerebral.

Em 2016, os neurocientistas cognitivos Sarah Gimbel, Sam Harris e Jonas Kaplan reuniram um grupo de participantes que tinham opiniões fortes, classificando-os em uma escala de 1 a 7 em relação a quão fortemente acreditavam em uma variedade de declarações, algumas políticas, outras neutras. Eles os colocaram em um aparelho de ressonância magnética e, em seguida, apresentaram 5 contra-argumentos a cada participante. Por exemplo, se os participantes achavam que Thomas Edison tinha inventado a lâmpada, eles liam que ela havia sido "inventada setenta anos antes de Edison". Se achavam que a posse de armas deveria ser mais restrita, liam coisas como: "Dez vezes mais pessoas são mortas por ano com facas de cozinha do que com armas de fogo". O objetivo não era persuadi-los a mudar de ideia, apenas medir o que acontecia em seus cérebros quando eram questionados.[3]

Depois de ler os contra-argumentos, os participantes viam novamente suas declarações originais e os pesquisadores pediam que classificassem suas impressões em uma escala de 1 a 7. Ao comparar as duas respostas, os pesquisadores descobriram que as pessoas rapidamente abrandaram a força de suas crenças para opiniões mais neutras, mas, em tópicos como aborto, casamento entre pessoas do mesmo sexo e pena de morte, algo a mais aconteceu. À medida que os contra-argumentos se acumulavam, os participantes reagiram às ameaças a suas convicções como se fossem ameaças à sua própria vida.

Quando uma pessoa era questionada sobre tópicos políticos, como aborto, estado de bem-estar social ou posse de armas, o scanner mostrava que seu cérebro entrava em modo de luta ou fuga, fazendo com que o corpo bombeasse adrenalina, enrijecendo os músculos e desviando a circulação sanguínea dos órgãos não essenciais. Como Gimbel me disse: "A reação que vemos no cérebro é muito semelhante ao que aconteceria se, por exemplo, você estivesse andando pela floresta e desse de cara com um urso".

Por que uma reação física dessas? Porque o sangue se concentrava em uma área do cérebro chamada rede de modo padrão, um conjunto interligado de regiões que se ativam quando as pessoas pensam sobre o eu em relação aos outros. Sabe a forma como a meditação e os psicodélicos podem fazer você se sentir menos apegado à sua identidade e mais conectado ao todo? Isso é o que acontece quando você diminui a atividade na rede de modo padrão. Aumentar a atividade faz o oposto, deixando-o menos uno com o todo e mais ligado à própria identidade. Quanto mais os participantes pensavam sobre o próprio eu, mais sangue se concentrava na amígdala e no córtex insular, duas regiões do cérebro envolvidas na regulação da raiva e do medo e no controle da frequência cardíaca e da transpiração.

"Lembre-se de que o primeiro e principal trabalho do cérebro é nos proteger", me disse Kaplan. "Isso vai além do nosso eu físico, até o nosso eu psicológico. Uma vez que essas coisas [crenças, posturas e valores] se tornam parte de nosso eu psicológico, ficam sujeitas às mesmas proteções que o cérebro proporciona ao corpo."

"Mas por quê?", eu perguntei.

Kaplan disse que não sabia, mas provavelmente tinha a ver com a identidade de grupo, e sugeriu que eu falasse com psicólogos que estudam como a identidade de grupo afeta nossas crenças.

Temos estudado como os grupos afetam as mentes de seus membros desde a Segunda Guerra Mundial, quando a pesquisa psicológica sobre conformidade e conflito grupal se tornou a peça central da experimentação psicológica.

Esse trabalho levou ao famoso experimento de Solomon Asch, no qual as pessoas negavam a verdade diante de seus próprios olhos quando eram cercadas por atores que afirmavam que uma linha curta e uma outra comprida impressas em um cartão tinham o mesmo comprimento. Um terço dos participantes cedeu à pressão social e disse que concordava, embora mais tarde eles tenham dito que internamente se sentiam em desacordo com o grupo. Isso também deu origem aos experimentos de Stanley Milgram sobre a obediência, nos quais os pesquisadores incitaram com sucesso dois terços dos indivíduos, que acreditavam estar dando choques elétricos em estranhos, a aumentar a potência até chegar a cargas letais.[4] Mas o estudo da identidade de grupo começou a sério entre esses experimentos, em 1954, quando um grupo de psicólogos criou duas tribos de crianças que, por pouco, não mataram uma à outra.

No Robber's Cave State Park, nos arredores de Oklahoma City, no mesmo ano em que *O senhor das moscas* foi publicado, o psicólogo Muzafer Sharif e seus colegas, fazendo as vezes de conselheiros, assumiram a direção de um acampamento de verão[5] e, por meio de ônibus distintos, levaram 22 meninos da quinta série, com idades entre 11 e 12 anos, a dois acampamentos vizinhos.

Por um tempo, os acampamentos não sabiam da existência um do outro. Eles começaram a formar suas próprias culturas e, em poucos dias, nuances arbitrárias compartilhadas pelos membros do grupo se tornaram normas e regras de conduta consolidadas. Eles se autodenominavam Águias e Cascavéis, e cada grupo desenvolveu diferentes rituais e diferentes tabus. Quando Sharif e seus colegas disseram aos meninos que havia outro grupo no acampamento, cada grupo começou a descrever os outros que não viam como "intrusos" e "forasteiros". Eles então se encontraram para algumas disputas: beisebol, cabo de guerra, futebol americano e afins. Eles trocavam insultos, e os espectadores reclamavam sobre o quão sujos os garotos do outro lado pareciam. Na hora de dormir, cada grupo passava a noite inteira falando sobre os aspectos repugnantes dos outros, *deles*.

Os meninos logo passaram a atribuir todos os infortúnios que haviam sofrido à maquinação ardilosa do outro grupo. Quando a piscina estava mais fria que o normal, diziam que o outro grupo devia tê-la enchido com cubos de gelo. Quando encontravam lixo na praia, diziam que o outro grupo devia tê-lo deixado lá, esquecendo-se de que era o próprio lixo deles de alguns dias antes.[6]

O experimento acabou tendo que ser encerrado na terceira semana. A animosidade cresceu entre eles até que os Águias roubaram a bandeira do campo de beisebol dos Cascavéis, queimaram-na e depois a devolveram. Como vingança, os Cascavéis organizaram um grupo de ataque e queimaram a bandeira dos Águias. Os Cascavéis então pintaram seus corpos e invadiram as cabanas dos Águias. Os Águias retaliaram e fizeram o mesmo. À noite, eles falaram sobre dar início a uma briga. Por fim, quando os dois grupos começaram a se movimentar e juntar pedras para dar início a uma guerra, os cientistas intervieram. Temendo que alguém pudesse acabar sendo morto a qualquer momento, eles realocaram os acampamentos a uma distância maior um do outro.

Fascinado pelo experimento de Robber's Cave, na década de 1970 o psicólogo Henri Tajfel quis expandir o estudo. Tajfel cresceu na Polônia e, como judeu, ficou obcecado com responder à pergunta de como um grupo pôde odiar tanto outro ao ponto de fazer o genocídio parecer razoável. Ele havia estudado preconceito ao longo da década de 1950 e, na época, a suposição da maior parte da psicologia era de que a animosidade entre grupos se baseava em personalidades agressivas subindo ao poder e influenciando os outros. Tajfel era cético quanto a isso. Examinando inúmeros exemplos de genocídio, notou que as diferenças que as pessoas alegavam ser a fonte de seu ódio pareciam tão arbitrárias quanto as diferenças entre os Cascavéis e os Águias — meninos da quinta série da mesma cidade, com famílias parecidas, educação parecida e visões de mundo parecidas.

Tajfel se perguntou o que aconteceria se, em um ambiente de laboratório, fossem eliminadas todas as diferenças perceptíveis entre dois grupos de pessoas, até mesmo suas personalidades, e simplesmente dissessem a elas que estavam em um grupo e não no outro? Ele então se perguntou: e se você começasse a adicionar pequenas diferenças, uma de cada vez, como um grupo usar óculos e outro não, em que ponto as pessoas começariam a demonstrar preferência pelo próprio lado e preconceito pelo outro? Se ele pudesse encontrar um ponto de partida, algo que chamou de "paradigma do grupo mínimo", estabeleceria uma linha de base para o tipo de diferença que levava ao preconceito e à discriminação. O que ele descobriu foi que não havia linha de base. Qualquer diferença, de qualquer tipo, ativaria nossa psicologia inata de "nós contra eles".

Em um experimento, Tajfel reuniu meninos de uma escola de Bristol, muitos deles com origens idênticas, muitos deles amigos, e fez com que, um por um, olhassem anonimamente uma página com 40 pontos por meio segundo, e depois estimassem quantos pontos tinham visto. Independentemente do que os participantes respondessem, eram classificados aleatoriamente e informados de que haviam ou subestimado ou superestimado o número verdadeiro.[7]

Tajfel então disse aos participantes que, como eles já estavam lá, seria ótimo se pudessem ajudar a equipe com outro experimento, uma tarefa de alocação de dinheiro. Disse a eles que outros superestimadores e subestimadores, garotos como eles, tinham acabado de realizar uma outra tarefa, para a qual eles agora determinariam a divisão justa das recompensas.

Ele deu aos garotos a possibilidade de escolher entre uma recompensa maior dividida igualmente ou uma menor dividida de forma desigual, que favorecia um grupo e não o outro. Tajfel esperava que, nesse nível mínimo de identidade, rotulados como subestimadores ou superestimadores, os participantes fossem dividir o dinheiro igualmente. Depois ele poderia acrescentar mais diferenças para observar quando eles começariam a apresentar algum viés. O que ele descobriu foi que meramente ser rotulado como superestimador ou subestimador de pontos motivou os meninos a favorecer seus próprios grupos. Pior ainda, eles preferiam em larga escala uma recompensa menor desde que isso significasse que seu próprio grupo imaginário se sairia melhor que os outros imaginários.

O trabalho de Tajfel foi replicado centenas de vezes, com critérios como preferência por determinado pintor, cor dos olhos, chapéus, mesmo com números pares e ímpares atribuídos aleatoriamente, todos com os mesmos resultados: não há característica visível compartilhada em torno da qual não se forme um grupo. E então, uma vez que as pessoas se tornam um *nós*, começam a desprezar *eles*, a tal ponto que ficam dispostas a sacrificar o bem comum se isso significar que podem mudar o equilíbrio a favor do seu grupo.

Eles. É uma palavra poderosa, e estudos tanto em psicologia quanto em neurociência sugerem que, como nossas identidades têm muito a ver com a lealdade ao grupo, a própria palavra *identidade* é normalmente encarada como aquilo que nos identifica como, bem, *nós* — mas, acima disso, como *não eles*.

É um impulso humano básico, como a fome ou o sono. Somos formados por genes de primatas que dão origem a cérebros de primatas que carregam dentro de si estados mentais inatos que podem ser desencadeados por estímulos sensoriais. Entre eles estão a empatia, a simpatia, o ciúme, a vergonha e o constrangimento. Esses estados mentais, que acontecem *conosco*, que sentimos sem pedir para sentir, nos dão uma pista de nossa natureza. Como primatas sociais, não conseguimos deixar de dar muita importância ao que os outros pensam de nós.

Humanos não são apenas um animal social; somos um animal muito social. Somos o tipo de primata que sobrevive formando e mantendo grupos. Grande parte da nossa psicologia inata cuida de agrupar e fortalecer esse grupo — atuando para proporcionar coesão. Se o grupo sobrevive, nós sobrevivemos. Portanto, muitos dos nossos impulsos, das nossas motivações, como a vergonha, o constrangimento, o ostracismo e assim por diante, têm mais a ver com manter o grupo forte do que com manter um membro específico, inclusive nós mesmos, saudável. Em outras palavras, estamos dispostos a nos sacrificar e aos outros pelo grupo se necessário.

Existem muitos termos para isso na psicologia moderna, na ciência política, na sociologia e afins — eu prefiro o termo *psicologia tribal*, mas também pode ser chamado de *partidarismo extremo, cognição cultural* etc. Seja qual for o rótulo, as evidências mais recentes das ciências sociais são claras: o ser humano preza muito mais por ser um bom membro de seu grupo do que por estar certo, tanto que, desde que o grupo satisfaça essas necessidades, optaremos por estar errados se isso nos mantiver em boa posição com nossos pares.

Quando perguntei à socióloga Brooke Harrington quais eram as impressões dela sobre tudo isso, ela resumiu dizendo que, se houvesse um $E=MC^2$ das ciências sociais, seria MS > MF, "a morte social é mais assustadora que a morte física".

É por isso que nos sentimos profundamente ameaçados quando uma nova ideia põe em xeque ideias que se tornaram parte da nossa identidade. Diante de algumas delas, daquelas que nos identificam como membros de um grupo, não raciocinamos como indivíduos, mas como membros de uma tribo. Queremos parecer confiáveis, e a gestão da reputação de indivíduo confiável geralmente se sobrepõe à maioria das outras preocupações, até mesmo à nossa própria mortalidade.

Isso não é totalmente irracional. Um ser humano sozinho no mundo enfrenta muitas dificuldades, mas estar sozinho no mundo antes dos tempos modernos era quase que certamente uma sentença de morte. Portanto, carregamos conosco um impulso inato de formar grupos, de nos juntar a grupos, de permanecer nesses grupos e de nos opor a outros grupos. Mas, uma vez que você identifica um *eles*, começa a favorecer o *nós*; tanto que, dada uma escolha entre um resultado que favorece muito os dois grupos e um que favorece bem menos ambos, mas ainda assim favorece mais o seu do que o outro, sua escolha será pelo último. Se for colocado qualquer conflito sobre recursos de qualquer natureza, os humanos instintivamente entram no modo "nós contra eles", ainda que essa não seja a estratégia mais benéfica de modo geral. E é aí que a psicologia tribal fica realmente esquisita.

Em tempos de conflito acirrado, quando os grupos estão em contato próximo uns com os outros ou se comunicando muito, os indivíduos se esforçarão bastante para se identificar entre si como *nós* e como não *eles*. Em tal ambiente, qualquer coisa pode se tornar um sinal de lealdade, e os seus sinais dirão se você é um membro leal ou um traidor. O que você veste, as músicas de que gosta, o carro que você dirige, tudo. Se uma postura, uma crença ou uma opinião expressada sobre um assunto que antes era neutro se transforma em um fator de identidade, um distintivo de lealdade ou um símbolo de vergonha, isso sinaliza para os demais se você é ou não confiável.

O psicólogo Dan Kahan, especialista em psicologia tribal, me disse que esse efeito vai além da política. Qualquer opinião, disse ele, pode se fundir com a identidade do grupo.[8]

Ele disse que o estudo de caso mais instrutivo para ele foi o fato de que os conservadores cristãos ainda hoje se opõem fortemente à vacina contra o HPV, porque, anos atrás, os fabricantes buscaram aprovação antecipada para meninas antes que ela fosse aprovada para meninos e tentaram torná-la obrigatória. A aprovação antecipada abriu um debate no Congresso. A obrigatoriedade deu origem a um debate nas legislaturas estaduais. Ambos eram sinônimos de pessoas com zero conhecimento científico questionando por que aquela vacina era obrigatória para meninas em vez de meninos.[9]

"Pelo que estão dizendo, alguém vai bater na porta da sua casa e dizer: 'Sabe a sua filha ali no balanço no quintal? A menina de doze anos que vai fazer sexo ano que vem? Se você não a obrigar a tomar uma vacina contra uma DST, melhor nem a mandar para a escola'." O resultado, disse Kahan, foi uma disputa tribal de esquerda contra direita sobre a insinuação de que a vacina inevitavelmente levaria à promiscuidade na pré-adolescência.

Ao mesmo tempo em que as pessoas estavam brigando a respeito da vacina contra o HPV, os cientistas apresentaram a vacina contra a hepatite B. No papel, ela é quase idêntica. É administrada a meninas pré-adolescentes e previne uma doença sexualmente transmissível que provoca câncer. "Mas ninguém estava questionando essa vacina", disse Kahan. Ela foi aprovada de forma rápida e fácil, e hoje é aceita por 95% dos pais, incluindo cristãos conservadores.

A diferença foi que as pessoas ouviram falar sobre a vacina contra a hepatite B primeiro por meio de seus médicos. Elas ficaram sabendo sobre a vacina contra o HPV assistindo a reportagens na MSNBC e na Fox News. Essas emissoras delinearam a mensagem como uma questão de nós contra eles, o que a tornou uma questão tribal. As pessoas então olharam para seus grupos em busca de orientação sobre o que pensar, e, uma vez que achavam uma coisa ou outra, o raciocínio motivado fornecia suas próprias explicações e justificativas para se fazer oposição.

Em um dos estudos de Kahan, ele mostrou a pessoas que se identificavam como fortemente Republicanas ou fortemente Democratas uma foto de um homem mais velho. Disse a elas que ele era um cientista altamente respeitado chamado Robert Linden, membro da Academia Nacional de Ciências e professor de meteorologia no MIT, com doutorado em Harvard. Então pediu aos participantes que dissessem se concordavam ou discordavam que o dr. Linden fosse um especialista em aquecimento global.[10] Todos os participantes marcaram "concordo totalmente", a nota mais alta em uma escala de 1 a 6. Em seguida, os participantes leram as opiniões científicas de Linden sobre o assunto. Metade dos sujeitos leu que Linden achava que o aquecimento global provocado pelo homem não era real e que a mudança climática não era motivo de preocupação. A outra metade leu que ele achava que o aquecimento global provocado pelo homem não apenas era real, mas que a mudança climática era uma ameaça à sobrevivência da espécie humana.

Kahan então perguntou aos participantes se eles ainda concordavam ou discordavam que Linden fosse um especialista. No grupo que leu que o aquecimento global não era real, os conservadores continuaram a dizer que ele era um especialista, mas os progressistas mudaram suas notas. No grupo que leu que o aquecimento global era real, foram os progressistas que continuaram a ver Linden como um especialista, enquanto os conservadores mudaram de opinião. Em ambos os casos, para metade das pessoas, Linden instantaneamente se transformou em um maluco. Suas credenciais, é claro, não mudaram em nenhum momento.

A pesquisa sobre psicologia tribal é clara. Se uma questão científica baseada em fatos é considerada neutra — vulcões, quasares ou morcegos frugívoros —, as pessoas não têm esse comportamento. Elas tendem a confiar no que um especialista tem a dizer. Mas, uma vez que as lealdades tribais são introduzidas, a questão se torna discutível.

Apesar das aparências, Kahan enfatizou que esse tipo de raciocínio motivado é racional. O indivíduo médio jamais vai estar em uma posição em que as crenças sobre a posse de armas, as mudanças climáticas ou a pena de morte afetarão suas vidas. A única razão útil para manter qualquer tipo de crença sobre essas questões, discuti-las ou compartilhá-las com outras pessoas é "transmitir lealdade ao grupo", disse-me Kahan. Se adotar pontos de vista alternativos pudesse fazer com que você perdesse amigos, anunciantes, um emprego ou com que enfrentasse a vergonha pública ao rejeitar o que de outra forma seria neutro, a evidência empírica seria uma decisão muito racional.[11] Para questões sobre as quais sua tribo formulou um consenso, os outros vão usar sua anuência como uma medida de quanto podem confiar em você. Se os seus valores parecerem desalinhados com o grupo, "você pode realmente sofrer sérios danos materiais e emocionais", explicou Kahan.

Ele falou de Bob Inglis, que atuou como um dos membros mais conservadores do Congresso norte-americano por décadas. Quando ele anunciou, em 2010, que acreditava nas mudanças climáticas e queria fazer algo a respeito para proteger seus eleitores, perdeu a eleição seguinte pelo resultado esmagador de 71% a 21%. Kahan explicou que, "se você é um barbeiro no quinto distrito da Carolina do Sul, pelo qual ele concorria, você sabe que se, depois de terminar fazer a barba de um sujeito, pedir a ele que assine sua petição para salvar os ursos polares dos impactos do aquecimento global, vai ficar sem trabalho tão rápido quanto Inglis ficou. As pessoas encaram esse tipo de pressão o tempo todo".[12]

Quando sentimos uma ameaça ao nosso lugar dentro de um grupo confiável, se achamos que *nós* podemos ser considerados não confiáveis por mudar de ideia, evitamos a mudança. O que, para mim, finalmente explica por que os outros conspiracionistas do grupo de Charlie se recusaram a aceitar as evidências diante deles.

O que sabemos depende de crenças: o conhecimento que presumimos ser verdadeiro. Depende também de posturas: nossas avaliações positivas ou negativas daquilo em que acreditamos. E ambas influenciam e são influenciadas por nossos valores: nossas estimativas do que é mais importante, do que vale a pena correr atrás. Mas é impossível saber ou avaliar tudo. O mundo é muito vasto, muito complexo e está em constante transformação. Portanto, grande parte de nossas crenças e posturas se baseia na sabedoria recebida de colegas e autoridades confiáveis. Seja um vídeo, um livro, a pessoa na bancada do telejornal ou no púlpito, quando não podemos comprovar algo por nós mesmos, é na experiência deles que depositamos nossa fé.

Esses grupos de referência são de onde obtemos nosso conhecimento sobre as luas de Saturno e o valor nutricional da granola, o que acontece depois que morremos e quanto dinheiro a Argentina deve à China. Eles também influenciam nossas posturas em relação a tudo, desde trombones de jazz até energia nuclear e o poder curativo da aloe vera. Julgamos que o que eles nos dizem é verdade, que a postura predominante entre eles é razoável, porque confiamos que eles examinaram as informações. Confiamos neles porque nos identificamos com eles. Eles compartilham dos mesmos valores e ansiedades que nós. Ou se parecem conosco, ou se parecem com as pessoas que gostaríamos de ser. Compartilham da mesma postura que nós, e, portanto, estamos dispostos a compartilhar das mesmas crenças que eles.[13]

Uma vez que consideramos um grupo de referência confiável, questionar *qualquer* uma de suas crenças ou posturas aceitas é questionar *todas* elas, e isso pode ser um problema. Humanos são primatas, e primatas são criaturas gregárias. Não conseguimos evitar formar grupos. Se nos identificarmos como fãs da Marvel ou como cristãos, como leais ao QAnon ou ao veganismo, então as crenças, posturas e valores que compartilhamos com nosso grupo se tornam parte da nossa identidade de grupo. Tornamo-nos o tipo de pessoa que se sente de determinada maneira e que acredita em determinadas coisas. O questionamento dessas crenças será uma ameaça ao nosso senso de identidade e, no nível biológico, vamos reagir com medo, raiva e todas as outras armadilhas emocionais do instinto de luta ou fuga.[14]

Quando assumimos o papel de embaixadores de nossos grupos de referência, as inquestionáveis verdades compartilhadas que asseguram nossas identidades de grupo historicamente levaram aos desentendimentos mais profundos, às brigas mais insolúveis, à atuação política mais entrincheirada e às nossas guerras mais sangrentas.

Cientistas, médicos e acadêmicos não estão imunes a isso. Mas, para sorte deles, em suas tribos a abertura à mudança e a disposição de questionar as próprias crenças ou de levar em conta as dos outros também sinalizam lealdade ao grupo. O pertencimento enquanto meta é alcançado adotando-se como meta a precisão. Para grupos como os teóricos da conspiração do Onze de Setembro, a busca pelo pertencimento tem apenas uma ligeira intercessão com a busca pela precisão, porque qualquer coisa que questione o dogma é uma ameaça de excomunhão.

Não usamos apenas nossas experiências prévias para manter nosso equilíbrio na corda bamba entre estarmos perigosamente errados e sermos perigosamente ignorantes: também usamos as pessoas à nossa volta; quando *elas* se recusam a mudar de ideia, isso é uma barreira maior que qualquer teimosia que nossos dogmas imponham. Presos em um abraço coletivo de motivações compartilhadas, podemos nos perceber incapazes de mudar de ideia quando os fatos sugerem que deveríamos. Não há melhor exemplo disso do que o que acontece quando uma pessoa entra em um grupo que compartilham da motivação de trocar informações sobre uma teoria da conspiração.

Anni Sternisko, uma psicóloga que estuda comunidades de conspiracionistas, me disse que, em termos gerais, todos os teóricos da conspiração começam procurando outros que compartilhem de seus pontos de vista por meio de dois "combustíveis motivacionais". Aqueles que estão felizes com sua identidade social atual "são atraídos pelo conteúdo de uma teoria da conspiração". Aqueles que ainda buscam uma identidade,[15] aqueles que desejam sinalizar sua singularidade entre seus pares, são atraídos pelas características de uma teoria da conspiração.

Sternisko me disse para pensarmos nisso como a escolha de um filme para assistir. Se você é fã de Adam Driver, não vai se importar com o tema do filme. Terror, drama, ficção histórica — desde que o Adam Driver esteja no filme, você estará interessado. Por outro lado, se você estiver a fim de ver ficção científica, não vai se importar muito com quem atua, desde que haja naves espaciais e alienígenas. Ambos os caminhos podem levar você a assistir *Star Wars* e, eventualmente, a frequentar convenções de fãs de *Star Wars* e assumir uma nova identidade como um membro convicto do *fandom*.

O mesmo vale para as comunidades de teorias da conspiração, disse Sternisko. Não importa qual dessas duas motivações atraiam a pessoa a princípio. Depois de adotarem ideias que parecem absurdas para seus pares, as pessoas começam a sentir a ameaça de serem ostracizadas, e o abraço daqueles que compartilham da mesma realidade que elas se torna cada vez mais convidativo, até que elas por fim se identifiquem mais com a comunidade de conspiracionistas do que com qualquer outra. Em algum momento, a motivação para o pertencimento supera todas as outras motivações.

O pensamento conspiratório se torna mais resistente à mudança quando uma pessoa fica vinculada a uma identidade de grupo como um teórico da conspiração. Depois disso, uma ameaça a suas crenças se torna uma ameaça ao próprio eu, e os mecanismos psicológicos que nos unem enquanto grupo assumem o comando; são eles que impedem a metacognição necessária para escaparmos.

Steven Novella, um neurologista e especialista em teorias da conspiração, me disse que, no nível cognitivo, provavelmente temos uma sensibilidade evoluída para pessoas que conspiram contra os nossos interesses. Há pesquisas que confirmam isso, sugerindo que nossos cérebros possuem mecanismos psicológicos ancestrais que evoluíram para nos ajudar a detectar "coalizões perigosas".[16]

Some isso à internet e a nossos incríveis poderes de reconhecimento de padrões, e, quando essa mesma conexão mental é usada para dar sentido a um evento complexo e ameaçador como o Onze de Setembro, começamos a suspeitar que os malfeitores estejam em todo canto. Novella disse que, quando sentimos medo, tentamos constantemente reduzir o caos e a complexidade de um mundo incerto a algo gerenciável e tangível, algo contra o qual possamos lutar, como o trabalho de um pequeno grupo de titereiros malignos. Em nossos momentos de maior ansiedade, torcemos o nariz para governos, instituições e partidos políticos — para os grupos que achamos que não são nossos —, não apenas para alguns indivíduos mais próximos.

Esse tipo de pensamento pode levar ao "*loop* conspiratório", uma prisão lógica que faz com que seja muito difícil escapar da teoria da conspiração. Se os teóricos da conspiração descobrem qualquer evidência que os contradiga, podem concluir que foi plantada pelos conspiradores para despistá-los. Isso indica que a conspiração é ainda maior e mais complexa do que eles imaginavam e que mais pesquisas precisam ser feitas. Se a teoria tem lacunas, então eles podem concluir que as evidências que faltam indicam um acobertamento, e a conspiração se torna maior em escopo para explicar as peças que faltam.

As pessoas ficam presas. Se uma evidência refuta a teoria delas, isso é uma evidência de que a teoria é verdadeira. Se não houver evidência alguma, os conspiradores ficam ainda mais poderosos do que imaginavam.

Como a maioria das pessoas, aqueles que eventualmente se identificariam como conspiracionistas do Onze de Setembro experimentaram uma série de medos e ansiedades após os eventos daquele dia. Para os que já desconfiavam das autoridades e do controle do Estado, tudo depois dos ataques parecia reiterar essas pressuposições. Com o tempo, eles se encontraram por meio da internet e formaram uma comunidade que produziu uma quantidade infinita de material investigativo para qualquer outra pessoa que estivesse igualmente motivada a buscar a verdade. Uma vez lá dentro, eles estreitavam seu círculo de confiança.

Mas, como a história de Megan ilustrou, quando sentimos que não foram *eles*, mas nosso próprio grupo que se tornou não confiável, inconscientemente tentamos mudar nosso grupo por meio da argumentação. Quando isso dá errado, procuramos por empatia e conexão fora do grupo. Se as encontrarmos, nos abrimos às ideias questionadoras daqueles que nos mostram bondade, primeiro em relação a *eles*, depois em relação a *nós*. Torna-se mais seguro questionar as crenças, posturas e valores que certa vez compartilhamos. Se mudarmos de opinião em relação a *eles*, então mudamos de opinião sobre *nós*.

Então, como foi que Charlie escapou? Eu viria a descobrir que não foram os fatos, não sozinhos. Ele se abriu aos fatos porque, assim como Megan, havia encontrado outras pessoas em comunidades mais alinhadas com seus valores do que aquela a que ele estava vinculado; e, assim como Megan, ele conheceu uma parceira romântica lá. Quando eles não puderam expressar seus valores compartilhados entre os conspiracionistas, esses vínculos começaram a se corroer, e, com eles, a resistência dele à mudança.

Meses antes de viajar para Nova York, Charlie conheceu sua parceira, Stacey Bluer, em um festival chamado Truth Juice Gathering.

Grupos do Truth Juice se reúnem em todo o Reino Unido para ver palestrantes New Age, transumanistas, ocultistas, espirituais e teóricos da conspiração falarem para pequenos públicos sobre uma ampla gama de assuntos: de geopolítica à telepatia, de alucinógenos ao Rei Arthur, do derramamento de óleo da British Petroleum às evidências da existência de alienígenas, passando pela Terra plana. Às vezes, eles usam microfones e slides; outras vezes parecem estar improvisando, como poetas *beatnik*. Os eventos do Truth Juice agregam todos esses grupos em um evento ao ar livre, com tendas, música e fogueiras. Eles não estão procurando uma verdade em particular, mas *a* verdade.[17]

Foi numa dessas reuniões que Charlie começou a se afastar da tribo de conspiracionistas e entrar em outro grupo, menos paranoico, de pessoas com ideias semelhantes que compartilhavam de seus valores fundamentais.

No Truth Juice Gathering de 2011, seus seguidores, que ele chamava de Love Police [Polícia do amor, em tradução livre], se uniram aos demais frequentadores e se deitaram no chão em uma praça na cidade de Wrexham, no País de Gales, para formar a palavra LOVE com seus corpos.[18] Enquanto apresentador da primeira noite de microfone aberto no primeiro Truth Juice Gathering, em 2010, Charlie falou sobre escapar das "gaiolas de vidro e metal" da sociedade e sobre como não era natural a vida de "bate-papo na hora do cafezinho" em vez de cavalgar pelas planícies perseguindo búfalos. Ele pediu ao público que tocasse em sua divindade interior e fosse "infinitamente para dentro de si mesmo, para sempre... todos nós temos os segredos do universo dentro de nós", porque a consciência é "infinita, fractal" e "holográfica".[19]

No Truth Juice, Charlie disse que era um fenômeno maior do que jamais havia sido como conspiracionista do Onze de Setembro; mas, o mais importante, ele tinha a sensação de viver seu autêntico eu. Quando Charlie surfava essa onda de aceitação, Stacey era uma das muitas pessoas que faziam parte da onda. Ela disse, na época, que parecia algo como "um novo Verão do Amor".

Aprofundando-se cada vez mais nessa subcultura à parte, a missão da Love Police passou a estar menos relacionada a expor o absurdo do estado policial iminente e mais ao aumento da conscientização para causas humanistas. Charlie fez parceria com outro grande grupo de ativistas do YouTube, chamado Kindness Offensive [Ofensiva da bondade, em tradução livre], cuja missão era quebrar o paradigma "trabalho-escravização-dinheiro-presente".[20] Ele se tornou o que as pessoas da comunidade New Age chamam de *light worker* [operário da luz, em tradução livre].

Charlie disse que, pela primeira vez em muito tempo, se sentia fantástico. Sua saúde melhorou, assim como seu corte de cabelo. As pessoas ainda clamavam para tirar fotos com ele, elogiavam seu trabalho como *light worker* e imploravam por uma chance de estar ao lado dele. Suas interações cotidianas mudaram de tom. Suas seções de comentários e seus e-mails transbordavam de elogios, junto com convites para mais eventos New Age, espirituais e de iluminação.

Charlie havia deixado seu megafone para trás e ascendido na hierarquia da comunidade neo-New Age britânica quando a BBC apareceu. Ele estava planejando participar de um festival de música neo-hippie, ambientalmente consciente e anti-OGM chamado Sunrise quando recebeu o primeiro e-mail. Os produtores que mais tarde o levariam a Nova York compareceram ao festival.

A verdade é que, quando Charlie se encontrou com os outros conspiracionistas algumas semanas depois, ele já fazia parte de outra tribo, e foi por meio dessa nova identidade de grupo que ele filtrou as evidências que viu. É possível ouvir isso no vídeo dele na Times Square. "Não somos ingênuos. Somos pessoas em busca da verdade, em um movimento sobre a verdade em relação ao Onze de Setembro, apenas tentando descobrir a verdade sobre o que aconteceu." E ler no título do vídeo no YouTube em que ele assume acreditar na veracidade do atentado e em sua assinatura no final: "Honrem a verdade — Charlie".

Em Nova York, as evidências que pareciam confirmar uma conspiração para os demais pareciam uma refutação para Charlie, e o que antes era evidência de uma verdade oculta se transformou em evidência de uma verdade mais profunda. Ele estava livre para questionar suas crenças porque estava livre do medo de ser ostracizado por fazê-lo. Mudar de ideia em relação ao Onze de Setembro lhe rendeu o rótulo de herege, mas, no Truth Juice, era mais uma prova de que ele havia visto a luz.

Ao longo dos anos 2000, pesquisas sobre o que os psicólogos chamam de manutenção da identidade descobriram que o gerenciamento da reputação é a cola que nos une aos nossos grupos de pares. Quando achamos que aceitar determinados fatos poderia prejudicar nossa reputação, nos levar ao ostracismo ou à excomunhão, nos tornamos altamente resistentes a atualizar nossos *priors*. Mas a ameaça à nossa reputação pode ser reduzida se afirmarmos uma identidade de grupo separada ou se nos lembrarmos dos nossos valores mais arraigados.

Em um estudo, logo após o Onze de Setembro, cientistas reuniram em laboratório pessoas que apoiavam fortemente a Guerra do Iraque. Metade, então, realizou uma atividade de autoafirmação com ênfase na importância de seus valores patrióticos. Os cientistas pediram aos participantes que se lembrassem de momentos em que haviam vivido de acordo com esses valores. A outra metade realizou uma tarefa controle com ênfase no senso de humor e na criatividade. Então, novamente reunidos como um único grupo, metade dos participantes entrou em contato com pesquisadores que usavam broches com a bandeira dos Estados Unidos ou com pesquisadores que usavam jalecos. Cada participante, então, leu um relatório crítico à política externa norte-americana, que insinuava que o país tinha alguma responsabilidade pelas condições que haviam levado ao ataque. A maioria rejeitou as evidências e os argumentos, exceto aqueles cujos valores fundamentais haviam sido reafirmados *e* que se sentiam cercados de outros patriotas. Quando essas duas condições estavam presentes, os participantes revisaram as evidências cuidadosamente e sem demonstrar nenhum viés.

Em um estudo subsequente, cientistas dividiram os indivíduos a favor da legalização do aborto em dois grupos. Um deles escreveu um ensaio sobre como haviam feito alguém se sentir bem e o outro escreveu um ensaio sobre como haviam magoado alguém. Foi pedido então aos indivíduos de ambos os grupos para fingir que eram um deputado Democrata que estava prestes a negociar uma nova lei autorizando o aborto com um deputado do partido de oposição. Os participantes que tinham tido a oportunidade de afirmar que eram boas pessoas estavam muito mais dispostos a fazer concessões e chegar a um acordo com seu oponente ideológico do que os que achavam que suas reputações estavam em jogo.[21,22]

Charlie ingressou em uma comunidade de conspiracionistas graças ao que os psicólogos chamam de identidade de oposição: ele se via como um subversivo, um oprimido que se opunha ao status quo e, segundo o próprio Charlie, às estruturas de poder das elites. Uma vez lá dentro, ele mergulhou na psicologia tribal, e as crenças dos conspiracionistas se tornaram sinais de confiabilidade entre seus pares. Mas, por fim, ele descobriu que os valores que o haviam levado às teorias da conspiração sobre o Onze de Setembro não o tornavam um ponto fora da curva no mundo como um todo, visto que ele poderia expressá-los como um membro do Truth Juice. Ao contrário dos outros conspiracionistas, aquilo o libertou para sentir empatia por viúvas e viúvos e para aceitar o parecer de especialistas em demolições, fazendo com que seus companheiros parecessem insensíveis e cabeças-duras.

Se acharmos que estamos aquém dos nossos valores, se não formos boas pessoas por quaisquer padrões que consideremos importantes, sentimo-nos motivados a sinalizar o oposto, endossando publicamente crenças que recuperem nosso status perante nossos pares. Mas, se nos sentimos seguros, aceitar evidências questionadoras ou ponderar novas perspectivas representa uma ameaça menor. E essa segurança ganha força se lembrarmos que pertencemos a várias tribos e que podemos buscar proteção em grupos mais sensíveis quando aqueles que nos julgam com maior rigidez começam a parecer menos acolhedores. Se as pessoas se lembram de que já vivem de acordo com seus valores centrais de alguma forma entre diferentes grupos, a autoafirmação faz recair sobre nossos colegas o ônus de também viver de acordo com eles. Se percebemos que nossos grupos estão aquém desses valores, como Megan e Charlie perceberam, podemos acreditar que faz sentido abandoná-los. Podemos nos sentir seguros para mudar de ideia.[23]

A história de Charlie revela que é racional resistir aos fatos quando não há uma rede de segurança social. Quando ele admitiu que estava errado, quando mudou de ideia de uma forma que sinalizava que discordava do dogma de sua tribo de conspiracionistas, eles fizeram aquilo que mais tememos: primeiro o evitaram, depois o condenaram ao ostracismo.

Mas, como as histórias de Megan, Zach e Charlie revelam, quando as condições são adequadas, mesmo pessoas presas na psicologia tribal podem ser persuadidas a mudar de ideia. Até os meninos do experimento de Robber's Cave, no qual *O senhor das moscas* foi praticamente recriado em um acampamento de verão, mudaram de ideia. Quando os pesquisadores apresentaram às duas tribos objetivos comuns, como consertar o motor do ônibus que os levaria para casa, eles foram capazes de superar a psicologia tribal e trabalhar juntos. Depois, fundiram-se em uma comunidade só e até se sentaram juntos na viagem de volta.[24]

Perguntei a Tom Stafford, um psicólogo e cientista cognitivo que estuda tomada de decisão e aprendizado na Universidade de Sheffield, por que ele achava que subculturas alérgicas a fatos, como seitas, conspiracionistas e pessoas antivacina proliferam no mundo moderno.[25]

Stafford disse: "A verdade é social". O problema com os teóricos da conspiração, disse ele, é que eles prosperam em grupos sociais que não são sociais. Uma tribo de verdade viveria em uma comunidade movimentada e repleta de contato. "Quando você vê alguém chorando, quer chorar junto", disse Stafford. "Vocês comem juntos, caçam juntos e constroem coisas juntos, ao passo que as seitas têm uma insularidade e uma estrutura hierárquica estranhas." Se você interage essencialmente por meio de textos, não vai ver ninguém chorando. "A verdade social ainda está lá, mas em uma estrutura social anômala."

Teóricos da conspiração e grupos marginais podem deter teorias coerentes em termos individuais, mas não há consenso de fato, apenas a suposição de consenso. Se convivessem uns com os outros, talvez descobrissem isso, mas, como raramente o fazem, cada um pode manter suas teorias individuais e ainda assim presumir que tem o apoio de uma tribo. Eles nunca têm oportunidade de debater cara a cara, então não há evolução de ideias, nenhuma teoria central fortalecida por constantes questionamentos e defesas. Cada um pode acreditar em um aspecto diferente da história do Onze de Setembro ou ver as vacinas como nocivas à sua própria maneira, sem perceber quantas pessoas na comunidade discordam de si. Apesar da fragmentação de crenças, os indivíduos não têm motivação para debater entre si. Todo mundo defende a ideia de todo mundo, mesmo que não concordem.

Stafford comparou isso ao funcionamento de uma instituição como a medicina. "Se você fala com um médico de verdade, ele não tenta defender tudo sobre a medicina", disse Stafford. "Ele vai dizer: 'Ah, algumas coisas devem estar erradas, mas não sabemos quais partes' ou 'Não sabemos por que isso funciona, mas parece funcionar. Estas podem ser as razões pelas quais estamos fazendo isso agora, mas sabemos que não fazíamos assim dez anos atrás'. Ao passo que um teórico da conspiração tem que defender o pacote completo."

Conspiracionistas do Onze de Setembro, pessoas antivacina e antimáscara e negacionistas das mudanças climáticas acreditam que estão raciocinando como parte de uma tribo, que estão raciocinando juntos, mas na verdade fazem parte de um grupo social antissocial no qual cada um pensa sozinho.

Embora mudemos de ideia constantemente, também mudamos com cautela. Para todas as máquinas de aprendizado, biológicas ou artificiais, atualizar os *priors* é uma questão de risco *versus* recompensa. Se o cérebro chega à conclusão de que os riscos de estar errado superam quaisquer recompensas potenciais por mudar de ideia, privilegiamos a assimilação em vez da acomodação, e, na maioria das vezes, isso dá certo.

Se o seu colega de quarto lhe disser que beber água sanitária é completamente seguro, que inclusive faz bem, você provavelmente vai mudar de ideia sobre seu colega de quarto, não sobre a água sanitária. Mas *vai* mudar de ideia sobre *alguma coisa*. Uma cabeça antes de uma discussão não é a mesma depois dela, e isso é exclusivamente humano. Toda criatura capaz de aprender pode mudar de ideia por meio de experiências, mas os humanos podem usar suas experiências para fazer outras pessoas mudarem de ideia, até mesmo pessoas que jamais conhecerão. Depois de conversar com Stafford, me senti impelido a aprender mais sobre isso. No capítulo a seguir, vamos explorar como e por que adquirimos essa habilidade.

"A verdade é tribal", me disse Charlie. "De 2009 a 2011, eu só andava com pessoas muito preocupadas com conspirações, então eu estava nessa subcultura, apartado do *mainstream*."

A equipe que filmou *Conspiracy Road Trip* ajudou, disse ele, porque eram "pessoas alternativas e divertidas", como ele se via, como via Stacey, como via as pessoas com quem convivia no Truth Juice, "mas não acreditavam naquelas teorias da conspiração". Isso reforçou a segurança que o abriu para a possibilidade de estar errado. O fato de ele estar viajando com aquelas pessoas por dez dias e se sentir mais próximo delas do que dos seus colegas conspiracionistas provocou uma dissonância que ele não conseguia superar. Ele disse que isso o preparou para ouvir o que os especialistas tinham a dizer.

"Sempre procurei minha tribo, e algo começou a acontecer dentro da minha cabeça naquela viagem sobre o Onze de Setembro", disse Charlie. "Conhecer todas aquelas pessoas. Comecei a ver que, talvez, a tribo que havia me acolhido tão bem não fosse composta por pessoas mentalmente saudáveis."

Perguntei a ele que esperança havia de mudar a opinião das pessoas se a maioria não consegue fazer o que ele fez. Não se pode pegar um negacionista das mudanças climáticas e mandá-lo para a Antártida para encontrar um cientista que trabalha com amostras nucleares. Mesmo que fosse possível, nem todo mundo consegue trair as próprias tribos. Nem todo mundo tem uma rede de segurança social como ele tinha.

Ele supôs que não seria necessário. Para questões como mudanças climáticas, ele me disse que se deveria fazer o que os psicólogos sugerem: apelar para os valores mais arraigados das pessoas. Perguntar por que elas aderiram aos grupos com os quais se identificam. Descobrir as motivações delas. Se valorizam a família, mostrar aos negacionistas os efeitos da seca em curso na África do Sul, a pior em cem anos. "Mostre a eles famílias cujos filhos talvez tenham morrido ou estejam desnutridos porque colheitas foram perdidas. Essa é a única forma de entrar na cabeça deles. Por meio do coração. Caso contrário, se você tentar manter a coisa abstrata, eles vão dizer: 'Você é um mentiroso de merda. De onde você tira seus fatos?'. Você não tem como discutir com um bebê chorando. Um bebê chorando é o que é."

Antes de nos despedirmos, Charlie parafraseou David Hume, o filósofo escocês, dizendo: "'A razão é escrava das emoções.' E é verdade. Se você quiser mudar a opinião de alguém, tem que ser um golpe baixo — bem no coração".

7

DEBATE E ARGUMENTAÇÃO

Lá em 2011, escrevi um livro intitulado *Você não é tão esperto quanto pensa* e, em seguida, uma continuação chamada *You Are Now Less Dumb* [Agora você é menos burro, em tradução livre]. Juntos, eles percorreram todos os dados científicos da época sobre o raciocínio humano, a tomada de decisões e o julgamento.

A tese geral desses livros era a de que não temos consciência do quanto somos inconscientes; somos os narradores não confiáveis das histórias das nossas próprias vidas. Na psicologia, isso é chamado de ilusão da introspecção.

Décadas de pesquisas mostraram que, embora muitas vezes nos sintamos muito confiantes de que conhecemos as bases de nossos próprios pensamentos, sentimentos e comportamentos, junto com as fontes dos nossos objetivos e motivações, raramente temos acesso a essas informações. Em vez disso, observamos nosso próprio comportamento e contemplamos nossos próprios pensamentos da mesma forma que um observador faria com outra pessoa, e então criamos racionalizações e justificativas para o que pensamos, sentimos e acreditamos. Palpites, basicamente. Às vezes certos, muitas vezes errados. No entanto, raramente admitimos esse fato, preferindo viver dentro de uma biografia fictícia que continuamente nos retrata como pessoas razoáveis e racionais, contemplando cuidadosamente as evidências diante de nós, chegando com sobriedade a conclusões que qualquer outra pessoa tiraria se fosse tão inteligente quanto acreditamos ser.

Nos livros, e depois nas palestras, eu gostava de demonstrar isso com três exemplos diferentes. Em uma delas, dou às pessoas a oportunidade de participar de um jogo criado pelo psicólogo Peter Wason. A premissa é a seguinte: escolho três números dentre todos os números do universo usando uma regra secreta, e sua tarefa é descobrir a regra que estou usando. Aqui vamos nós.

2 – 4 – 6

Acha que descobriu? Aqui vão mais três:

10 – 12 – 14

A essa altura, já deve estar claro. Mas, por precaução, aqui vão mais três:

24 – 26 – 28

Em grupos grandes, peço a todo mundo que levante a mão antes de começar, e depois que a abaixe se tiver certeza de que entendeu a regra. No terceiro conjunto, normalmente as mãos estão todas abaixadas. Em seguida, pergunto se alguém gostaria de demonstrar que sabe qual a regra escolhendo mais três números a partir dela.

Imagine que eu pedi para você fazer isso. Quais você escolheria? A maioria das pessoas úsa três números pares como:

32 – 34 – 38

Se você tivesse escolhido esses três — ou quaisquer números pares em ordem — eu diria: "Sim! Esses três números correspondem à minha regra". E, se pararmos por aqui e seguirmos em frente, você pode viver o resto da sua vida com certeza de ter confirmado que o seu palpite estava certo. Mas eis aqui mais alguns números que eu posso escolher usando minha regra:

1 – 2 – 3
55 – 56 – 67
33 – 3.333 – 99.999

Isso porque a regra são quaisquer três números, cada um maior que o anterior. No entanto, como três números pares seguidos correspondem a essa regra, quando você supõe que a resposta é essa, para de procurar novas informações. Uma vez que parece que você teve a confirmação de que está certo, deixa de procurar refutações que poderiam demover essa certeza. E essa é a essência do viés de confirmação, nossa predisposição cognitiva mais fundamental. Quando estamos motivados a encontrar uma explicação para um palpite, tendemos a buscar evidências para confirmá-lo, e, quando acreditamos ter encontrado essa confirmação, paramos de procurar.

Meu segundo exemplo veio de um estudo de Mark Snyder e Nancy Cantor no qual os participantes liam sobre uma semana na vida de uma mulher chamada Jane. Os cientistas garantiram que, ao longo da história, Jane às vezes parecesse extrovertida, às vezes introvertida. Passadas duas semanas, os participantes voltaram ao laboratório, dessa vez divididos em dois grupos. Em um deles, os pesquisadores disseram que Jane estava pensando em trabalhar como corretora de imóveis. Eles então perguntaram aos participantes se eles achavam que ela seria adequada para o papel. A maioria disse que sim, lembrando-se de todas as vezes em que Jane parecera extrovertida. Eles então disseram que Jane também estava pensando em trabalhar como bibliotecária, e perguntaram se eles achavam que ela deveria aceitar. Dessa vez, a maioria respondeu que não. Valendo-se de estereótipos, eles disseram que Jane era extrovertida demais para um trabalho como aquele. No outro grupo, fizeram as perguntas na ordem inversa. Ela seria uma boa bibliotecária? Sim, eles responderam, lembrando-se dos momentos em que ela gostava de ficar sozinha. Ela também estava pensando em ser corretora de imóveis. Não, responderam, ela é introvertida demais. Detestaria.

Os participantes do estudo de Jane começaram com as mesmas evidências, mas, quando motivados de diferentes formas por diferentes questões, produziram diferentes argumentos para diferentes conclusões. Quando essas conclusões foram contestadas, eles apontaram para as evidências que haviam confirmado seus palpites. Por conta do viés de confirmação, bastou inverter a ordem e, assim, inverter as posições iniciais para um grupo outrora unificado ficar dividido em relação a como enxergava a verdade.

Por anos, usei esses exemplos para demonstrar o poder do raciocínio motivado. Além disso, e as pesquisas a esse respeito são claras, quanto mais inteligente você for, quanto maior seu grau de escolaridade e quanto mais dados tiver à sua disposição, melhor você se torna em racionalizar e justificar suas crenças e atitudes presentes, independentemente da precisão delas ou do risco que representem. Basicamente, quando motivados a encontrar evidências de confirmação, elas são tudo o que procuramos. Quando queremos encontrar uma razão para A em vez de B, nós achamos.

Para mim, não há melhor exemplo desse fenômeno do que o terceiro estudo que menciono com mais frequência. Peter Ditto e seus colegas pediram às pessoas que colocassem tiras de papel amarelo na boca e disseram que elas ficariam verdes em vinte segundos se elas não tivessem uma doença terrível. Como era apenas cartolina normal, o papel nunca mudava de cor. As pessoas esperavam minutos na esperança de que mudassem. Com frequência, verificavam novamente dezenas de vezes. Algumas até pediam para levar as tiras para casa. Mas, quando ele disse a outro grupo que o papel mudaria se eles *tivessem* uma doença terrível, as pessoas esperaram vinte segundos, deram uma olhada, devolveram o papel aos pesquisadores e foram embora.[1] Como o psicólogo Dan Gilbert disse uma vez sobre o estudo, quando a balança do banheiro nos dá más notícias, nos pesamos de novo algumas vezes para ter certeza. Quando nos dá uma boa notícia, descemos dela e continuamos com o nosso dia.[2]

Graças ao viés de confirmação, quando estamos motivados a encontrar uma justificativa para um palpite, nem sempre empregamos o raciocínio na busca pela verdade. Quando motivados de outra forma, raciocinamos em direção a conclusões que atendem a uma necessidade ou que garantem um resultado desejado. Por exemplo, nos estudos em que os cientistas apresentam uma série de números e letras, as pessoas que são pagas para identificar todas as letras têm maior probabilidade de confundir o número 13 com um B maiúsculo. Entretanto, se, em vez disso, lhes é oferecido dinheiro para identificar números, aumenta a probabilidade de as pessoas confundirem um B maiúsculo como o número 13.

Como uma galinha à procura de minhocas que bica um pedaço de barbante, quando há poucas desvantagens em cometer erros, preferimos buscar evidências que confirmem nossas suposições. Mesmo dentro de nossas próprias memórias, quando encontramos essas evidências, produzimos argumentos enviesados para defender o que parece ser uma confirmação. Uma vida inteira fazendo isso leva a visões de mundo que parecem baseadas em pesquisas cuidadosas e meticulosas e na razão pura e não adulterada.

Eu costumava achar que exemplos como esses demonstravam o quão artificial e irracional é o nosso raciocínio. Mas, depois de passar algum tempo com cientistas que estudam a forma como o raciocínio evoluiu e como empregamos a razão durante uma divergência, que é nossa próxima parada, agora vejo as coisas de uma forma um pouco diferente.

Para entender isso, precisamos voltar ao tempo em que nossos ancestrais passavam a maior parte do tempo nas árvores.

Evidências antropológicas sugerem que nossos ancestrais passavam a maior parte do tempo nos galhos, se alimentando de folhas. Como muitas folhas maduras são tóxicas, primatas como nós, que não desenvolveram a capacidade digestiva de lidar com folhas tóxicas, inventaram uma solução comportamental: eles se ativeram às árvores com as folhas mais novas.

O problema de comer principalmente folhas jovens é que isso exige um grande território. Um grupo em busca de folhas esgota rapidamente uma única árvore, portanto, nossa linhagem desenvolveu a territorialidade a partir do nosso comportamento preexistente de se alimentar de folhas. Territórios não podem ser compartilhados com outros grupos — não há folhas suficientes para todos. Eles precisam ser defendidos, então desenvolvemos um comportamento tribal a partir da nossa territorialidade. Isso deu uma vantagem à nossa mistura especial de genes, primeiro sobre todos os outros animais, depois sobre os outros grupos de nossa própria espécie, e por fim sobre nossa família contra todas as demais. Juntos e mais fortes, tornamo-nos mastigadores de folhas, animais territoriais e sociais, ligados por uma confiança difícil de conquistar e fácil de perder.

Defender-se de sua própria espécie requer parentesco e isso requer identificação. Desenvolvemos a capacidade de distinguir os membros do nosso próprio clã dos outros membros da nossa espécie por meio de sinais — cheiros, uivos e gritos. Essa sinalização também teve efeitos colaterais benéficos. Quando um membro é capaz sinalizar perigo para todos os outros, o grupo inteiro se beneficia. Assim, a ideia é que hominídeos como nós desenvolveram primeiro a capacidade de ler as emoções uns dos outros, depois de se comunicar com intenção e, ao longo do tempo, a capacidade de se comunicar com um objetivo em mente.

Imagine três proto-humanos em uma colina, cada um olhando em uma direção diferente. O poder de agrupar a perspectiva de cada indivíduo em uma visão de mundo compartilhada sem ser preciso se virar para ver o que os outros estavam vendo foi uma enorme vantagem evolutiva. Amplie-a, acrescente as abstrações, e temos o ensopado intelectual vital que chamamos de cultura. Diante da pressão por sobreviver, com a disponibilidade da comunicação indivíduo a indivíduo, os proto-humanos desenvolveram uma série de ferramentas e capacidades, incluindo linguagem, expressões faciais, empatia, vergonha, constrangimento, neurônios-espelho e contágio emocional. O cérebro humano se tornou incrivelmente hábil em usar e manipular sinais para tirar ideias da cabeça de uma pessoa e colocá-la em outra.[3]

À medida que todos esses dados complexos foram sendo trocados, um modelo compartilhado do ambiente, uma visão de mundo comum, entraram em foco. Sem a influência de outros grupos para atrapalhar, a visão de mundo de cada um era muito semelhante à de outros que estavam tentando compreender rochas, rios, cabras e nuvens; de acordo com os problemas singulares que algum grupo enfrentava, a visão de mundo desse grupo era, de inúmeras formas, única para os membros que dela compartilhavam. Cada visão de mundo evoluiu ao longo do tempo, da mesma forma que os genes. Normas e ideologias, rituais e práticas, valores e crenças foram copiados imperfeitamente de um cérebro para outro e atualizados entre eles, à medida que esses cérebros regularmente se encontravam e trocavam notícias, ensinavam habilidades e explicavam o insondável.

Esse sistema funcionou extraordinariamente bem, mas, à medida que se desenvolveu, também introduziu um novo dilema. Todas essas fontes individuais de informação não eram observadores passivos registrando e relatando objetivamente a realidade. E, em um banco de informações tão rico, com tantos indivíduos com seus próprios objetivos pessoais, até mesmo um colega de confiança pode querer enganar ou ludibriar para lucrar às custas do outro. Os genes são egoístas dessa forma. Mesmo quando as intenções de um colega eram boas, cada cérebro só podia adicionar ao banco aquilo que era capaz de observar. Para confundir ainda mais o processo, cérebros são propensos a cometer erros, e podem interpretar errado o que estão tentando transmitir. A comunicação, por mais útil que fosse, estava fadada a ser imperfeita.

Apesar dessa imperfeição, uma vez que ninguém pode ver com perfeita clareza o panorama menor nem ver o panorama geral sozinho, receber um fluxo constante de informações do máximo de pessoas possível era valioso demais para ser desprezado. As informações de nossos pares e parentes foram, durante a maior parte da nossa história evolutiva, vitais para nossa própria sobrevivência; portanto, desenvolvemos uma ferramenta que se ativa quando recebemos uma transferência de dados. Ela se chama vigilância epistêmica.

Em uma troca de informações, a vigilância epistêmica ajuda a proteger os indivíduos de atualizações apressadas demais. Sem a ordem proporcionada por algum grau de consenso, as situações sociais se tornariam inavegáveis, e os comportamentos que normalmente colocam comida na sua barriga e mantêm seu sangue dentro do seu corpo podem dar errado em ambos os aspectos. Ao evitar informações desagradáveis, mesmo vindas de pessoas em quem você normalmente confia, cérebros e grupos mantêm sua coesão vital.

No livro *The Enigma of Reason* [O enigma da razão, em tradução livre], os psicólogos cognitivos Hugo Mercier e Dan Sperber comparam esse equilíbrio entre confiança e vigilância a uma calçada movimentada. Quando uma pessoa sai de uma estação de metrô, sobe as escadas e adentra o tráfego de pedestres, ela pode se concentrar em seu próprio espaço, porque sabe que os outros estão se concentrando nos seus. Ainda que cada um siga seu próprio caminho, o fato de *todos* fazerem o mesmo significa que *cada* indivíduo pode seguir em frente com a certeza de que esbarrar em um estranho é algo improvável. Na metáfora da calçada movimentada, pessoas problemáticas e não confiáveis se tornam um problema muito menor, porque a multidão como um todo pode entrar no piloto automático segura de que, se uma pessoa notar alguém tentando esbarrar de propósito nos outros ou interromper o fluxo descuidadamente, ela sairá do caminho, ajudando a sinalizar às pessoas próximas que devem fazer o mesmo.[4]

Em um ambiente onde há um viés, mas onde também há confiança, os indivíduos podem desfrutar de um fluxo comunitário, estável e progressivo em várias direções. Motivações enviesadas e sentidos imperfeitos, combinados com vigilância coletiva e confiança, aliviam a carga cognitiva em todos os cérebros individualmente, reduzindo assim a carga cognitiva geral.

Se seu amigo lhe disser que esfregar bagas venenosas em uma picada de abelha fará com que a dor desapareça, seria bom adotar um pouco de ceticismo, buscar mais informações e ver se outras pessoas concordam. Se esse mesmo amigo tiver enganado você ou outras pessoas no passado, sua má reputação será de conhecimento comum. De acordo com Mercier e Sperber, as ferramentas biológicas que os seres humanos usam para enviar e receber informações jamais teriam evoluído até chegar ao nível moderno de complexidade sem esse sistema. Precisávamos de uma forma de nos proteger da desinformação, do engano e do abandono da nossa ordem duramente conquistada. Com o sistema, até informações ruins passaram a ser úteis, pois o receptor passou a ter ferramentas para analisá-las e filtrá-las em busca de erros ou engodos. Se não existisse tal ferramenta cognitiva, a comunicação entre os cérebros seria muito arriscada. Desenvolvemos uma hierarquia de processamento cujo padrão é confiar em nossos colegas, mas que se mantém constantemente vigilante quanto a informações equivocadas.

No entanto, nossa dependência dessa vigilância levou a um segundo dilema. Às vezes, ela produz falsos negativos. Algumas ideias, descobertas e inovações completamente precisas, inéditas e extremamente úteis parecem boas demais para ser verdade — ou, às vezes, excessivamente questionadoras ou socialmente caras. Frutos que parecem venenosos, mas não são, podem ser desprezados. Uma nova maneira de fazer fogo que seja tabu pode acabar sendo uma inovação de um indivíduo só. Se uma mudança promissora de crença, comportamento ou postura for atípica demais, a vigilância epistêmica pode taxá-la incorretamente de suspeita. Se muitas pessoas fizerem o mesmo, boas informações que poderiam beneficiar o grupo não se espalham.[5]

Isso é o que Mercier e Sperber chamam de "gargalo de confiança". O fluxo normal da informação fica congestionado quando as pessoas começam a questionar uma nova ideia que vai contra a visão de mundo compartilhada. Para contornar isso, os cérebros dos nossos ancestrais mais semelhantes aos humanos desenvolveram um truque: o debate.

É aqui que entra a seleção de grupo. A seleção natural privilegiou os grupos capazes de superar outros grupos, e aqueles que conseguiam contornar os gargalos de confiança foram, ao longo do tempo, superando os que não conseguiam. Essa pressão seletiva, no nível dos grupos, fez surgir um mecanismo para quando a vigilância epistêmica provocava gargalos de confiança: a argumentação.

"Para que eu seja capaz de antever os motivos pelos quais você talvez discorde de mim, é preciso um grande esforço cognitivo", me disse Mercier. "Porque você tem muitas crenças que eu não tenho, e seria muito difícil, para mim, prever por que você pensaria da forma como pensa."

Mercier me disse para imaginar que queremos persuadir uma amiga a ir a um restaurante japonês. Sabemos que há uma chance de ela se opor, mas não temos como antecipar todos os motivos. Existem muitos argumentos em potencial que ela poderia apresentar para rebater nossa proposta. Ela pode não gostar de comida japonesa. Pode achar que é muito cara. Pode ter ido há pouco tempo. Pode ter um ex-namorado que trabalha lá. A comida pode tê-la feito passar mal alguma vez. Dá muito trabalho sentar e debater todas as possíveis razões pelas quais ela pode não querer e, em seguida, elaborar um argumento perfeito para lidar com cada uma delas. Mercier disse que é mais fácil simplesmente começar com o argumento mais fraco que temos: "Vamos naquele restaurante japonês perto do parque, porque gosto da comida de lá".

Se a amiga se opuser, podemos perguntar por quê. Quando soubermos a justificativa específica dela, podemos trabalhar a partir disso. Se ela disser que odeia sushi, temos como refinar nossa argumentação dizendo que o restaurante também serve comida tailandesa e ver o que ela diz.

"Em vez de procurar pelas falhas nos nossos próprios argumentos, é mais fácil deixar que a outra pessoa as encontre", explicou Mercier, "e então ajustar nossos argumentos, se necessário."

Ao produzir argumentos de forma enviesada e preguiçosa, os indivíduos podem transmitir com rapidez suas perspectivas singulares e economizar energia mental para o processo de avaliação. Isso pode ser aplicado a algo simples, como decidir a qual filme assistir, ou de consequências monumentais, como manter um ente querido vivo com a ajuda de aparelhos ou entrar em uma guerra de proporções mundiais. A deliberação por meio da argumentação revela todos os vários pontos de vista em um grupo. Ao produzir motivos cada vez melhores para uma decisão ou outra, o grupo pode, em conjunto, focar na justificativa mais razoável.[6]

Cheios de viés e preguiça, quando debatemos com nós mesmos geralmente vencemos. Tiramos conclusões egoístas com base em nossas experiências e motivações singulares e, então, empregamos o raciocínio para criar justificativas e racionalizações para os nossos próprios pensamentos, sentimentos, atitudes, planos e objetivos.

Parafraseando Mercier, é por isso que, em termos psicológicos, o raciocínio não é lógico. O raciocínio é frequentemente confundido com a *razão*, o conceito filosófico do intelecto e da racionalidade humanos. A lógica é uma ferramenta incrível, uma linguagem formal para negociação e avaliação de propostas, e os humanos possuem uma série de talentos cognitivos que podemos chamar de *razão*, mas o *raciocínio* é outra coisa. Em suma, raciocinar é apresentar argumentos — justificativas plausíveis para o que você pensa e sente, e em que acredita —, e plausível significa aquilo que você intui que seus colegas de confiança aceitarão como razoável.

Dois experimentos demonstram bem isso. Em um deles, Chris Hsee e seus colegas deram aos participantes a escolha entre 2 chocolates como presente de despedida de um estudo não relacionado. Um chocolate era um pequeno coração, visivelmente barato e de baixa qualidade, típico de Dia dos Namorados. O outro era um chocolate grande, caro, obviamente de alta qualidade, no formato realista de uma barata. Quando os pesquisadores pediram às pessoas que dissessem de qual recompensa elas gostariam mais, a maioria respondeu que preferiria o coração.

Mas, quando finalmente chegaram ao fim do estudo, a maioria escolheu a barata. Incertas quanto à melhor opção, as pessoas empregaram o raciocínio, ou seja, começaram a criar justificativas para cada uma das conclusões — "eu deveria escolher o coração" ou "eu deveria escolher a barata". A lista de razões que elas conseguiam trazer à mente para a barata que pareciam justificáveis aos outros — maior, mais cara, de melhor qualidade — simplesmente superava a do coração. Elas escolheram algo de que sabiam que não iriam gostar porque não conseguiam justificar fazer o oposto.[7]

Em outro experimento, conduzido por Amos Tversky e Edward Shafir, um pesquisador pediu aos participantes que imaginassem que haviam lançado uma moeda para o alto e, em seguida, que escolhessem cara ou coroa. Em seguida, o pesquisador apresentou uma folha de papel aleatória revelando o resultado imaginário. Se fosse a favor deles, os participantes deveriam imaginar que tinham ganhado duzentos dólares. Se não fosse, deveriam imaginar que haviam perdido cem dólares. Independentemente do resultado, vitória ou derrota, o pesquisador perguntava: "Você pode fazer uma segunda aposta idêntica. Você aceitaria?".

Na primeira rodada do experimento, quando as pessoas ganhavam, elas tendiam a dizer: "Sim, eu gostaria de jogar de novo (*estou em vantagem, então posso arriscar*)". Se não ganhassem, tendiam a dizer: "Sim, eu gostaria de jogar de novo (*preciso recuperar o que acabei de perder*)". Ganhando ou perdendo, elas encontravam uma justificativa para fazer a segunda aposta. Mas eis aqui a parte maluca do estudo: em uma segunda rodada do experimento, os pesquisadores não contavam às pessoas o resultado do lançamento da moeda. E, ainda que a maioria aceitasse a segunda aposta depois de qualquer um dos resultados, se eles não contassem o resultado a maioria não apostava de novo. Por quê? Porque, sem essa informação, não encontravam um motivo para justificar sua decisão. Elas poderiam ter dito: "Bem, não importa o que aconteça, vou dizer sim". Mas não o fizeram, porque não tinham como.[8]

O estudo mostra que as pessoas são incrivelmente boas em escrutinar as razões dos outros. Só somos péssimos em escrutinar as nossas da mesma forma.

Em um estudo de 2014 que Mercier ajudou a projetar, uma equipe de cientistas cognitivos suíços liderada por Emmanuel Trouche enganou as pessoas para que avaliassem suas próprias justificativas com mais cuidado, fazendo parecer que elas haviam saído da cabeça de outra pessoa.

Para isso, os participantes leram uma série de perguntas, chegaram a uma série de conclusões e escreveram argumentos defendendo essas conclusões. Por exemplo, eles leram sobre uma mercearia que vendia muitos tipos de frutas e vegetais. Algumas das maçãs de lá não eram orgânicas. Os cientistas então perguntaram: o que você pode dizer com certeza sobre se esta loja vende frutas orgânicas? A conclusão correta era que só se podia dizer com certeza que a loja vendia *algumas* frutas que não eram orgânicas. No estudo, porém, muitas pessoas deduziram que *nenhuma* das frutas era orgânica e, em seguida, disseram que não havia de fato nada conclusivo que se pudesse dizer para um lado ou para o outro.[9]

Depois que os participantes chegaram às suas conclusões, os cientistas pediram que eles escrevessem suas justificativas. Se em algum momento eles percebessem que o próprio raciocínio havia falhado, poderiam optar por uma conclusão diferente, mas a grande maioria não o fez. Certas ou erradas, a maioria das pessoas manteve suas conclusões originais e apresentou razões que achavam que as justificavam. Na etapa seguinte do estudo, os participantes tiveram a chance de ver todas as perguntas uma segunda vez, junto com o raciocínio dos participantes que haviam discordado deles. Se parecesse que os outros tinham argumentos mais fortes, eles poderiam mudar suas respostas. O que os pesquisadores não contaram foi que haviam escondido algumas pegadinhas nessas respostas.

Para uma das questões, as supostas justificativas de outra pessoa eram, na verdade, as do próprio participante. Assim como Mercier e Sperber haviam previsto, quando os participantes achavam que as justificativas não eram deles, 69% rejeitaram seus próprios argumentos ruins e então migraram para a resposta correta. Quando seus argumentos fracos foram apresentados a eles como sendo de outras pessoas, subitamente os defeitos se tornaram óbvios.

"As pessoas têm pensado sobre o raciocínio da maneira errada", disse Mercier. "Elas têm pensado nele como uma ferramenta para a cognição individual. E, se fosse essa a função do raciocínio, seria terrível. Seria o mecanismo menos bem adaptado que já existiu. Ele faria justamente o oposto do que você gostaria que ele fizesse." Ao raciocinarmos sozinhos, ele procura apenas as razões pelas quais você está certo "e no fundo não se importa muito se as justificativas são boas ou não. É bem superficial. É bem raso".

Sem ninguém para lhe dizer que há outros pontos de vista a serem levados em conta, ninguém para apontar os buracos nas suas teorias, revelar as fraquezas do seu raciocínio, produzir contra-argumentos, apresentar os danos potenciais ou ameaçá-lo com sanções por violar uma norma, você fica dando voltas em uma rodinha de hamster epistêmica. Resumindo, quando você debate consigo mesmo, você sempre ganha.

Mercier e Sperber chamam tudo isso de "o modelo interacionista", que postula que a função do raciocínio é defender seu próprio lado em um ambiente de grupo. Nesse modelo, o raciocínio é um comportamento inato que se torna mais complexo à medida que amadurecemos, como engatinhar antes de andar sobre dois pés. Somos animais sociais primeiro e raciocinadores individuais depois, um sistema construído sobre outro sistema, biologicamente, por meio da evolução, e o raciocínio individual é um mecanismo psicológico que evoluiu por meio de pressões seletivas para facilitar a comunicação entre pares em um ambiente onde a desinformação é inevitável. Em um ambiente assim, o viés de confirmação acaba sendo muito útil. Inclusive, qualquer viés se torna muito útil.

Como parte de um grupo que pode se comunicar, toda perspectiva tem valor, mesmo que esteja errada; então, é melhor produzir argumentos que não vão contra o seu ponto de vista. E, como é melhor poupar os esforços para o momento da avaliação do grupo, você fica liberado para fazer julgamentos rápidos e tomar decisões rápidas com base em justificativas que sejam minimamente boas. Se outros apresentarem contra-argumentos, você poderá refinar seu pensamento e atualizar seus *priors*.

"Se pensarmos nisso como algo que serve a propósitos individuais, parece um mecanismo realmente defeituoso. Se pensarmos como algo desenvolvido para a argumentação, faz todo o sentido", disse Mercier. "Ele passa a ser algo extremamente bem adaptado à tarefa, de uma forma que considero bastante inspiradora e, de certa forma, bonita."

O raciocínio é enviesado a favor de quem raciocina, e isso é importante, porque cada um precisa colocar uma perspectiva fortemente enviesada na mesa. E é preguiçoso, porque esperamos fazer o esforço cognitivo apenas durante o processo coletivo. Todo mundo pode ser avarento em termos cognitivos e poupar suas calorias para brigar com um urso, porque, quando chegar a hora de discordar, o grupo será mais inteligente do que qualquer indivíduo isolado graças à divisão do trabalho cognitivo.

É por isso que muitas das melhores coisas que produzimos vêm da colaboração, de pessoas trabalhando em conjunto para resolver um problema ou criar uma obra de arte. Matemática, lógica, ciência, arte — aqueles que enxergam o caminho certo a cada momento são capazes de guiar os demais, e vice-versa. Com um objetivo comum, em uma atmosfera de confiança, o debate acaba por conduzir, no fim, à verdade. Basicamente, toda cultura é como o filme *Doze homens e uma sentença* em escala maior.

O psicólogo cognitivo Tom Stafford chama isso de "cenário em que a verdade vence" e, em seu livro *For Argument's Sake* [Pelo amor do argumento, em tradução livre], ele detalha dezenas de estudos nos quais o raciocínio de grupo chega à resposta correta em situações em que o raciocínio individual falha.[10]

Em estudos nos quais as pessoas trabalham em quebra-cabeças do Cognitive Reflection Test, uma ferramenta para medir a tendência das pessoas a privilegiar o raciocínio intuitivo em detrimento do processamento ativo, elas quase sempre chegam às respostas erradas quando raciocinam sozinhas. Em grupos, no entanto, tendem a chegar às respostas certas em segundos.

Eis alguns exemplos de perguntas do teste:

Se 5 máquinas levam 5 minutos para fabricar 5 aparelhos, quanto tempo levariam 100 máquinas para fabricar 100 aparelhos?

Em um lago, há um aglomerado de nenúfares. Todos os dias, o aglomerado dobra de tamanho. Se leva 48 dias para o aglomerado cobrir todo o lago, quanto tempo levará para que ele cubra metade do lago?

No problema do aparelho, a resposta é 5 minutos. Cada máquina fabrica um aparelho a cada 5 minutos, então 100 máquinas trabalhando juntas produzirão 100 aparelhos em 5 minutos. No problema do nenúfar, a resposta é 47 dias. O aglomerado chega à metade um dia antes de dobrar de tamanho novamente e cobrir o lago inteiro.

Raciocinando sozinhas, 83% das pessoas que fizeram esse teste em laboratório responderam a pelo menos uma pergunta desse tipo incorretamente, e um terço erra *todas*. Mas, em grupos de 3 ou mais, ninguém erra *nenhuma*. Pelo menos um membro sempre enxerga a resposta certa, e o debate resultante leva aqueles que estão errados a mudarem de ideia — raciocínio preguiçoso, divergência, avaliação, argumentação, verdade.[11]

"Se as pessoas não fossem capazes de mudar de ideia, não haveria sentido em apresentar argumentos", disse Mercier, acrescentando que, se uma doença se espalhasse pela humanidade fazendo com que todos passassem a nascer surdos, então a linguagem falada logo desapareceria do cérebro humano, porque não haveria ninguém para ouvi-la — como crustáceos de alta profundidade, que não têm mais olhos porque nenhuma luz chegou lá por milhares de anos. Se as pessoas trocassem argumentos interminavelmente sem que nenhum dos lados ganhasse terreno, sem que ninguém admitisse que estava errado nem aceitasse as propostas dos outros, então a argumentação teria sido jogada há muito tempo na lata de lixo evolutiva.

—

Se tudo isso é verdade, então por que as redes sociais parecem um veneno para a alma? Mercier e Stafford me disseram que a principal razão é que é muito mais importante raciocinar no contexto apropriado do que ser um bom raciocinador. Debater na internet pode se parecer com uma deliberação, mas, se as pessoas estiverem isoladas das dinâmicas essenciais de grupo, das perspectivas externas, então os indivíduos vão basicamente debater consigo mesmos.

Se debatemos, tendemos a ser vítimas do que o acadêmico jurídico Cass Sunstein chama de "lei da polarização de grupo", que diz que os grupos que se formam em torno de posturas compartilhadas tendem a se tornar mais inflexíveis e polarizados ao longo do tempo.[12] Isso acontece porque, quando queremos nos ver como centristas, mas descobrimos que outros em nosso grupo assumem posições muito mais extremas, percebemos que, para assumir uma posição intermediária, precisamos mudar de postura na direção do extremo. Em reação a isso, as pessoas que desejam assumir posições extremas precisam mudar ainda mais nessa direção para se distanciar do centro. Esse ciclo de feedback de comparação com os outros faz com que o grupo como um todo se torne mais polarizado ao longo do tempo, e, à medida que o consenso aumenta, os indivíduos se tornam cada vez menos propensos a contradizê-lo.

No caso de questões morais e políticas, muitas vezes delegamos a especialistas e elites. "Delegar para especialistas é racional", escrevem eles. "Se não fizéssemos isso, ficaríamos perdidos diante de uma ampla variedade de questões importantes em relação às quais não temos experiência pessoal e nenhuma reflexão útil. E, uma vez que as delegamos aos especialistas, faz sentido colocar relativamente pouco peso em argumentos questionadores vindos de terceiros."

Apesar dessas armadilhas psicológicas e dessas câmaras de eco retóricas, Mercier e Sperber dizem que a democracia deliberativa não está em perigo. É somente quando deixamos o contexto no qual a argumentação evoluiu que os problemas surgem. Eles apontam não apenas para a abolição da escravatura, resultado de extensa argumentação legislativa, mas também para a pesquisa de cientistas políticos como Robert Luskin e James Fishkin, que estudaram as audiências públicas de católicos e protestantes após os atentados do Exército Republicano Irlandês, o IRA, na Irlanda do Norte. Eles descobriram que as pessoas presentes prontamente atualizavam seus pontos de vista e corrigiam seus equívocos sobre os assuntos mais polarizados em sua comunidade durante um período de alta ansiedade e intensa indignação.[13]

Mercier e Sperber insistem que o nosso raciocínio não é artificial nem irracional, apenas enviesado e preguiçoso, o que é ao mesmo tempo adaptativo e racional no contexto em que ele evoluiu, um ecossistema de informações baseado na linguagem, no qual as pressões seletivas privilegiaram a produção de justificativas para perspectivas individuais durante a deliberação em grupo, para se chegar a um consenso sobre inferências e objetivos comuns.

Eles também estão certos de que isso significa que a bolha do filtro é uma questão passageira e bastante permeável. Claro, a internet facilita a formação de grupos em torno do nosso raciocínio enviesado e preguiçoso, mas também nos expõe aos argumentos daqueles que estão fora dos nossos grupos. Passe tempo suficiente em lugares como Reddit, Twitter ou Facebook, com todas as discussões e todas as más ideias lutando entre si, e, mesmo que você permaneça em silêncio, alguma pessoa vai expressar algo que se assemelha à sua opinião particular e alguém vai debater com ela. Mesmo como espectadores, podemos ver quando os pontos fracos das nossas justificativas são apontados.

Então, quando um argumento gera aquela sensação de "talvez eu esteja errado", quais aspectos o tornam diferente dos argumentos que consideramos menos persuasivos? Como mencionei na introdução, o trabalho de Mercier e Sperber revela como milhares de anos de troca de informações levaram à nossa capacidade de persuadir e sermos persuadidos, especialmente quando achamos que nossos grupos estão sendo mal orientados, estão sendo enganados ou estão errados. Mas o que aumenta as chances de que uma mensagem persuasiva faça alguém mudar de ideia? No próximo capítulo, vamos ver mais de perto como avaliamos os argumentos daqueles que querem nos persuadir e, a partir daí, vamos mergulhar na psicologia da persuasão em si.

8
PERSUASÃO

Na década de 1980, o estado da pesquisa sobre a persuasão era, para dizer o mínimo, uma bagunça.

O estudo psicológico da influência havia sido sempre o principal foco das ciências sociais, mas, depois da Segunda Guerra, o mundo inteiro se perguntava como os nazistas tinham chegado ao poder e que truques haviam usado para persuadir as pessoas a participarem daquele genocídio.

O foco dos cientistas que estudam a mente, muitos deles funcionários do governo dos Estados Unidos, se voltou para a compreensão do poder dos anúncios, do marketing e da propaganda. Levaria mais quarenta anos para que uma teoria unificada ficasse pronta, mas seus contornos começaram a surgir quando a psicologia percebeu que crenças e posturas eram construções mentais muito diferentes.

A ciência descobriu o poder das posturas durante a Segunda Guerra, quando o Exército dos Estados Unidos contou com a ajuda de Frank Capra, famoso diretor de Hollywood, para criar uma série de filmes para combater a propaganda alemã. Como milhares de outros, Capra, que havia dirigido *Aconteceu naquela noite* e *A mulher faz o homem*, se alistou logo após Pearl Harbor. Veterano da Primeira Guerra, aos 44 anos ele foi comissionado como major. O Exército deu a ele seu próprio departamento para produzir filmes que, eles esperavam, mudassem a perspectiva dos novos recrutas em várias questões de opinião pública que, de acordo com o governo norte-americano, poderiam causar problemas com os esforços de guerra no futuro. As primeiras estimativas diziam que, contando com o recrutamento, mais de 12 milhões de americanos se alistariam — a maioria adolescentes que nunca haviam pegado em uma arma. Eles tinham receio de que esses novos soldados fossem chegar ainda sonhando com gelatina, cinemas e amassos em carrões, e que o moral despencaria assim que a saudade se abatesse e o sangue começasse a jorrar.[1]

Graças a um financiamento substancial e a uma equipe de cientistas sociais recrutados, Capra criou uma série de filmes inspiradores para o exército chamada *Why We Fight* [Por que lutamos, em tradução livre]. Com animação criada pela Disney, o primeiro filme percorria a história da civilização. Frases de Moisés, Maomé, Confúcio e da constituição norte-americana sobre a liberdade iam passando à medida que o narrador explicava que aquelas ideias eram como faróis na escuridão e que os nazistas estavam trabalhando para apagar todas as chamas da liberdade ao redor do mundo. Surgiam, então, cenas da propaganda nazista. Grandes comícios. Hitler vociferando para a multidão. Filas intermináveis de soldados marchando. Pearl Harbor não é o motivo pelo qual você se alistou, dizia o narrador. É por *isso*, proclamava ele, que lutamos.[2]

Os filmes também incluíam mensagens destinadas a desfazer os equívocos generalizados que o exército temia que pudessem atrapalhar seus esforços. Na época, a visão predominante nos Estados Unidos era que a guerra terminaria em um ano, porque a maioria acreditava que as forças armadas alemãs eram diminutas e fracas. Muitas pessoas também achavam que os britânicos não estavam fazendo a parte deles no conflito, e, portanto, o ponto de vista da opinião pública era de que os Estados Unidos atravessariam o oceano para compensar. Os filmes ensinaram meticulosamente aos soldados os fatos sobre a questão. Por exemplo, durante as cenas da Batalha da Grã-Bretanha, eles mostravam o quão poderosa era a força aérea alemã antes do início do conflito e as muitas desvantagens do Reino Unido no esforço para repelir a tentativa de invasão. Capra deu ênfase à coragem e à determinação dos civis britânicos, destacando a coragem da RAF.[3]

O alto escalão do Exército dos Estados Unidos pensava o que todo mundo pensa a princípio. Apresente os fatos às pessoas e elas mudarão de ideia. Mas, quando os militares trouxeram psicólogos para testar o impacto dos filmes, seus estudos mostraram a mesma coisa que outros psicólogos viriam a descobrir posteriormente ao usar abordagens baseadas em fatos para a mudança de opinião. Os filmes faziam um trabalho fantástico em ensinar os fatos — corrigindo os equívocos dos recrutas e preenchendo suas lacunas de conhecimento —, mas, quando se tratava de opiniões, as respostas que eles davam depois de assistir aos filmes permaneciam quase idênticas às que haviam dado antes. A maioria mal mudou um único ponto percentual.

Embora os oficiais do Exército por trás da Unidade de Moral tenham ficado desanimados, os cientistas sociais que deram a notícia estavam radiantes. As crenças, perceberam eles, eram algo separado das posturas.

Hoje, a psicologia define crença como uma proposição que consideramos verdadeira. Quanto mais confiança você sente, mais deduz que uma informação corresponde à verdade. Quanto menos confiança, mais considera uma informação um mito.

Posturas, no entanto, são um espectro de avaliações e sentimentos que vão do positivo ao negativo e que surgem quando pensamos sobre, na verdade, qualquer coisa. Estimamos o valor de qualquer coisa que possamos classificar, e fazemos isso com base nas emoções positivas ou negativas que surgem quando o objeto da postura está em foco. Essas emoções então fazem com que nos sintamos atraídos ou repelidos por esses objetos e, assim, influenciam nossa motivação. Mais importante ainda, as posturas são valiosas. Nós as expressamos como apreço ou desprezo, aprovação ou desaprovação, ou ambivalência quando sentimos ambas as coisas.

Juntas, crenças e posturas formam nossos valores, a hierarquia de conceitos, problemas e objetivos que consideramos mais importantes.

Mas, durante a Segunda Guerra, a própria palavra *postura* era um termo científico relativamente novo e raramente usado em pesquisas científicas sérias. A maioria dos livros antes disso usava termos como *crenças*, *posturas*, *opiniões* e *valores* de forma intercambiável. A percepção de que as opiniões eram mais influenciadas pelas posturas do que pelas crenças revelou um território inexplorado. Isso exigiu uma nova taxonomia de construções mentais e levou à criação do Yale Communications and Attitude Change Program [Programa de Comunicações e Mudança de Postura de Yale, em tradução livre], um laboratório onde os psicólogos que estudaram a série de filmes *Why We Fight* se associaram a outros cientistas para descobrir que tipo de mensagem faria as pessoas *de fato* mudarem de ideia.

As pesquisas que dali derivaram mudaram todo o campo da psicologia, e, em pouco tempo, todas as universidades estavam fazendo pesquisas sobre mudança de postura. No entanto, com o passar das décadas, as tentativas de fundir os resultados dessas pesquisas em uma grande teoria deram errado. Havia tantos cientistas elaborando artigos que a produção coletiva gerou um volume gigantesco de evidências, mas que não pareciam se encaixar de modo significativo. Uma mensagem que funcionava em um cenário não funcionava em outro. Um cenário que ampliava o potencial de algumas mensagens parecia diminuir o potencial de outras. Um orador cuja retórica fosse convincente diante de um público cairia em ouvidos moucos. Em 1980, a pesquisa sobre a mudança de postura estava prestes a desabar sob o peso de uma enorme quantidade de evidências aparentemente contraditórias.

Mas, em 1984, um modelo deu sentido à confusão. Dois estudantes de pós-graduação em psicologia, Richard Petty e John Cacioppo, desenvolveram o que muitos consideram o melhor modelo de como os humanos entendem e são persuadidos por mensagens que visam à mudança de ideia. Mas eles desenvolveram o modelo de probabilidade de elaboração (ou ELM, *elaboration likelihood model*, em inglês) não tanto para mudar o curso da psicologia, e sim para compreender os próprios livros didáticos que estudavam para passar nas disciplinas de seus cursos universitários.[4]

Petty e Cacioppo estavam frustrados com a pós-graduação, porque passar em uma prova significava decorar os resultados de cada estudo individual de mudança de postura.

“Não havia nenhuma coerência conceitual que ajudasse a agregar aquilo tudo”, me disse Petty. “Quando você lia os livros didáticos da época, eles eram realmente confusos. Tínhamos estudos que diziam haver encontrado determinado efeito, mas outro estudo não havia encontrado efeito nenhum, e ‘Ah, meu Deus!’, tal estudo encontrou o efeito oposto.

E as pessoas acabavam largando de mão, porque o que se obtinha eram coisas como: 'Bem, uma fonte confiável causa mais persuasão, mas nesse estudo específico causou menos e, neste outro estudo aqui, interagiu com uma outra variável'. Era só uma sequência de descobertas sem uma teoria."

Se você quisesse passar nas provas da pós-graduação em psicologia enquanto estudante de mudança de postura, teria de aprender todos os resultados de todos os estudos. Então, para ajudar a dar sentido a tudo aquilo, Petty e Cacioppo pintaram um cômodo inteiro da casa que alugavam com tinta de quadro-negro. Eles então começaram a organizar a literatura de psicologia nas paredes. Enquanto repassavam os textos, iam escrevendo resumos a giz e, para conseguir passar nas provas, começaram a agrupá-los para criar guias de estudo. Para a surpresa deles, notaram um padrão.

Grande parte dos estudos havia sido baseada em uma ideia apresentada por um sociólogo e cientista político chamado Harold Lasswell. Ele dizia que todas as comunicações entre humanos podiam ser divididas em: "Quem diz o quê para quem em qual canal e com que efeito?". O *quem* se referia ao emissor. *O quê* se referia à mensagem. *Em qual canal* se referia à mídia ou ao contexto. *Para quem* se referia ao receptor. *Com que efeito* se referia ao impacto que a mensagem tinha no receptor.[5]

Esse impacto havia sido o foco das pesquisas psicológicas por décadas, e todo o restante era visto como variáveis independentes. Os psicólogos tinham certeza de que o *impacto* dependia da *compreensão* do *conteúdo* da mensagem; parecia um mistério que uma mensagem que aumentava a persuasão em uma situação quase sempre a reduzia em outras, da mesma forma que um smoking melhora sua aparência em uma boate chique, mas não tanto em um estádio de beisebol.

Petty e Cacioppo perceberam que o motivo pelo qual aquilo não fazia sentido era que havia duas variáveis de alto grau em cena. Se você agrupasse as mensagens de acordo com a probabilidade de uma pessoa fazer uma pausa e refletir sobre o conteúdo delas, todas as descobertas seriam divididas em duas categorias, um dos dois tipos de pensamento. Ambos os tipos de pensamento poderiam levar à mudança de postura, mas apenas um se tornaria ativo.

Eles usaram os termos *alta elaboração* e *baixa elaboração* para descrever esses dois tipos de pensamento. Evitaram conscientemente a palavra *aprendizado*, que fazia parte do processo, mas de outra forma.

Desde a década de 1920, os psicólogos achavam que, se quiséssemos mudar a postura das pessoas em relação a algo como o cigarro, por exemplo, precisávamos descobrir a melhor forma de ensinar a elas como ele era nocivo. Se quiséssemos que as pessoas usassem o cinto de segurança, precisávamos ensiná-las sobre os riscos de não o usar. Apresente às pessoas os fatos e elas mudarão de ideia.

A maioria dos primeiros estudos mediu quais tipos de mensagem eram mais fáceis de aprender. O quadro-negro de Petty e Cacioppo indicava que uma pessoa poderia aprender todos os detalhes de uma mensagem e ainda assim não ser persuadida, ou que uma pessoa poderia não aprender nada da mensagem e ser totalmente persuadida. Portanto, o primeiro conceito no modelo de probabilidade de elaboração é que a persuasão não se restringe apenas ao aprendizado das informações. Elaboração é acrescentar algo próprio à mensagem depois que ela entra na sua cabeça, algo semelhante à assimilação no modelo de Piaget.

Petty explicou isso com o exemplo do sabão em pó. Se um anúncio disser: "Use este sabão em pó porque ele deixará suas roupas cheirosas", então aprender essa informação por si só não será suficiente para persuadir algumas pessoas. Cada indivíduo precisa ser estimulado a assimilar a ideia em seus modelos. Algo como: "Se as minhas roupas cheirarem bem, as pessoas vão querer andar comigo". Mas, como outra pessoa pode pensar: "Seria estranho ficar cheirando a flores o tempo todo", a mesma mensagem que persuade uma pessoa desestimula outra. A percepção de Petty e Cacioppo foi que, se a elaboração levar a uma avaliação positiva do raciocínio por trás de um argumento, a persuasão será bem-sucedida. Se levar a uma avaliação neutra ou negativa, não haverá persuasão.[6]

O segundo grande insight foi que a probabilidade de uma pessoa fazer a elaboração pode ser influenciada por uma variedade de condições. Nem todo indivíduo se sentirá motivado ou será capaz de elaborar uma mensagem persuasiva. Portanto, há dois fatores determinantes: motivação e capacidade. Motivação é a disposição e o desejo de processar informações com atenção, e capacidade são os recursos cognitivos para fazê-lo.

Os fatores de motivação que aumentam a probabilidade incluem relevância, incentivos para chegar a conclusões precisas, o sentimento de responsabilidade para entender as reivindicações da mensagem e um traço de personalidade chamado "alta necessidade de cognição". Os fatores de capacidade incluem ausência de distração, experiência ou especialização no assunto e quão claramente comunicada ou bem articulada é a mensagem. Qualquer coisa que aumente a motivação e a capacidade aumentará a probabilidade de elaboração, e, portanto, a assimilação ao modelo de realidade de uma pessoa em vez de resistência e rejeição.

Quando a probabilidade de elaboração é alta, as pessoas tendem a seguir o que Petty e Cacioppo chamaram de *rota central*; mas, à medida que a probabilidade diminui, tendem a seguir o que eles chamaram de *rota periférica*.

Imagine a rota central como uma rua movimentada que corta o coração da Cidade dos Argumentos. Na rota central, sentimos a necessidade de ir devagar, com atenção, de navegar com cuidado. Quais são os principais argumentos do emissor? Eles têm lógica? São coesos? São fortes? Citam evidências? As evidências foram postas à prova e suas fontes são confiáveis? A rota periférica equivale a fazer um desvio pela rodovia que contorna a Cidade dos Argumentos. Sentimos que podemos ir mais rápido e, embora ainda possamos ver a cidade ao longe, fazemos isso às custas de apreender todos os seus detalhes. A mensagem se torna um borrão, e apenas as informações de maior destaque e mais simples têm algum impacto. Na rota central, você pode ver a Cidade dos Argumentos como ela realmente é, o que há de bom e ruim, as ruas sujas e as lojas refinadas, os personagens emblemáticos e os executivos mundanos. Na rota periférica, só vê a cidade de modo abstrato, o contorno dos prédios e os outdoors, os pontos turísticos e as luzes de neon. A mensagem contém palavras complicadas? O emissor é carismático? É eloquente? Tem algum grau acadêmico? É famoso? Vai ter comida quando acabar a palestra?

Conforme a probabilidade aumenta ou diminui, as variáveis que importavam na rota central se tornam sem sentido na rota periférica, e vice-versa. Era por isso, eles perceberam, que algumas variáveis funcionavam em determinadas situações e não em outras. Na rota central, o mérito da mensagem importa. Na periférica, os méritos são ignorados, e as pessoas se concentram em pistas emocionais e simples.

Em um experimento, Petty e Cacioppo disseram a estudantes universitários que queriam ouvir o que eles achavam de uma nova norma que exigia que os alunos do último ano passassem por uma prova abrangente para se formarem.

Eles disseram a alguns alunos, antes de lhes apresentar um vídeo, que a norma entraria em vigor naquele mesmo ano. A outros, disseram que entraria em vigor dali a muitos anos. Imediatamente, alguns alunos se sentiram motivados a prestar atenção, enquanto outros se sentiram desmotivados. Depois eles dividiram os alunos motivados e desmotivados em dois grupos cada. Um ouviu nove ou três argumentos fortes, e o outro ouviu nove ou três argumentos fracos. Os argumentos fortes incluíam o fato de que as universidades de maior prestígio exigem tais provas para garantir que seus diplomas sejam sinal de excelência. Alunos dessas universidades eram mais propensos a conseguir empregos com altos salários. Os argumentos fracos diziam que as provas abrangentes remontavam às tradições da Grécia Antiga, e o medo que elas produziam provavelmente encorajava as pessoas a estudar mais.

Petty e Cacioppo descobriram que, quanto mais motivados os alunos, mais eles tomavam a rota central. Nessa rota, eles prestavam mais atenção e, assim, os argumentos mais fortes eram mais persuasivos. Quanto mais argumentos fortes eles vissem, melhor. Mas, na rota central, os argumentos fracos foram ineficazes; os alunos perceberam as falhas nas mensagens emocionais, baseadas em opinião, e as descartaram por completo. Inclusive, se uma pessoa motivada ouvisse nove argumentos ruins, era menos provável que ela apoiasse a norma do que se ouvisse apenas três.

Alunos desmotivados tomaram a rota periférica. Para eles, os argumentos fortes e fracos eram igualmente persuasivos. Então, quando ouviam mais argumentos, de qualquer tipo, mesmo os ruins, eles ficavam *mais* propensos a apoiar a norma do que se fossem apresentados a menos argumentos. Em vez de prestar atenção ao conteúdo dos argumentos, eles prestaram atenção ao volume. Desinteressados no raciocínio por detrás, eles simplesmente pensaram: quanto mais argumentos, melhor a norma.[7]

Em outro experimento, Petty e Cacioppo pediram aos participantes que assistissem a anúncios de duas marcas diferentes de lâminas de barbear descartáveis. Eles disseram a um grupo que levariam para casa uma caixa delas, mas teriam que escolher uma das duas marcas. Ao outro grupo não foi feita tal oferta. A alguns participantes, foram exibidos anúncios que continham argumentos fortes — cabo com ranhuras cientificamente projetadas para evitar que deslizasse, testes de comparação mostrando que o barbear era três vezes mais rente que o dos concorrentes. A outros, foram apresentados argumentos fracos — boia na água, uma experiência memorável, disponível em diferentes cores. A alguns, esses argumentos foram apresentados por um famoso tenista e, a outros, por um ator desconhecido. Eles descobriram, justamente como prevê o ELM, que os participantes que esperavam levar para casa alguns aparelhos de barbear se sentiram mais motivados, e os argumentos fortes os persuadiam mais do que os fracos. Mas, para aqueles a quem não havia sido prometido nada, e que, portanto, não estavam motivados a tomar a melhor decisão, a força dos argumentos não importava. O elemento mais persuasivo era o fato de uma celebridade endossar o produto.[8]

O modelo de probabilidade de elaboração encara a persuasão um pouco como uma aposta. Nós nos perguntamos quanto podemos ganhar em contraste com quanto podemos perder e quais são as probabilidades de cada desfecho. Argumentos que parecem perigosos e não oferecem vantagens são rejeitados de imediato. Mas, se quem nos persuadir for capaz de mostrar que mudar nossas mentes talvez nos leve a um resultado desejável, passamos a avaliar a plausibilidade deles e tomamos a rota central.

Pesquisas descobriram que a mudança de postura bem-sucedida por meio da rota central pode demandar mais esforço, mas também gera posturas mais duradouras. As mensagens que convencem pela rota periférica tendem a fazê-lo de forma rápida e fácil, o que é ótimo para fazer uma venda ou convencer as pessoas a votar, mas as mudanças que elas produzem são fracas. Desaparecem com o tempo e podem ser revertidas com o mínimo de esforço.

Então, qual rota devemos estimular as pessoas a seguir? Depende. A vodca, por exemplo, é incolor, inodora e quase inteiramente insípida. Não há grande distinção entre as marcas (até a manhã seguinte). Diante de algo assim, estamos corretos em estimular as pessoas a seguir a rota periférica. Para um fabricante de vodca, é melhor se concentrar em garrafas bonitas, endosso de celebridades e campanhas publicitárias que enfatizem o luxo, o prestígio ou a diversão da marca. Para compensar o fato de que a rota periférica não leva a mudanças duradouras, é preciso fazer apelos emocionais continuamente e mudar a apresentação das mensagens com alguma frequência. A publicidade faz isso por meio de um fluxo constante de celebridades, slogans, logotipos e assim por diante.

No entanto, se estivermos tentando mudar posturas sobre questões complexas baseadas em fatos, como imigração, sistemas de saúde ou energia nuclear, precisamos conhecer nosso público. O que os motiva? Eles são especialistas? Estão distraídos de alguma forma? Para que os fatos tenham efeito, precisamos conduzir o público para a rota central e mantê-lo ali. Se soubermos que eles já estão motivados e familiarizados com o assunto, a maior parte do trabalho está feita. Se eles não estiverem, os fatos devem ser fornecidos por uma fonte confiável em um ambiente onde as pessoas possam aprender novas informações.

Petty disse que a maior mudança na forma como as pessoas processam as mensagens desde que ele e Cacioppo desenvolveram o modelo de probabilidade de elaboração, trinta anos antes, é que muito mais questões agora estão ligadas ao conceito que as pessoas têm de si mesmas e às identidades de grupo.

"Você sabe que as mudanças climáticas são uma farsa porque é isso que o seu grupo pensa", disse ele, acrescentando que antigamente a credibilidade de um cientista por si só era uma pista simples para pessoas que não estavam familiarizadas com o assunto. "Hoje o cientista precisaria parecer confiável pelos padrões de cada grupo ou, se possível, completamente neutro em termos políticos", disse ele. Seja como for, a mensagem não pode parecer uma ameaça para a identidade de grupo de uma pessoa, caso contrário a rota central permanecerá bloqueada.

Logo depois que Petty e Cacioppo introduziram o modelo de probabilidade de elaboração, surgiu uma segunda estrutura que tentava organizar as pesquisas da época sobre persuasão em algo igualmente coeso. Embora tenha sido desenvolvida em paralelo, ela hoje é considerada complementar ao ELM.

No final dos anos 1980, Shelly Chaiken e Alice H. Eagly introduziram o modelo heurístico-sistemático (HSM, na sigla em inglês). Ele postula que, ao pensarmos preguiçosamente sobre formas alternativas de ver o mundo, usamos heurísticas, ou regras simples, que geralmente mostram que estamos certos. Ao pensar com algum esforço, processamos informações de maneira sistemática, levando em consideração todas as formas pelas quais podemos estar errados.[9]

A maior contribuição do HSM para a psicologia foi mostrar que as pessoas são motivadas a manter posturas corretas, ou seja, servem a interesses particulares ou do grupo. Em outras palavras, tudo gira em torno do gerenciamento de reputação. Quando uma pessoa sente que suas justificativas já não são mais tão fortes para serem consideradas razoáveis por seus pares, ela busca mais informações até cruzar a "lacuna de confiança".

Como o ELM, o HSM concorda que processamos mensagens de maneiras diferentes de acordo com a nossa capacidade e a nossa motivação para fazê-lo, mas diverge um pouco ao postular que processos heurísticos (ou seja, regras práticas e atalhos mentais) e processos sistemáticos (ou seja, cuidado e deliberação) podem ocorrer simultaneamente. Na maioria das vezes, quando há uma heurística útil à disposição, o HSM diz que recorreremos a ela. Os cérebros são avarentos em termos cognitivos, como os psicólogos gostam de dizer. A maior parte das nossas calorias é gasta pensando; e, em vez de gastar ainda mais calorias pensando sobre o próprio pensamento, preferimos usar dicas simples para entender o mundo à nossa volta com base em nossas expectativas e experiências com ele, incluindo mensagens persuasivas.

"O ELM tem essa premissa sofisticada de que as pessoas querem ter informações corretas sobre o mundo e que, portanto, as processarão na medida em que puderem atingir esse objetivo", disse-me o psicólogo Andy Luttrell. Ex-aluno de Petty, ele continua a pesquisar tanto o ELM quanto o HSM. "O ELM diz que, sim, as pessoas querem estar corretas. Só que elas pensam que já estão. A certeza dá um ar de objetividade ao subjetivo. Quando uma pessoa diz 'Este é o melhor filme de 2019', ela fala sério. Parece um fato para ela."

Luttrell disse que pode parecer que queremos estar certos o tempo todo, nos assegurar de que o farfalhar nas folhas é só o vento, não um tigre, "mas é caro reavaliar tudo o tempo todo. Se meu único objetivo na vida fosse estar perfeitamente certo, então eu submeteria constantemente todas as informações que recebo ao escrutínio". Leva menos calorias presumir que, se todo mundo ao meu redor diz que determinada coisa é verdade, ela é. Se eu li isso três vezes, é bem provável. Se parece bom, então é.

"Você recebe um bilhão de mensagens por dia: anúncios, política, redes sociais e assim por diante", disse Luttrell. "Não dá para se envolver com todas elas, mas algumas vão afetá-lo, e a forma como afetam você é diferente quando você está investido ou quando pode analisar as evidências. Ambos os modelos perceberam que, no fim das contas, tudo depende de quão profundamente o público está envolvido com a mensagem. E isso nunca havia sido levado em consideração antes desses modelos."

Luttrell comentou que é por isso que é tão importante separar os valores e as motivações de uma pessoa. Se você pedir a alguém para assinar uma petição para que o Walmart pare de vender bonés, provavelmente não vai conseguir persuadi-la. Mas, se você perguntar o que é importante para ela e ela responder que está muito preocupada com o meio ambiente, dizer a ela que os bonés são o fator que mais contribui para as mudanças climáticas estimularia o processamento ativo da mensagem por parte dela.

Tanto o ELM quanto o HSM foram construídos com base no modelo de comunicação de 1948 do professor de direito de Yale, Howard Lasswell, que dizia que toda persuasão tinha que levar em conta "quem diz o quê, para quem, em qual canal e com que efeito".

Com o modelo de elaboração de probabilidade, os psicólogos puderam finalmente entender as descobertas aparentemente contraditórias produzidas por meio do uso do modelo de Lasswell. Dentro do enorme *corpus* de evidências coletadas desde então, existem várias características que consistentemente aumentam as chances de êxito de uma mensagem persuasiva.[10]

Quem: o comunicador deve parecer confiável e ter credenciais.

O fator mais importante na avaliação da confiabilidade é algo chamado credibilidade da fonte, e pesquisas indicam que avaliamos isso de três formas. Nós nos perguntamos se o emissor é um especialista. Buscamos descobrir se ele está tentando nos enganar de alguma forma. E observamos se o emissor está de acordo com os grupos com os quais nos identificamos. Mas, mesmo quando as pessoas desacreditam uma mensagem de uma fonte não confiável, o argumento permanece na cabeça delas se for convincente.

Se virmos a mesma informação ser apresentada em outros formatos ou por outros emissores, a associação com a fonte não confiável perde força. Nossas razões para descartar as ideias se dissipam, mas o poder de persuasão da mensagem permanece. Em psicologia, isso é chamado de *sleeper effect* (efeito de dormência): uma rejeição inicial costuma ser seguida por um aumento imperceptível da concordância ao longo do tempo. Quando os motivos para rejeitar uma mensagem têm mais a ver com o emissor que com a mensagem em si, apresentá-la por meio de várias fontes às vezes pode transformar um fracasso em um sucesso.[11]

O quê: uma mensagem se torna mais impactante quando combinada com contra-argumentos populares, o que os psicólogos chamam de *two-sided communication* (comunicação de duplo viés).

Se as pessoas são inicialmente céticas em relação a uma mensagem persuasiva, compartilhar contra-argumentos junto com a mensagem dá melhores resultados. Em estudos de julgamentos em tribunais, se a defesa apresenta as evidências prejudiciais primeiro, parecerá mais confiável ao júri. Seja em uma batalha de rap ou em um debate político, ao apresentar os argumentos do seu oponente antes dele, você não apenas demonstra confiança nas duas ideias, revelando que refletiu sobre o outro lado, mas também passa credibilidade ao mostrar que respeita a inteligência do público.

Dado que é melhor apresentar os dois lados de um argumento, qual deve vir primeiro? Pesquisas sugerem que apresentar o argumento mais alinhado com a postura atual do público é o mais eficaz. Dessa forma, as pessoas se sentem confiantes e positivas em relação às próprias posturas e serão muito mais tolerantes aos apelos contrários. Dizer "Eu sei que você não quer dormir, mas você tem que ir para a escola de manhã" é muito mais eficaz do que "Você tem que ir para a escola de manhã, então é melhor você ir dormir".

Para quem: uma mensagem deve corresponder às capacidades de processamento e às motivações de seu público.

Foi aqui que as exceções às regras se tornaram tão numerosas que a necessidade de modelos abrangentes se mostrou necessária. Tornar as mensagens claras e simples melhora a capacidade, e torná-las impactantes na vida das pessoas aumenta a relevância. Mas o truque mais simples é projetar as mensagens como perguntas retóricas. "Não seria bom se a maconha fosse legalizada?" estimula as pessoas a produzir explicações e justificativas para as posturas delas. "Você acha que a maconha deveria ser legalizada?" apenas prepara as pessoas para expressar suas posturas em forma de conclusão.

Em qual canal: a mensagem deve se adequar ao meio pelo qual é veiculada.

Uma mensagem que funciona bem em um livro deve ser revisada para funcionar bem em um filme, e vice-versa. Um vídeo do YouTube baseado em um ensaio deve usar a linguagem do YouTube, não a do ensaio, para maximizar seu impacto.

Independentemente da mensagem, a comunicação cara a cara é, de longe, o canal mais eficaz. Somos biologicamente programados para reagir ao rosto humano. Os recém-nascidos têm preferência por rostos humanos e os reconhecem melhor que todos os outros padrões desde o momento em que chegam ao mundo. Isso ocorre porque uma área do cérebro junto ao lobo temporal funciona principalmente para fazer apenas isso. O reconhecimento facial é um imperativo biológico, porque a comunicação cara a cara estabelece o relacionamento essencial que auxilia na receptividade de qualquer mensagem de pessoa para pessoa.[12]

Como Susan Pinker explica em seu livro *The Village Effect* [O efeito aldeia, em tradução livre], evoluímos como primatas vivendo em grupos, dependentes da nossa capacidade de ler gestos e dicas faciais, principalmente para determinar intenções. Quando combinada com entonação vocal e linguagem corporal, e desde que as coisas pareçam estar indo bem, a comunicação cara a cara faz com que o cérebro produza oxitocina em ambos os lados da interação. Pegue a mesma mensagem e transmita-a por qualquer outro canal, até mesmo o Zoom, e a oxitocina não flui da mesma forma. Quanto mais oxitocina é produzida, menos desconfiados ficamos.

Nem todas as campanhas de mídia podem ir de porta em porta, tampouco podem realizar seminários e reuniões presenciais, mas os estudos são claros ao dizer que, se você puder produzir um conteúdo que incentive as pessoas que ouvem suas mensagens a interagirem umas com as outras e a ter conversas entre elas sobre o seu produto, mensagem ou candidato, então você pode aumentar as chances de sua mensagem persuasiva mudar a cabeça delas quase como se você *tivesse* falado cara a cara com elas.[13]

Estabelecidas essas verdades, estamos agora preparados para passar para a seção final do livro. No capítulo seguinte, vamos explorar como pôr em prática tudo que aprendemos até agora, voltando ao Surfpad e à pesquisa em profundidade para fazer as pessoas mudarem de ideia no nível de uma única conversa. Você está prestes a ganhar um superpoder, um roteiro passo a passo de como mudar a opinião das pessoas sobre qualquer assunto, sem coerção, simplesmente fazendo o tipo certo de pergunta na ordem certa.

9

EPISTEMOLOGIA DE RUA

Era agosto e estávamos no Texas, então Anthony Magnabosco acenou de debaixo da imensa sombra projetada na praça de paralelepípedos no Centro de Convocação da Universidade de San Antonio.

Acima do zumbido veranil das cigarras, uma jovem gritou: "Bom dia!". Os dois trocaram gentilezas, então ele perguntou: "Você tem tempo para uma entrevista hoje?". Ela respondeu que sim, e as pessoas que ouviam em seu fone de ouvido se prepararam para mais uma demonstração.

O tráfego de pedestres cerca de uma hora antes do almoço garante a Anthony algumas oportunidades de praticar uma técnica de persuasão tão eficaz que, ao longo dos anos, ele conquistou uma audiência de milhares de pessoas, algumas das quais acessam o Discord para ouvir ao vivo. Pelo menos uma vez por semana, ele faz uma transmissão. Ele fica entre os prédios no centro da Universidade de San Antonio segurando um quadro branco, um cronômetro de cozinha, uma caixinha de Tic Tac e um anel de peças de quebra-cabeça coloridas. Às pessoas que passam, ele pergunta se estariam abertas a pôr à prova suas crenças mais arraigadas.

"Epistemologia de rua é fazer perguntas para explorar uma alegação que alguém faz porque acha que é verdadeira", explicou Anthony quando a jovem se juntou a ele na sombra. "Uau, isso é interessante", disse ela. "Bacana."

Ele disse a ela que a última mulher com quem havia falado dissera que achava que alienígenas existiam, e então, juntos, eles exploraram a confiança dela, as razões para ela dizer que aquilo era verdade e as razões para ter chegado àquela conclusão. "Ah, isso é divertido", disse ela. Ele afirma que pode ser qualquer coisa, mas opiniões geralmente são mais complicadas. Alegações de fatos são melhores. "Então, talvez você acredite que existe um poder superior, talvez você ache que carma é algo real, que a Terra é plana ou que vacinas provocam ou não provocam autismo. A ideia aqui é escolher uma alegação que tenha influência no seu comportamento e, em seguida, fazer perguntas de maneira respeitosa."

Ela disse que estava disposta a conversar, e Anthony perguntou qual curso ela fazia. Ela contou que estudava biologia, mas que queria se formar em música e estava tendo dificuldades para conseguir a transferência. Anthony perguntou se poderia iniciar um cronômetro de quatro minutos, e ela respondeu que sim, apresentando-se como Delia.

Anthony apontou para a GoPro em seu peito e depois para a outra presa a um poste de luz próximo, e disse que gravaria a conversa, se ela estivesse de acordo. Delia assentiu, e então ele escreveu o nome dela no quadro branco. Em seguida, ele começou pedindo a ela uma alegação.

Delia disse que estava incerta sobre a "coisa do espírito", e Anthony perguntou por quê. Ela disse que era difícil determinar o que era uma farsa e o que não era, mas que era reconfortante acreditar em espíritos como anjos da guarda. Anthony contou a história de uma mulher que ele havia entrevistado durante uma trilha, em quem um beija-flor pousou no ombro semanas depois de o marido ter morrido. Ela tinha certeza de que o beija-flor era seu marido reencarnado. Ele perguntou a Delia se ela tinha alguma crença como aquela porque era reconfortante. Ela disse que sim; inclusive, vinha pensando muito sobre sua fé enquanto católica depois de ter sido exposta a inúmeras religiões nos últimos anos.

Anthony perguntou se ela teria alguma alegação específica, algo em que acreditasse dentro da fé católica que a reconfortava. Ela sugeriu a própria a crença em Deus. "É como uma rocha na qual eu posso confiar", disse ela. Alguém para o quem ela podia rezar à noite. A expressão "como uma rocha", ela disse, significava muito para ela. Se ficasse se questionando sobre isso enquanto rezava, deixaria de ser reconfortante.

Anthony então deu o passo seguinte na epistemologia de rua. Disse a Delia que queria compreender os motivos dela para acreditar e depois ver se ela poderia analisar se esses eram bons motivos. Delia estava disposta. Anthony disse que, se tinha entendido bem, questionar a existência de Deus poderia tirar o bem-estar dela. Ela respondeu que sim, que a ideia de começar da estaca zero era uma proposta perturbadora.

Anthony disse que entendia, repetindo para Delia o que ela havia dito a ele e expandindo um pouco. "Pode ser devastador pensar que algo que era como uma âncora em termos de conforto é uma ilusão." Delia concordou.

Então, Anthony perguntou: se fosse descoberto que a âncora não existe de verdade, ela gostaria de saber?

"Claro que não", disse ela. "Eu não ficaria confortável sabendo disso com certeza." Mais uma vez, Anthony repetiu e expandiu, e mais uma vez disse que entendia perfeitamente de onde ela partia. Ela disse que o mistério de tudo aquilo era o que mantinha as religiões vivas. Como uma meditação. Você precisa se condicionar a acreditar, para se sentir melhor, para funcionar na vida. "Religião, no fim das contas, é isso."

Anthony perguntou a ela se seria possível se sentir confortável e funcional, viver uma vida plena e encontrar significado sem ter que recorrer a uma religião. Enquanto ela respondia, eles cruzaram a marca de quatro minutos, e depois a marca de catorze minutos.

Então, Anthony perguntou se havia alguma desvantagem em pensar que algo é verdade se você não tivesse bons motivos.

Delia respondeu que talvez. "Eu me questiono diariamente e preferiria não fazer isso." Ele foi mais fundo, perguntando como era essa sensação.

Ela disse que, quando começava a se questionar, às vezes enquanto cantava na igreja, olhava em volta e se perguntava como as outras pessoas conseguiam fazer aquilo. "Uau, essas pessoas estão vivendo plenamente suas vidas inteiras sem questionar nada." Como elas conseguiam? Ela se sentia isolada ao questionar algo que era tão "consolidado na cabeça de todo mundo". Era nessas horas "que já não existe um senso de comunidade, só nesses momentos, só dentro de mim. É como se, de repente, eu estivesse sozinha no meio de uma multidão. Você já se sentiu, tipo, perdido? Como se estivesse em outro país e não conhecesse ninguém?".

"Já", respondeu Anthony. "É como se eu estivesse cercado de pessoas, mas elas não me entendessem." Ao que ela concordou: "Sim, é tipo isso".

Anthony perguntou se talvez, em momentos como aquele, não poderia haver outras pessoas ao redor dela na igreja sentindo o mesmo.

"Ah, claro, totalmente", respondeu Delia. Muitas vezes ela desejava que houvesse um balão de pensamento sobre as cabeças das pessoas para ela saber o que se passava dentro delas.

Anthony compartilhou que já havia sido como ela. Ele se sentava no banco da igreja e achava que não tinha uma boa razão para acreditar nas mesmas coisas que os outros ao redor dele acreditavam. Talvez eles também não tivessem bons motivos e estivessem resignados com aquilo, mas ele precisava de mais.

Anthony se sentiu contente por ter ajudado Delia a descobrir as verdadeiras razões pelas quais ela continuava acreditando e por tê-la ajudado a ponderar se essas razões justificavam sua confiança. Seu trabalho como epistemólogo de rua estava feito, por ora.

Enquanto guardava suas coisas, Anthony examinou as anotações que fizera durante a conversa.

Âncora, lugar seguro. O mistério pode ser um grande componente para ela. Muito aberta, muito franca. Mencionou anjos. "Então ela se virou para mim e disse que justamente aquilo que ela havia acabado de macular era fundamental", disse ele em voz alta para as pessoas que ouviam no Discord e que haviam feito alguns comentários. Alguém sugeriu que ele poderia ter perguntado: "Uma pessoa questionaria se não quisesse saber a verdade?". Ele disse que era um ótimo feedback.

Saí correndo de detrás dos arbustos e fui até ele. Eu tinha ficado assistindo logo atrás de alguns arbustos decorativos, conectado ao Discord junto com os outros para poder ouvir o trabalho de Anthony. Fiquei feliz por estar compartilhando seu outro fone de ouvido, porque dois homens tocando tubas não paravam de dar voltas enquanto uma multidão cada vez maior de estudantes se preparava para uma apresentação da banda marcial.

"Ela ofereceu uma imagem maravilhosa. Puxa, quantos de nós não se identificam com isso? Sentados em uma igreja, uma mesquita ou um templo, imaginando se as pessoas ao nosso redor estão questionando aquilo?" Anthony pegou seu cooler e as câmeras, guardou o quadro branco, e fomos em direção ao carro dele.

"E o Tic Tac?", perguntei. Anthony disse que já havia testado várias formas de avaliar o ponto de vista que seu interlocutor tinha durante a etapa de construção de relacionamento, e uma caixinha de Tic Tacs era sem dúvida a melhor delas.

Ele perguntava se eles concordavam que o número total de balinhas na caixa tinha que ser ou par ou ímpar. Eles geralmente concordavam, embora às vezes alguém dissesse que poderia ser os dois. De qualquer forma, ele perguntava como eles fariam para descobrir. O que quer que respondessem, ele então perguntava: "E se uma pessoa dissesse que havia um número par depois de você ter contado e descoberto que era ímpar? E se essa pessoa dissesse que essa era a verdade *dela*?".

Em sua casa em San Antonio, Anthony me mostrou sua página no YouTube, onde havia publicado centenas de conversas como aquela com Delia, algumas de mais de seis anos antes. Ele acompanhava as pessoas por suas crenças em coisas como a lei da atração, teorias da conspiração, fantasmas, design inteligente, justiça, *O segredo* e uma série de conceitos bem-estabelecidos da história, das ciências e da medicina. A ideia era sempre aprimorar, colocar as conversas na internet para que outras pessoas pudessem analisar e comentar, de modo que a comunidade crescesse junto.

"Uma das descobertas divertidas é que provavelmente podemos explorar praticamente qualquer alegação usando esse método", disse ele sentado em seu sofá. "O modelo de como você aborda a alegação esclarecendo com exatidão sobre o que vocês estão falando, depois descobrindo os motivos que as pessoas dão e em seguida explorando a confiabilidade do método que elas usam para chegar à conclusão pode ser aplicado a qualquer coisa."

Anthony disse que havia começado perguntando às pessoas sobre religião, mas "a epistemologia de rua se expandiu naturalmente, porque muitas vezes havia pessoas que diziam não acreditar em nenhuma divindade ou que não queriam falar sobre isso". Em vez de apenas se despedir, ele dava continuidade às conversas. "Também houve alguma resistência de pessoas da comunidade religiosa que achavam que a ferramenta havia sido desenvolvida especificamente para destruir sua estrutura."

Anthony admite que, sim, essa era sua ideia original; frustrado com a frequência com que as crenças religiosas se infiltravam nos sistemas educacional e legislativo, ele já foi um ateu aguerrido. Fez parte de várias organizações ativistas de ateus, local e globalmente, e, depois de ler um livro do filósofo Peter Boghossian sobre como questionar as pessoas usando o método socrático, foi até o cinema Alamo Drafthouse nos fins de semana para colocá-lo em prática com os pregadores de rua que ficam à porta gritando com as pessoas.

"Moleza", eu disse, "para vocês dois."

Ele riu.

"De jeito nenhum. Era como bater em uma parede de tijolos a duzentos por hora, porque o local era inapropriado. Eu acabava sempre voltando ao meu modo combativo." Anthony disse que não ouvia. Não tentava entender. Mas, conforme foi publicando seus vídeos, as pessoas começaram a dar feedback.

"Tente isso. Faça aquilo. Por que você fez essa pergunta? Eu me abri às sugestões deles em vez de pensar: 'Como vocês ousam me dizer como fazer isso?'. Era bastante sofrido ler o que as pessoas escreviam, mas pensei: como posso incorporar isso e melhorar?"

O *debriefing* se tornou uma parte essencial de sua atuação, primeiro nas seções de comentários, depois ao vivo, enquanto falava pelo Discord. Uma conversa de cinco minutos se transformava em uma semana inteira de debates sobre como poderia ter sido melhor. "Você notou que, no início, a pessoa seguiu por um caminho, depois você disse tal coisa e ela pegou outro?", disse Anthony. "Nós testávamos tudo para ver se fazia sentido."

Outras pessoas passaram a testar também, e fizeram o mesmo com seus vídeos. Uma comunidade começou a se formar, e logo foi criado um site com recursos e diagramas, depois vieram os podcasts, os workshops e as redes sociais, e então um aplicativo chamado Atheos. Psicólogos, biólogos e professores de filosofia se juntaram, oferecendo dicas, aplicando eles mesmos o método. Milhares de conversas que usavam a epistemologia de rua entraram em um processo de revisão coletiva, todos procurando aprimorar e trocar ideias, em países pelo mundo todo e falando de assuntos tão abrangentes quanto racismo e política, golpes e fraudes na internet. Hoje eles vendem camisetas e adesivos com o logotipo oficial da Street Epistemology, e Anthony dá palestras em conferências por todo o planeta.

Depois de seis anos e centenas de conversas, Anthony disse que sua raiva havia diminuído. Como muitos ateus militantes que se conheceram pela internet nos anos 2000, ele e outros membros da comunidade da epistemologia de rua se distanciaram de figuras controversas como Richard Dawkins e até de Peter Boghossian, que haviam usado as redes sociais para reclamar dos "guerreiros da justiça social".

Anthony e outros como ele fazem parte de uma dissidência humanista, defensora dos direitos das pessoas trans e da justiça racial, disposta a tomar ácido e comer brownies de maconha e falar sobre os mistérios do universo, desde que os outros estejam dispostos a aceitar a epistemologia de rua para mergulhar o mais fundo possível no debate sobre mecânica quântica ou sobre seres ancestrais que semeiam a Terra com cogumelos para acelerar nossa evolução. Nada é tabu, e as pessoas que acreditam em coisas estranhas não são mais vistas como simplórias ou malucas.

Anthony disse que a epistemologia de rua foi libertadora nesse aspecto. A comunidade a vê como uma ferramenta para chegar a uma maneira melhor de pensar em geral, e o objetivo é compartilhá-la o máximo possível, e não mais tentar fazer as pessoas mudarem de ideia. O objetivo é ajudar as pessoas a chegarem a um modo de pensar mais rigoroso, uma forma melhor de chegar à certeza ou à dúvida. Aquilo em que uma pessoa acredita não é mais o ponto central da conversa, mas como e por que ela acredita em determinadas coisas e não em outras. Mas, para mim, parecia que estimular as pessoas a mudar sua epistemologia *era* fazê-las mudar de ideia. Isso mudava algo mais profundo que as crenças, as posturas e os valores nos cérebros delas.

Mais tarde ele esclareceria, como costuma acontecer, que a frase "mudar de ideia" pode significar muitas coisas. O que ele queria dizer era que ele não dá início a uma conversa para mudar as conclusões das pessoas sobre o que é e o que não é verdadeiro, moral ou importante. Apesar disso, geralmente é o que acontece quando alguém se dá ao trabalho de passar por todas as etapas com ele.

Eu tinha ouvido falar na epistemologia de rua depois que um professor de surdos e deficientes auditivos de Vitória, na Colúmbia Britânica, me enviou um e-mail. Eu vinha tuitando sobre meu interesse em persuasão, descrevendo algumas das pessoas que havia conhecido enquanto escrevia as primeiras partes do livro. O professor me mandou mensagem dizendo que muito do que eu falava se parecia com elementos que eles haviam incorporado ao programa de epistemologia de rua de lá. Ele compartilhou o link de um dos vídeos de Anthony e disse que eu deveria dar uma olhada.

Algumas semanas depois, eu estava falando ao telefone com Anthony, e, no mês seguinte, estava em sua sala de estar pedindo que ele me ensinasse o método.

EIS AS ETAPAS:

1. Estabeleça um relacionamento. Assegure à outra pessoa que você não quer constrangê-la e, em seguida, peça consentimento para explorar o raciocínio dela.

2. Peça uma alegação.

3. Confirme a alegação, repetindo-a com suas próprias palavras. Pergunte se você fez um bom trabalho ao resumi-la. Repita até que a pessoa esteja satisfeita.

4. Esclareça as definições da pessoa. Use as definições dela, não as suas.

5. Pergunte o grau de confiança que a pessoa tem na alegação, em valor numérico.

6. Pergunte que motivos ela tem para manter esse grau de confiança.

7. Pergunte qual método ela usou para avaliar a qualidade de suas razões. Concentre-se nesse método pelo resto da conversa.

8. Ouça, resuma, repita.

9. Conclua e deseje tudo de bom.

Ele explicou que a ideia é metacognição guiada: estimular a pessoa a pensar sobre seu próprio pensamento, mas somente depois que ela já tiver usado o próprio raciocínio para produzir uma alegação e apresentar sua justificativa. Com ajuda, ela pode avaliar seus próprios métodos, questionar suas razões e avaliar os méritos de seus próprios argumentos.

ETAPA 1: ESTABELEÇA UM RELACIONAMENTO

É importante se lembrar de que a outra pessoa deve estar aberta a tudo isso. Você precisa pedir o consentimento dela. Precisa ser transparente. Pergunte sobre ela, sobre a vida dela, sobre o que ocupa a maior parte de seu tempo, o que ela está fazendo naquele dia. "Ouça a história dela. Ouça a emoção da história", disse Anthony. Isso pode ser frustrante quando você quer entrar em um assunto, "mas é realmente importante, porque as pessoas querem se sentir ouvidas. Querem sentir que você vai ouvi-las".

Ele comparou isso com a abordagem médica. Você confia em um médico ou enfermeiro que passa a conhecer você, que te escuta. E isso afasta a ameaça do constrangimento, disse ele. A maneira mais rápida de acabar com uma conversa antes mesmo de começá-la é sinalizar hostilidade. Qualquer coisa que possa ser mal interpretada como "você deveria se envergonhar por pensar assim" será recebida com raiva. "Há tanto desrespeito que, quando você encontra alguém que de fato quer ouvir e fazer algumas perguntas sobre a sua história, você se sente seguro, e quando você se sente seguro, você se abre mais."

ETAPA 2: PEÇA UMA ALEGAÇÃO

Mesmo que você já saiba, pergunte diretamente. A epistemologia de rua funciona melhor com afirmações empíricas baseadas em fatos, como "a Terra é plana" ou "o governo ouve o que a gente fala com a Alexa", mas também pode ser usada para explorar afirmações baseadas em posturas, como "Joe Biden é um péssimo presidente" ou "sorvete de morango é melhor que de baunilha", ou ainda afirmações baseadas em valores, como "o dinheiro dos impostos deveria ser usado para quitar os empréstimos estudantis, não para comprar porta-aviões". De qualquer forma, o objetivo da epistemologia de rua é investigar o raciocínio que sustenta uma alegação, e não é possível fazer isso até que ambas as partes estejam de acordo sobre o que será debatido.

ETAPA 3: CONFIRME A ALEGAÇÃO

Repita para a outra pessoa com suas próprias palavras: "Se eu entendi direito, você está dizendo que...". Mas não há necessidade de ser formal. Depois de fazer isso algumas vezes, você vai descobrir formas de refletir e parafrasear que soam naturais.

ETAPA 4: ESCLAREÇA AS DEFINIÇÕES

O problema com a maioria dos debates é que muitas vezes não estamos debatendo de fato, porque nossas definições dos termos não são iguais às do outro. Pense em "governo", por exemplo. *Você* pode vê-lo como um conjunto de funcionários públicos tentando apaziguar seus eleitores. O *outro* pode vê-lo como uma sala cheia de fumaça, onde um grupinho de bilionários maliciosos discute seus planos para repartir o país entre eles. Se presumir que vocês dois estão falando sobre o seu conceito de "governo", vai acabar discutindo consigo mesmo em vez de se concentrar nas ideias do outro.

"Começamos a falar sobre coisas distintas", disse Anthony. "Quando alguém usa um termo vago, como 'psíquico', 'verdadeiro' ou 'fé', é fundamental esclarecê-lo. Mas isso é apenas uma pequena parte. Definir o que você quer dizer com uma palavra, definir o que você está dizendo de fato, é apenas 10% do processo."

ETAPA 5: DESCUBRA O GRAU DE CONFIANÇA

A conversa só começa mesmo depois da Etapa 5. Peça à pessoa que estabeleça um valor ao seu grau de confiança, de 0 a 100, para que ela possa começar a desacelerar seu processamento e se questionar sobre quão segura está sobre aquele sentimento. Anthony disse que, muitas vezes, é possível ver algo acontecer nesse exato momento; dá para perceber quando alguém nunca fez aquilo de fato.

Se você estabeleceu um relacionamento e foi bastante aberto e honesto, a outra pessoa deve se sentir feliz por ter uma chance de se explicar. Isso também abre oportunidades para avançar com naturalidade. Se uma pessoa disser que seu grau de confiança é de 80 em 100, você pode perguntar "Por que não 100?", o que impulsiona a conversa para a etapa seguinte, de explorar o raciocínio de uma pessoa.

ETAPA 6: DESCUBRA COMO A PESSOA CHEGOU ÀQUELE GRAU DE CONFIANÇA

Basicamente, pergunte quais os motivos que a pessoa tem para manter aquele grau de confiança. Se ela apresentar vários, tente escolher um, observando o que há de comum entre eles. Qual o fator que contribui mais para esse sentimento de confiança?

"Às vezes, as razões que elas dão são *post hoc*, porque naquele momento estão fazendo um esforço para pensar: 'Quais as razões para eu achar que isso é verdade?'", disse Anthony. "A razão que elas dão pode ser apenas o que veio à cabeça delas na hora. Pode não ser de fato o verdadeiro motivo. Há algo mais que sustenta a visão delas. Portanto, uma das perguntas mais importantes que fazemos à pessoa é: 'Se você descobrisse que esse não era um bom motivo para manter um alto grau de confiança no que você julga ser verdade, se você descobrisse isso sozinho ou por meio desse diálogo, isso diminuiria sua confiança?'. E, se a pessoa disser que o grau de confiança não mudaria mesmo que ela descobrisse que o motivo não era real, você basicamente risca esse motivo da lista e pode simplesmente ir e voltar quantas vezes forem necessárias até chegar ao verdadeiro motivo."

ETAPA 7: PERGUNTE QUAL MÉTODO ELA USOU PARA AVALIAR A QUALIDADE DE SUAS RAZÕES

A Etapa 7 é a mais importante, mas você não precisa perguntar diretamente. O objetivo nesta etapa, como disse Anthony, é estimular as pessoas a testarem a confiabilidade do método que elas normalmente usam para "avaliar a qualidade das próprias razões", e, em seguida, perguntar se, com base nesse método, essas razões ainda justificam seu grau de confiança atual.

No site da epistemologia de rua, no PDF de cinquenta páginas que eles disponibilizam, esta etapa é a que recebe mais atenção no seminário, pois há infinitas variações de perguntas que podem ser feitas. As melhores revelam contradições e fraquezas na epistemologia da pessoa, ao estilo do método socrático. Anthony deu alguns exemplos, enfatizando que cada uma deve ser reformulada para abordar o que a outra pessoa compartilhou até o momento: "Seu método também poderia ser usado para chegar a conclusões completamente diferentes e conflitantes?", e, em caso afirmativo, "O que isso diz sobre a qualidade do método que você está usando para chegar à sua crença?".

Ele acrescentou ainda que uma técnica que muitos epistemólogos de rua usam é pedir às pessoas que imaginem que alguém olhou para as mesmas evidências e chegou a uma conclusão diferente, e agora uma terceira pessoa está olhando para ambos os argumentos. Como essa terceira pessoa determinaria qual conclusão era verdadeira?

Eu disse a Anthony que planejava passar um tempo com Mark Sargent, um dos mais proeminentes terraplanistas. Eu queria saber qual deveria ser o desdobramento ao usar as etapas que ele havia me explicado até então. Ele me disse para perguntar: "Qual você diria que é a maior razão pela qual você acha que a Terra é plana atualmente? O motivo que mais influenciaria sua confiança? O motivo que mais diminuiria sua confiança se você descobrisse que ele não é verdade? Se você fosse dar uma aula para uma sala cheia de alunos do jardim de infância sobre por que a Terra é plana, qual seria o seu argumento principal?".

Respondi que ele provavelmente mencionaria como eles rastreiam aeronaves em todo o mundo usando radiotelemetria e que elas nunca cruzam o Hemisfério Sul, porque não existe Hemisfério Sul. Esse era um argumento recorrente entre os terraplanistas, ainda que possa ser facilmente desmascarado.

Anthony disse que essa seria uma ótima oportunidade para chegar ao verdadeiro motivo. Ele disse para pedir a um terraplanista que voltasse a um tempo antes de acreditar nessa teoria. "Qual foi o evento definitivo que o levou a ter a certeza que tem hoje de que a Terra é plana? Foi o argumento das aeronaves, ou seja, você teve mais confiança de que a Terra era plana depois que ouviu falar dele?" Se a pessoa disser que sempre suspeitou do governo ou algo semelhante, o verdadeiro motivo provavelmente é uma desconfiança da ciência ou da autoridade, mas você não pode revelar essa suspeita. A pessoa precisa descobrir isso sozinha, o que geralmente acontece mais adiante, quando você chega à Etapa 7 e faz perguntas que revelam a confiabilidade do método dela.

No exemplo da Terra plana, ele me disse para perguntar se, caso fosse possível demonstrar que os aviões não passavam sobre o Hemisfério Sul não porque a Terra é plana, mas por algum outro motivo, isso afetaria a confiança deles. Ele se imaginou perguntando: "Não sou especialista nisso, mas se tivéssemos pessoas do setor da aviação, especialistas em quem ambos confiamos, e elas pudessem passar dez horas com a gente para explicar os meandros das viagens de alta altitude e como isso pode realmente funcionar em um modelo global, isso influenciaria sua confiança de alguma forma?".

Você precisa saber o verdadeiro grau de importância das evidências, disse ele. Pergunte como eles reagiriam se alguém visse a mesma informação e chegasse a uma conclusão diferente. Você usa os mesmos padrões para as contraprovas? Como você concluiu que essa era a melhor explicação para o que observou? O ponto aqui é se afastar da alegação em si e ajudar a pessoa a ver como ela a avalia. A pessoa vai estar disposta a pô-la à prova, a lidar com a refutação? Essa é a parte mais difícil do processo, e é aqui que os Tic Tacs vêm a calhar.

"É desconfortável ver você desconfortável. Surge um desejo de mudar de assunto. Não mude, porque é aí que as sementes são plantadas. Alguém comentou em um dos meus vídeos uma vez: 'Você é muito bom em deixar as pessoas desconfortáveis de um jeito confortável'. E é exatamente isso.

Eu quero que você fique desconfortável o suficiente para pensar sobre seus pensamentos, mas confortável o suficiente para não sair dali furioso. O objetivo não é colocar alguém em uma sinuca de bico. É descobrir como as pessoas chegam às conclusões que chegam e ajudá-las a enxergar isso."

ETAPA 8: OUÇA, RESUMA, REPITA

De certa forma, a Etapa 8 é repassar todas as etapas mais uma vez, refletindo e parafraseando. Se a outra pessoa desviar o olhar, espere. Em filosofia, isso se chama aporia, um momento de consternação e reflexão, e é importante não se intrometer nessa pausa para interromper essa reflexão. Essa é também a sua deixa para concluir, que é a Etapa 9.

Se você quiser, pode voltar aos números e perguntar pela segunda vez o grau de confiança do outro, em uma escala de 0 a 100, mas Anthony disse que isso não é necessário. O mais importante é agradecer às pessoas pelo tempo delas e incentivá-las a continuar pensando sobre o que foi debatido, a continuar pensando sobre seus próprios pensamentos. Se você ainda não fez isso, sinta-se à vontade para compartilhar suas próprias opiniões sobre o assunto, e, se a outra pessoa quiser explorá-las da mesma maneira que você explorou as dela, permita. Se não, encerre com a Etapa 9.

ETAPA 9: DESPEÇA-SE E SUGIRA RETOMAR A CONVERSA EM OUTRO MOMENTO

Anthony enfatizou que a epistemologia de rua tem a ver com aprimorar os métodos das pessoas para chegar à confiança, não com persuadir alguém a acreditar em uma coisa mais do que em outra. Talvez no começo fosse isso, mas hoje não há nenhuma crença que eles estejam tentando empurrar, nenhuma pauta, nenhuma lei que queiram que as pessoas votem a favor ou contra. Afinal, se eles aprenderam alguma coisa com o método, foi que ele ou qualquer outra pessoa da comunidade pode estar errado.

Ele reiterou que é preciso ser franco. Pergunte abertamente: "Com o seu consentimento, gostaria que investigássemos juntos o raciocínio por trás de suas alegações, e talvez questioná-lo, de modo que fique ou mais forte ou mais fraco — porque o objetivo aqui é que nós dois saiamos com uma melhor compreensão de nós mesmos", ou algo assim. E, se esse não for o seu objetivo, não vai funcionar. Não tem como fingir.

Seja claro: "Não quero interpretá-lo erroneamente, então, por favor, me corrija. Não tenho desejo algum de enganar você, então, se eu não entender seus argumentos corretamente, me avise". Não interrompa a pessoa. Caminhe na mesma velocidade que ela. Permita que haja pausas. Use os significados e o raciocínio do outro. Mantenha-se na cabeça dela e fora da sua. "Quero saber se sua confiança se justifica. Não tem a ver com estar factualmente correto. Não sou um especialista, e, de qualquer modo, não temos tempo suficiente para isso. Portanto, em vez de debater se essas afirmações são verdadeiras ou falsas, quero apenas explorar, junto com você, se sua confiança nessas conclusões é justificada."

Você está tentando tirar a pessoa de um ciclo para colocá-la em um estado de metacognição. Não pode copiar e colar o seu raciocínio em outra pessoa. É disso que se trata, disse ele. Você está guiando a pessoa por meio do próprio raciocínio dela para que ela possa entendê-lo. "É isso. É surpreendente como é simplesmente isso."

—

Ao ver Anthony trabalhar e ouvi-lo explicar o método, não pude deixar de notar que a epistemologia de rua e a pesquisa em profundidade pareciam incrivelmente parecidos em muitos aspectos.

A pesquisa em profundidade tinha foco no objetivo; o Leadership LAB queria fazer as pessoas mudarem de ideia para concordar com as deles, mas tinha menos a ver com as crenças que com as posturas, embora as crenças fossem importantes. Ainda assim, tratava-se também de fazer as pessoas pensarem sobre seus próprios pensamentos, sobre por que tinham confiança neles, o que provou ser mais bem-sucedido do que focar em alegações e fatos.

A epistemologia de rua também era semelhante aos 4 passos que Megan Phelps havia compartilhado comigo como um guia para chegar às pessoas de grupos como a Westboro — não presuma que há más intenções, fique calmo, faça perguntas, apresente argumentos. Também vi ali partes do ELM e do HSM — confiança por meio do relacionamento, falar com as pessoas cara a cara, reduzir a carga cognitiva e limitar as distrações, tornar a mensagem relevante para a pessoa do outro lado, ouvir pacientemente. Acima de tudo: estimular o processamento ativo e encaminhar as pessoas para a rota central, de modo a garantir que, quando elas mudarem de ideia, o façam de forma que crie raízes e seja duradoura.

Quando Anthony me mostrou uma pirâmide que usava no treinamento, com O QUÊ na pequena parte superior, POR QUÊ? no meio e COMO na base, sinalizando a importância relativa da alegação, das razões dela e, em seguida, seu método como tema de discussão, eu me lembrei do bolo em camadas da pesquisa em profundidade. Ficou claro para mim que todas essas pessoas haviam descoberto de maneira independente os princípios que funcionam melhor quando se trata de persuasão.

Por motivos diferentes e com propósitos diferentes, elas aperfeiçoaram seus métodos durante anos, por meio de milhares de conversas, descartando o que não funcionava e mantendo o que funcionava, até chegarem a algo confiável. Como inventores em continentes distintos tentando construir o primeiro avião, os dados científicos estavam à espera de serem descobertos e aplicados. As invenções que decolaram eram semelhantes, naturalmente, porque a física subjacente era a mesma. De forma análoga, a persuasão é a mesma onde quer que seja aperfeiçoada, porque os cérebros são os mesmos onde quer que as pessoas conversem.

Isso ficou ainda mais evidente algumas semanas depois de eu me encontrar com Anthony Magnabosco, quando conheci Karen Tamerius, da Smart Politics.

Ela havia me enviado um e-mail depois que eu postei no Twitter que estava pesquisando técnicas como o da pesquisa em profundidade e da epistemologia de rua. Ela queria saber se eu poderia conectá-la a alguém de cada uma dessas organizações, porque ela também havia encontrado algo semelhante. Enquanto psiquiatra, ela acreditava que os mesmos princípios que funcionam na terapia funcionariam ao discutir política, e começou a ter conversas assim como as do Leadership LAB e as de Anthony Magnabosco, com resultados parecidos. Ela criou a Smart Politics para ajudar a ensinar os progressistas a conversar com parentes conservadores, e havia pouco tempo escrevera um artigo sobre sua startup no *New York Times*. Havia até criado um *unclebot*, uma inteligência artificial simples para interpretar um parente que gosta de discutir.

Perguntei se poderíamos nos encontrar para comparar anotações.

"É uma ilusão achar que se fala sobre fatos", ela me disse. "Ambos acham que estão falando sobre o assunto, mas o mais importante é a pessoa."

Tamerius disse que sua experiência como psiquiatra lhe dizia que, em qualquer tentativa de persuasão, a prioridade deveria ser estruturar a conversa de uma forma que fortalecesse o relacionamento entre você e a outra pessoa, e a cada segundo trabalhar para sinalizar à outra pessoa que você não é um outro, que não é membro do que ela considera *eles*. Ao mesmo tempo, você deveria fazer a mesma coisa internamente. Dar o seu melhor para não vê-la como um outro e não enquadrá-la na categoria *eles*.

Perguntei sobre o método dela, se era dividido em etapas, e ela disse que sim.

Primeiro, faça uma pergunta não ameaçadora, sem resposta certa nem errada. Algo como: "Tenho lido muito sobre vacinas ultimamente, você já leu alguma coisa?". Em seguida, apenas escute por um tempo. Depois, sinalize sua curiosidade e estabeleça um relacionamento fazendo uma pergunta de acompanhamento, sem julgamento. Em seguida, reflita e parafraseie. Resuma o que você ouviu até o momento para fazer a outra pessoa se sentir ouvida e respeitada. Então, procure um terreno comum nos valores da pessoa dela. Você pode não concordar com o argumento, mas pode comunicar que tem os mesmos valores que ela, os mesmos medos e ansiedades, preocupações e objetivos, como ela. Você apenas acha que a melhor forma de lidar com esses problemas é um pouco diferente. Em seguida, compartilhe uma narrativa pessoal sobre seus valores, para aprofundar ainda mais a conexão. Por fim, se as suas opiniões tiverem mudado ao longo do tempo, compartilhe como foi.

Tamerius disse que a chave de seu método é aprender o que motiva os outros. Ela também tinha um diagrama. Ela o chamava de Pirâmide da Conversa de Mudança, e era estruturado como uma hierarquia na qual cada motivação deveria ser abordada antes de se passar para a seguinte, com a mudança no topo. Na base, estaria o conforto. Em seguida, a conexão. Depois, compreensão, compaixão e, por fim, mudança. Escrevendo sobre a pirâmide em seu site, ela disse: "O erro que cometemos nos debates políticos é ir direto para o topo da pirâmide, sem dar conta de todas as outras necessidades de que as pessoas precisam dar para que a mudança seja possível".

Eu disse a Tamerius que a Smart Politics era muito semelhante à pesquisa em profundidade e à epistemologia de rua; e aos princípios criados por Megan Phelps, compartilhados em seu TED Talk. Tamerius disse que achava mesmo possível, e que parecia a ela que todos chegavam às mesmas conclusões que os terapeutas nos últimos cinquenta anos ao lidar com pessoas resistentes à mudança. "Em particular", disse ela, "as técnicas que visam fazer as pessoas mudarem de ideia em ambientes terapêuticos geralmente usam fragmentos da literatura sobre entrevistas motivacionais."

Pedi a ela que me desse um exemplo — talvez envolvendo vacinação, porque, na época em que conversamos, muitas pessoas estavam frustradas com entes queridos que hesitavam em se vacinar.

EIS AS ETAPAS:

1. Estabeleça um relacionamento. Assegure à outra pessoa que você não quer constrangê-la e, em seguida, peça o consentimento dela para explorar seu raciocínio.

2. Pergunte: Em uma escala de 1 a 10, qual a probabilidade de ela se vacinar? Se a resposta for 1, pergunte: Por que outras pessoas, as que não hesitam, estariam mais altas nessa escala?

3. Se a resposta for acima de 1, pergunte: Por que não menos?

4. Depois que ela apresentar seus motivos, repita-os com as suas próprias palavras. Pergunte se você fez um bom trabalho ao resumi-los. Repita até que a pessoa esteja satisfeita.

ETAPA 1: ESTABELEÇA UM RELACIONAMENTO

Quando der início ao diálogo, assegure à outra parte que você não pretende constrangê-la nem a colocar em posição de ser condenada ao ostracismo por seus colegas. Demonstre franqueza e respeito e peça o consentimento dela continuamente. Não ataque. Tolere as opiniões dela, mesmo que discorde. Ouça sem interromper. Procure entender a posição dela sem reagir. E, acima de tudo, tente encontrar um terreno comum. Um ouvinte interessado, curioso e compassivo é muito mais persuasivo que qualquer fato ou número, explicou ela.

ETAPA 2: PERGUNTE: EM UMA ESCALA DE 1 A 10, QUAL A PROBABILIDADE DE ELA SE VACINAR? SE A RESPOSTA FOR 1, PERGUNTE: POR QUE OUTRAS PESSOAS, AS QUE NÃO HESITAM, ESTARIAM MAIS ALTAS NESSA ESCALA?

Se ela responder a 1, então a pessoa está no que os psicólogos chamam de estágio de pré-contemplação. Como Tamerius explica, as pessoas só mudam de ideia dentro de uma mentalidade de aprendizado. Se a pessoa não se sentir segura, não vai se sentir motivada a aprender. Isso significa que você não pode passar para a tentativa de persuasão. Antes você precisa transportá-la para um estado de aprendizado ativo, saindo do estágio de pré-contemplação e entrando no de contemplação.

De acordo com a entrevista motivacional, os quatro motivos mais comuns pelos quais uma pessoa ainda não está pronta para entrar no estágio de contemplação são: 1) ela não foi confrontada com informações que questionem suas motivações; 2) ela atualmente sente que sua autonomia está sob ameaça; 3) experiências anteriores fizeram com que ela se sentisse sem esperança de mudar; e 4) ela pode estar presa em um ciclo de racionalização. Tudo isso, cabe mencionar, sabemos graças a décadas de trabalho ajudando pessoas a escapar do vício em álcool e em outras substâncias.

Na entrevista motivacional, algumas pessoas precisam ser expostas a ideias novas e questionadoras. Outras precisam se assegurar de que sua autonomia não esteja sob ameaça. Outras exigem novas experiências que desafiem suas noções preconcebidas. Na terapia é possível estimular tudo isso, mas nas sessões é o *ciclo* que mais chama a atenção ao explorar o raciocínio, expondo-o para que as pessoas consigam escapar da racionalização.

Tamerius disse que, uma vez que uma pessoa deixa o estágio de pré-contemplação, quando você pergunta onde ela está em uma escala de 1 a 10, ela passa a responder 2 ou mais, porque os sentimentos que carrega sobre o assunto agora são ambivalentes.

ETAPA 3: SE A RESPOSTA FOR ACIMA DE 1, PERGUNTE: POR QUE NÃO MENOS?

Uma vez que a pessoa é ambivalente, você deve começar perguntando por que ela não está abaixo na escala. Se ela responder 5, pergunte por que não 4. A ideia é ajudá-la a articular sua ambivalência.

ETAPA 4: DEPOIS QUE ELA APRESENTAR SEUS MOTIVOS PARA NÃO ESTAR MAIS BAIXO NA ESCALA, REPITA-OS.

Tamerius alerta que não se deve dedicar tempo a arrancar as justificativas pelas quais a outra pessoa evita a mudança, porque o objetivo aqui deve ser ajudá-la a ver o quão confiável é o próprio raciocínio e, nesse processo, à medida que ela produzir seus próprios contra-argumentos, colocar mais ênfase no outro lado de sua ambivalência. Concentre-se em por que ela não está mais baixo na escala. Não é fácil. Leva tempo. E, muitas vezes, requer mais de uma conversa, às vezes várias.

Tal como acontece com a epistemologia de rua e a pesquisa em profundidade, o primeiro passo, estabelecer um relacionamento, é o mais importante. Ninguém entrará no processamento ativo nem se tornará receptivo ao aprendizado se houver um forte sentimento de "nós contra eles". E estabelecer um relacionamento pode levar várias conversas. Se o relacionamento tiver algum histórico negativo, ele deve ser resolvido antes de qualquer coisa.

Também é fácil arruinar o relacionamento depois de tê-lo construído. Os terapeutas aprenderam que é natural querer dizer a um paciente em crise o que ele deve pensar ou como deve agir — o chamado "reflexo de correção" —, mas isso deve ser sempre evitado, porque coloca a pessoa na defensiva. Ainda que concordem com os motivos apresentados para não beber, os pacientes vão começar a produzir justificativas para fazê-lo. Eles começam a debater essas justificativas, ou o que quer que tenham ido resolver na terapia, e solucionam a ambivalência sem passar pela mudança.[1]

Depois que conversamos, copiei Tamerius em um e-mail de apresentação para Dave Fleischer e Anthony Magnabosco, dizendo que achava que talvez todos eles tivessem chegado à mesma conclusão e devessem se encontrar, talvez até organizar algum tipo de conferência. Nesse meio-tempo, dei continuidade à pesquisa e fiquei surpreso ao descobrir que a pesquisa em profundidade, a epistemologia de rua, a Smart Politics, a entrevista motivacional e outras técnicas de persuasão já haviam sido agrupados sob o rótulo de "refutação técnica" apenas alguns meses antes.

Entrei em contato com os psicólogos que os haviam agrupado, Philipp Schmid e Cornelia Betsch. Eles tinham reunido todas as pesquisas sobre diferentes técnicas de persuasão e publicado um artigo no qual concluíam que todas elas poderiam ser classificadas em uma de duas diferentes categorias de estratégias, sendo a outra "refutação tópica".

Eles explicaram que a persuasão que depende da refutação temática responde a alegações apenas com fatos. É o método preferido de pessoas em ambientes de boa-fé como a ciência, a medicina e a academia, porque nesses ambientes há um senso estabelecido de confiança e responsabilidade que vem do compromisso de privilegiar as conclusões com a maior quantidade de evidências pelos padrões acordados dentro da profissão e sua especialidade particular. Nesses ambientes, quanto mais fatos, melhor. Por outro lado, a persuasão que usa uma forma de refutação técnica se concentra em como uma pessoa processa as informações e o que impulsiona a confiança dela em direção a uma conclusão em detrimento de outra. Ela faz da oposição a uma ideia o foco da discussão, mais do que a ideia em si, e aponta as falhas nos métodos usados para se opor a ela. A refutação técnica pede que as pessoas retrocedam em seu processamento para entender como chegaram a uma conclusão e avaliar se seu raciocínio é sólido.

Schmid me disse que as pessoas muitas vezes hesitam em usar a refutação técnica, principalmente diante de uma plateia, porque se aprofundar nas motivações e no raciocínio que levam outra pessoa às suas próprias conclusões parece algum tipo de manipulação. A impressão é de que apresentar os fatos às pessoas e ir embora é uma atitude mais nobre. Quando o interlocutor parece emotivo, queremos parecer racionais, como se houvesse uma sensação de que as emoções nunca devem entrar em um debate, especialmente sobre fatos. Mas especialistas em raciocínio, como Schmid, me disseram que isso é impossível, porque certeza em si é uma emoção.

Quando o ônibus espacial *Challenger* explodiu, em 1986, o psicólogo Ulric Neisser fez com que sua turma de 106 alunos escrevesse como tinham ficado sabendo, onde estavam, o que estavam fazendo e o que haviam sentido. Dois anos e meio depois, ele fez essas perguntas novamente, e apenas 10% acertaram todas. Mas o interessante não é o fato de que suas memórias tivessem falhado, e sim que eles tenham se recusado a aceitar que elas pudessem ter falhado. Mesmo depois de olhar para suas próprias anotações e ver a verdade, um aluno disse a Neisser: "Essa letra é minha, mas não foi isso que aconteceu".

Quando o neurologista Robert Burton leu sobre esse estudo, ficou fascinado com a própria ideia de certeza. "O que me impressionou foi que não havia razão nenhuma para se fazer um investimento psicológico ali. Você poderia simplesmente dizer: 'Ah, acho que me enganei'. Mas a pessoa estava absolutamente certa de que o que ela estava vendo não estava certo. A sensação de que a nova memória era correta era tão forte que tornava impossível ver que talvez ele estivesse cometendo um erro. E eu pensei, bem, sabe, se isso não for psicológico, talvez esteja em uma base neurológica cognitiva mais básica. E foi isso que me levou a indagar se a sensação de certeza que ele tinha não estaria além de seu controle, o que me levou a pensar nela como um sentimento, uma sensação, em oposição a um pensamento."

Ele escreveu um livro sobre o assunto, intitulado *Sobre ter certeza*, no qual explora a neurociência da própria certeza. Usando o exemplo do *Challenger*, ele explicou que, quando somos confrontados com evidências de que estamos errados, se o cérebro continuar a produzir o estado mental de certeza, não temos escolha a não ser acreditar que estamos certos, ainda que nossa própria caligrafia seja a fonte desse questionamento. Dependendo da força desse sentimento incontornável de "saber que estamos certos", sermos confrontados com o fato de que talvez estejamos errados — factualmente, moralmente ou de outra forma — nos leva a discutir com nossos próprios eus do passado, como se estivéssemos trancados em uma prisão neurológica das nossas próprias convicções.

Burton disse que procurou em toda a literatura psicológica e neurológica, mas não conseguiu encontrar um termo que o satisfizesse. Então ele criou um: "a sensação de saber". Ele agrupa muitas ideias: certeza, convicção, correção e exatidão. Sabemos quando o sentimos e sabemos quando não o sentimos.

Burton usa o exemplo a seguir para ilustrar a sensação de saber; veja se faz sentido para você.

Um jornal é melhor que uma revista. Uma praia é um lugar melhor que a rua. A princípio, é melhor correr do que caminhar. Você pode ter que tentar várias vezes. É preciso alguma habilidade, mas é fácil aprender. Até criancinhas podem desfrutar. Quando se consegue, as complicações são mínimas. Os pássaros raramente se aproximam. A chuva, no entanto, ensopa rapidamente. Muitas pessoas fazendo a mesma coisa também podem causar problemas. É preciso muito espaço. Se não houver complicações, pode ser muito pacífico. Uma pedra vai servir como âncora. Se as coisas se soltarem dela, no entanto, você não terá uma segunda chance.

Ao ler isso, você pode sentir sua falta de certeza sobre o que está sendo dito. Mas, se eu lhe disser que o texto descreve uma pipa, você vai sentir uma emoção completamente diferente ao lê-lo novamente, e não terá escolha. Acontece *com* você. Não decidimos nem escolhemos ter certeza ou incerteza; apenas a sentimos. Mas Burton diz que isso não é uma conclusão: é uma emoção que parece uma conclusão.

Ele me disse que a maior parte do que o cérebro faz acontece "sob o pensamento, e depois é projetado na consciência". Ele diz que o cérebro está constantemente calculando coisas, como a melhor maneira de pegar uma xícara de café ou manter o carro na estrada enquanto conversamos. É a mesma coisa com a sede. "Quando há alta concentração osmótica no corpo, nós a sentimos, temos a experiência da sede, e então talvez articulemos isso verbalmente de forma consciente, dizendo algo como 'Estou com sede'."

Burton disse que a mesma coisa acontece quando sentimos certeza ou incerteza. "Quando você pensa que 2 mais 2 são 4 e acha que está certo, você acha isso porque possui algum módulo inato de matemática ou porque empregou a experiência e a sabedoria recebidas, desde a infância, de ser ensinado que essa é a resposta correta? De qualquer forma, há algo no cérebro que transmite uma sensação de certeza no nível subliminar, da mesma forma como você sente sede, que você não tem como evitar sentir, ainda que não a verbalize."

Burton disse para imaginar que você viu um rosto na multidão que não deveria estar lá. De férias em Belize, você vê seu avô, apesar de ele já ter morrido. "Você vai sentir a probabilidade de que essa pessoa seja, de fato, seu avô no nível corporal, uma sensação visceral de certeza que pode ser articulada como uma porcentagem." Você poderia dizer que tinha 10% de certeza de que era o seu avô. Mas, se visse o rosto de um amigo de longa data, as maquinações da sua certeza interior produziriam um valor mais elevado. Valeria a pena abordar essa pessoa para ver se você estava certo — para ver se, com mais informações, você poderia ajustar o valor.

"Todo esse sentimento é na verdade um cálculo cerebral em um nível subliminar. Então, por inúmeras razões evolutivas, isso vem à consciência como uma combinação de cálculo e sentimento, sem a presença de nenhum pensamento. É uma sensação que parece uma conclusão. É um gigantesco e maravilhoso truque da evolução."

Como explicou Burton, é melhor pensar em crenças e dúvidas como processos, não como posses. Não são como bolinhas de gude dentro de um pote, livros em uma estante ou arquivos em um computador. Crença e dúvida são produto dos neurônios em redes associativas que transmitem uma sensação emergente de confiança ou falta dela. Quando essas redes ponderam esse sentimento em uma direção ou outra, sentimos que uma proposição é verdadeira ou que é falsa.

"Parece... quero dizer, talvez seja porque eu passei muito tempo estudando isso. Parece tão intuitivamente óbvio que, infelizmente, não consigo acreditar em mais nada."

Depois de passar algum tempo com Anthony Magnabosco aprendendo as etapas por trás da epistemologia de rua, aquelas que aumentam ou diminuem o estado emocional de certeza de uma pessoa, aquela sensação de saber ou não saber, enviei um e-mail para Josh Kalla e David Broockman para ver se eles tinham alguma novidade em suas pesquisas sobre os fatores científicos por trás da pesquisa em profundidade.

Nós conversamos pelo Zoom, e compartilhei com eles algumas das coisas que tinha descoberto. Eles disseram que tudo estava de acordo com o que haviam encontrado na literatura e que talvez um dia passassem para a epistemologia de rua, mas ainda estavam fazendo pesquisas sobre a pesquisa em profundidade, produzindo vários novos estudos focados na aplicação dele em outros domínios. A boa notícia obtida de suas pesquisas era que ainda funcionava. Não importava onde fosse aplicado, tinha sido incrivelmente eficaz em tudo, desde mudar o candidato em quem as pessoas pretendiam votar até mudar a postura delas em relação à imigração.

Kalla disse que, quando nos falamos pela primeira vez, havia tantas coisas acontecendo, tantas etapas, que "dentro daquela abordagem abrangente demais", não havia ficado claro ainda o que era o ingrediente ativo e o que era incidental.

PARA RESUMIR A PESQUISA EM PROFUNDIDADE, EIS AS ETAPAS MAIS UMA VEZ, LISTADAS DA MESMA FORMA QUE AS DOS OUTROS MÉTODOS:

1. Estabeleça um relacionamento. Assegure à outra pessoa que você não quer constrangê-la e, em seguida, peça consentimento para explorar o raciocínio dela.

2. Pergunte: De 1 a 10, qual o grau de convicção dela sobre determinada questão.

3. Compartilhe uma história sobre alguém afetado pelo problema.

4. Pergunte uma segunda vez o grau de convicção dela. Se o número tiver mudado, pergunte por quê.

5. Depois que ela se ativer a um número, pergunte: "Por que esse número parece certo para você?".

6. Depois que ela apresentar os motivos, repita-os com suas próprias palavras. Pergunte se você fez um bom trabalho ao resumi-los. Repita até que ela fique satisfeita.

7. Pergunte se houve alguma época na vida dela em que ela não tinha essa convicção, e, em caso afirmativo, pergunte o que a levou a sua postura atual.

8. Ouça, resuma, repita.

9. Compartilhe rapidamente sua história pessoal, de como você chegou à sua postura, mas sem discutir.

10. Peça a avaliação dela uma última vez, depois conclua e deseje tudo de bom.

"Queríamos saber quais partes eram importantes e quais não eram tanto assim", disse Kalla, por razões tanto práticas quanto científicas. "Todos os métodos de refutação técnica são difíceis de aplicar", disse ele, "então, se alguém descobrisse que 15 minutos são tão eficazes quanto 7, poderia ter o dobro de conversas". Essa é a parte prática. Mas, quando se trata das evidências científicas, "O que sabemos que norteia isso?".

Desde nosso último encontro, Broockman e Kalla conduziram três experimentos com 230 pesquisadores que usaram a pesquisa em profundidade para falar sobre políticas de imigração e transfobia com quase sete mil eleitores em sete diferentes localidades nos Estados Unidos. Para encontrar o ingrediente ativo, mantiveram os argumentos de persuasão, mas removeram a troca imparcial de histórias em algumas conversas e não em outras. Eles descobriram que, quando faziam uma pesquisa em profundidade sem compartilhar suas narrativas pessoais, todo o impacto se perdia, ao passo que conversas idênticas que incluíam as histórias continuavam a funcionar incrivelmente bem.

"Retire a escuta sem julgamento e o compartilhamento de histórias: nada de efeito. Coloque-os de volta, e o efeito retorna", disse Kalla. Ele definiu a troca de narrativas sem julgamentos como uma estratégia em que alguém tenta persuadir o outro ouvindo respeitosamente as experiências pessoais dele e, em seguida, compartilha suas próprias histórias enquanto a outra parte faz o mesmo.

A descoberta mais interessante, disse ele, foi que não importa se as histórias que você compartilha sobre o assunto são suas ou de outra pessoa, apenas que envolvam alguém afetado pela questão em pauta. Até mesmo compartilhar um vídeo de outra pessoa contando uma história foi eficaz. Mas eliminar essa troca da pesquisa em profundidade também eliminou todo o seu poder de persuasão.

"A abordagem mais limpa e simples parece ser a melhor", disse ele. "Eu bato na sua porta. Conto uma história simpática. Escuto a sua. Por meio disso, começamos a nos humanizar, a criar empatia e a desmistificar um ao outro. Parece que isso faz a maior parte do trabalho." Até mesmo a pergunta sobre onde você está em uma escala de 0 a 100 parece ajudar, porque a pessoa do outro lado percebe que não será constrangida nem julgada depois que você não reage negativamente ao valor que ela diz.

"Não importa [o quanto] ela diga na escala, você escuta de forma respeitosa. Por que você se sente assim? O que levou a isso? Seja um ouvinte genuíno e curioso, é isso que faz com que eles se sintam abertos a considerar novos pontos de vista. É disso que se tratam os primeiros 3 ou 4 minutos", disse ele. "Se eu simplesmente aparecer na sua porta e contar a minha história sobre uma pessoa trans, não parece natural. Mas, se eu começar com uma escuta sem julgamento, desenvolvemos afinidade e confiança. Você se sente confortável e pode ser franco sobre o assunto."

O segundo ingrediente ativo, que só funciona quando o relacionamento é estabelecido e a resistência é posta de lado, é o poder do transporte narrativo. É aqui que as ciências sociais mapeiam extremamente bem a pesquisa em profundidade, segundo Kalla. O transporte narrativo é aquele sentimento que ocorre quando você fica tão imerso em uma história que se esquece de si mesmo por um momento, seja a de um livro, de uma peça, de um podcast, de uma série de TV, de um filme ou uma história contada ao redor de uma fogueira ou na porta da casa de alguém. Uma extensa linha de pesquisas mostra que, para que ocorra o transporte narrativo, uma história deve conter três características: um componente que impeça sua atenção de divagar, um que evoque consistentemente fortes reações emocionais e um que evoque imagens mentais.[2]

Por que o transporte nos convence dessa forma? Porque é capaz de eliminar a contra-argumentação. Quando estamos envolvidos com uma história, não preparamos uma refutação, porque estamos arrebatados. Uma história não tenta fazer você mudar de ideia. Ela não ameaça sua autonomia nem sua identidade.

Perguntei a Kalla se eu o estava ouvindo corretamente. A primeira etapa era dizer "eu sou um primata social, você é um primata social, mas estamos bem aqui". Em seguida, compartilhar informações de uma forma que o outro não se sentisse compelido a contra-argumentar.

"Sim, isso reflete a forma como eu penso."

Entre as técnicas de persuasão que dependem da refutação técnica, a epistemologia de rua parece mais adequada para crenças em questões empíricas, como se fantasmas são reais ou se os aviões espalham químicos de controle mental por meio de seus rastros. A pesquisa em profundidade é mais adequada para posturas e avaliações emocionais que orientam nossa busca por evidências confirmatórias, como se um CEO é mau-caráter ou se uma norma específica vai acabar com o país. A Smart Politics é mais adequada para valores, a hierarquia de objetivos que consideramos mais importantes, como a posse de armas ou a reforma das leis de imigração. E a entrevista motivacional é mais adequada para estimular as pessoas a mudar comportamentos, como ser vacinado para ajudar a acabar com uma pandemia ou reciclar o lixo para ajudar a contornar as mudanças climáticas.

Em todas essas técnicas, às vezes opiniões são transformadas, mas nem sempre. Normalmente, a mudança leva várias conversas. Estabelecer um relacionamento, apenas, pode levar mais de uma. Em cada uma, uma vez que baixamos a guarda, entramos em um estado de processamento ativo. Se a pessoa do outro lado nos estimula a pensar sobre o nosso próprio pensamento sem nos julgar nem nos constranger, é quase impossível que nossas certezas não aumentem ou diminuam um pouco, que nossas posturas não se movam um pouco mais em uma direção que em outra, que não pareça válido repensar um pouco nossos valores ou que nossas intenções e planos não pareçam merecer ajustes.

Cruzar a linha do verdadeiro para o falso ou do positivo para o negativo costuma representar o mesmo grau de mudança que passar do certo para o duvidoso ou do muito positivo para o ligeiramente positivo. Por causa disso, Karen Tamerius me aconselhou a não me desencorajar buscando conversões completas. Elas acontecem, mas qualquer mudança de qualquer tipo conta como mudança de opinião. Todas essas técnicas ainda estão aprimorando seus métodos, a epistemologia de rua talvez mais que as outras, porque a comunidade é muito nova e muito conectada e entusiasmada na hora de compartilhar suas conversas uns com os outros para obter feedback.

"Existe uma versão melhor hoje do que havia há dois anos", me disse Anthony. "Em dez anos, vamos rir dos vídeos que publicamos hoje e pensar: 'Como isso era primitivo!'."

Quando perguntei a Anthony o que o motivava, o que alimentava sua paixão, ele respondeu: "Quero viver em um mundo onde as pessoas acreditem em coisas verdadeiras. Mas percebi que ridicularizar, ficar com raiva e dizer às pessoas que elas estão erradas não vai ajudá-las. Estamos todos meio que no mesmo barco. Estamos apenas buscando razões para justificar as visões que já temos. Depois de aprender isso, você começa a sentir empatia, de verdade. Começa a ter humildade epistêmica sobre aquilo em que você mesmo acredita".

Depois de deixar o Texas, tive a chance de usar a epistemologia de rua em um retiro no Canadá, onde fui convidado a dar uma palestra sobre pensamento conspiratório e o viés de confirmação.

Viajei de trem para o interior, depois peguei um ônibus até o norte de Montreal, onde cerca de quarenta pessoas passaram o fim de semana dando palestras e se reunindo em torno de fogueiras, dormindo em beliches em um enorme alojamento no local onde fica um observatório astronômico. Naquele clima de acampamento de verão para adultos, sem internet, todos nos tornamos amigos rapidamente, rindo e bebendo, comendo juntos no refeitório e trocando histórias sobre nossas apresentações e obsessões.

A maioria das minhas histórias era sobre técnicas de persuasão. Mencionei a epistemologia de rua na palestra, mas não entrei em detalhes. Depois disso, uma das pessoas com quem passei mais tempo junto à fogueira, o empreendedor Jaethan Reichel, disse que gostaria de ver a técnica em ação. Eu disse claro, vamos sentar e fazer isso hoje à noite no jantar.

A notícia se espalhou e, quando nos sentamos um de frente para o outro, uma pequena multidão parou para assistir, cuja maioria trabalhava no Vale do Silício, mas havia também alguns ativistas e jornalistas. Eu disse a Jaethan que nosso tópico poderia ser qualquer um, mas que, para melhor exibição da técnica, precisava ser algo meio fundamental — algo que orientasse o pensamento dele em outras esferas. Havia alguma crença que ele gostaria que eu questionasse?

Jaethan corajosamente apresentou sua crença em Deus. Eu o avisei que era arriscado colocar algo assim em pauta, mas ele estava disposto.

O relacionamento já havia sido construído, porque tínhamos passado bastante tempo juntos, então avancei para a etapa seguinte e perguntei, em uma escala de 0 a 100, qual era o grau de confiança dele na existência de Deus. Ele disse que 50, às vezes mais, às vezes menos. Perguntei por que não 0, por que não 100, e que razões justificavam sua confiança. Jaethan disse que teria que me contar uma história, uma que ele conta apenas uma vez por ano, mas que aquele parecia o momento certo para fazê-lo. Eu me recostei e ouvi.

"Eu estava morando na cidade em que cresci, trabalhando em uma videolocadora, porque não tinha coragem de ir para a universidade. E apareceu um cara que adorava filmes antigos", me contou Jaethan.

"Acabamos por ter muitas conversas, e por fim ele me convidou para ir à casa dele, e descobri que ele havia sido um soldado norte-americano em missão no exterior. E então, depois de ter sido dispensado, ele foi para o Afeganistão."

Jaethan disse que seu amigo tinha começado a trabalhar com a Aliança do Norte para combater o Talibã. No entanto, quando a mãe dele teve um câncer, o amigo voltou para casa, e Jaethan o encontrou novamente cerca de três semanas depois. Após Jaethan mudar de cidade para cursar a faculdade, tinha ficado apático, começado a ler muito Hemingway, e tinha escrito uma carta para o amigo por volta de outubro dizendo que queria tentar se tornar fotojornalista. Jaethan disse que queria ir para o Oriente Médio e pediu a opinião do amigo, perguntando se ele "achava ou não que isso é algo que eu seria capaz de fazer, se é uma boa ideia ou não". O amigo lhe telefonou no dia 23 de dezembro: "Acho uma ótima ideia, e eu vou com você".

Jaethan partiu para Israel com seu amigo mercenário, que tinha versos do Alcorão tatuados no peito. Ao longo de várias semanas, eles tiveram o que Jaethan descreveu como "uma experiência surreal, mas isso é apenas o prelúdio da história".

Em Jerusalém, Jaethan conheceu muitas pessoas que sabiam muito mais sobre sua fé luterana do que ele. Eles se hospedaram com uma família em um assentamento e compareceram a um casamento em que o pai da noiva era um estudioso do Talmude. Jaethan passou a noite examinando os textos com ele, discutindo todas as diferentes maneiras de interpretar os caracteres hebraicos e a história.

"Ele tinha mais conhecimento naquele momento do que eu jamais imaginaria ter sobre essa coisa em que eu meio que dizia acreditar." Jaethan começou a passar a maior parte do tempo tentando desvendar sistematicamente a religião em que havia crescido. Seu objetivo, disse ele, era se tornar ateu.

Quando sentiu que a situação estava ficando muito perigosa onde estava, Jaethan voltou para Jerusalém. Ele se hospedou em um albergue chamado Palestine Hotel, perto da Igreja do Santo Sepulcro.

"Não sei se você conhece, mas é um dos locais mais sagrados do cristianismo. Supõe-se que seja próximo ao local da crucificação de Jesus; pode ser o local mais sagrado, a depender da vertente que você segue."

Andando pela igreja, Jaethan teve o que chamou de crise de fé. "Basicamente, se Deus queria que eu continuasse a acreditar, ele deveria me fornecer alguém que, você sabe, me desse algumas respostas para preencher aquelas lacunas lógicas que eu tinha sobre a história da Bíblia, sobre como todas aquelas coisas estavam interconectadas e por que era interpretado de determinada forma e não de outra."

Enquanto ele perambulava, um frequentador da igreja o chamou para entrar. Ele o levou até o meio da igreja, onde Jaethan desabou e lhe contou sobre suas dúvidas; todas aquelas coisas que haviam acontecido, o quanto ele se sentia devastado enquanto tentava desistir de sua fé.

Em vez de consolá-lo, o homem lhe disse que tinha acesso a documentos secretos do Vaticano que provavam, sem sombra de dúvida, que Jesus havia sido quem dizia ser. Ele disse que os mostraria se Jaethan lhe desse cem dólares.

"Eu mandei o cara se foder."

Jaethan se levantou e decidiu dar mais uma volta pela igreja, a última. "Eu iria embora e iria abandonar tudo em que havia acreditado até aquele momento." Andando pela igreja, entrando e saindo de seus nichos, admirando suas janelas do século IV iluminadas por velas trêmulas enquanto o sol se punha, ele ouviu os gemidos débeis de uma garota chorando na alcova ao lado.

Jaethan fez uma pausa em sua história para tomar um fôlego entrecortado. Àquela altura, todos os quarenta palestrantes haviam se juntado a nós, alguns de pé, outros em cadeiras colocadas junto à mesa. Jaethan esfregou a barba e olhou para baixo por um instante, depois olhou para cima e continuou.

"Fui até lá só para ver se ela estava bem. Todos aqueles monges estavam chegando à igreja e para fazer suas orações do fim do dia. Eles têm que ir até cada um daqueles inúmeros objetos sagrados e rezar diante deles antes de poderem fechar a igreja. Então eu fui até ela para perguntar se estava tudo bem, e ela estava muito perto de desmaiar."

Jaethan viu um bilhete suicida, que disse guardar até hoje. Ele perguntou o que ela havia feito, e ela disse que tinha tomado alguns comprimidos e queria morrer. Ele soube mais tarde, depois de ler o bilhete, que ela queria se casar com um menino muçulmano, mas "era uma linda menina árabe-cristã de 19 anos, e sua família havia proibido. Então eu a peguei e carreguei por aquelas ruas de pedra até encontrar um táxi, entrar e a levar ao hospital. Fizeram uma lavagem estomacal nela. E ela sobreviveu".

Jaethan disse que esperou ao lado dela no hospital. A moça tinha uma agenda com números de telefone, e ele foi ligando para um de cada vez até encontrar a família dela. Quando eles chegaram, ele ficou lá até que o médico dissesse que ela iria se recuperar totalmente. Uma semana depois, ele visitou a casa deles, e eles fizeram um jantar para ele. "Hoje ela é enfermeira e tem uma família."

Jaethan abriu no celular uma foto do bilhete, ainda manchado das lágrimas dela.

"Tudo se encaixa, sabe? Como se houvesse tanta adrenalina, simplesmente tentando levar aquele corpo por aquelas ruas, entrar em um táxi e ter a certeza de que ela estava bem. Então, sim, essa é a história que eu carrego comigo desde aquela noite. Procurei uma coisa e encontrei outra. Eu pensei, bem, na melhor das hipóteses, nós vemos através de um vidro escuro. Cheguei ao ponto mais fundo. Toquei com o dedão do pé a borda do abismo. Com relação a essa experiência, sinto que devo lealdade a ela." Ele foi lá questionar sua religião, mas teve a sensação de que, ao fazer isso, Deus colocou aquela mulher ali para que ele testasse verdadeiramente sua fé; e de que, se existe um Deus, é isso. Se *existe* algo mais, ele se tornou uma manifestação disso naquele momento, a verdadeira versão disso.

Quando Jaethan terminou, repassei o método na minha cabeça. Eu sabia qual era a etapa seguinte, mas não tinha certeza se deveria prosseguir. Perguntei qual valor ele se atribuía antes daquela experiência na escala de 0 a 100. Ele respondeu 0, e então repetiu que agora era 50, alguns dias mais, outros menos. De alguma forma, ele havia recuperado a fé em algo que ainda estava tentando compreender.

Improvisando, perguntei a ele: "Se eu pudesse fabricar um dispositivo agora, algo como um botão debaixo de uma caixa de vidro, e lhe dissesse que, se você levantasse a caixa e apertasse o botão, sua fé voltaria a 0, você apertaria?".

A multidão esperou por uma resposta — todos nós sentimos a imensa hesitação dele —, então ele me olhou nos olhos e disse: "Não. Eu não apertaria".

Levei um instante para pensar em todas as lições que havia aprendido e examinei minha cola, a mesma que havia usado na Suécia. Eu podia pensar em inúmeras formas de repassar a alegação fundamental dele. O que quer que aquilo significasse para outra pessoa, ele sentia que havia se aproximado do divino, e eu não queria focar nisso. Tinha passado anos aprendendo a fazer as pessoas mudarem de ideia, mas naquele momento achei que não havia sentido algum. Eu disse a Jaethan que, se eu fosse em frente, tinha certeza de que seria como se ele apertasse aquele botão, e de jeito nenhum eu faria aquilo.

Ele me agradeceu, e eu o agradeci por sua história, e ele disse que nunca tinha ficado tão claro para ele o quanto sua fé era uma questão de escolha até então. E eu disse que isso bastava. Saber disso e saber que havia um botão que ele podia apertar para perdê-la, e que ele não iria apertar naquele dia, era o suficiente. Então nos levantamos e nos abraçamos por sobre a mesa. Eu me lembro de olhar para o jornalista David Boyle, que lentamente se inclinou para a frente, depois para trás, pôs as mãos na barriga e deu um suspiro: "Uau".

Então ele se juntou ao abraço, o resto da multidão desabou sobre nós, e caímos no choro.

Contei ao meu amigo Misha Glouberman, um especialista em negociação que muitas vezes contribuiu para este projeto com ideias e críticas, sobre minha experiência com Jaethan. Ele me disse que, superficialmente, o debate parece uma forma civilizada de lidar com divergências, porque, em vez de atacarmos uns aos outros com porretes, atacamos uns aos outros com palavras. Mas ele disse que essa era uma noção perigosa, porque a única maneira de vencer um debate é evitar sua própria mudança de ideia. Só o "perdedor" de um debate aprende algo novo, e ninguém quer ser um perdedor.

A abordagem mais civilizada é evitar se perguntar qual dos dois está certo e, em vez disso, se perguntar por que vemos as coisas de formas diferentes. Isso dá início a uma colaboração, disse ele, os dois lados trabalhando em conjunto para descobrir de onde vêm suas diferenças.

O segundo conselho que ele me deu foi sempre perguntar à outra parte o que ela espera ganhar com o debate. Então, após ouvir atentamente, pergunte: "Por que isso é importante para você?". Em seguida, pergunte de novo, e de novo. Depois, compartilhe o que você espera ganhar. Isso é crucial, diz ele, porque as pessoas tendem a entrar em choque no nível das posições, não dos interesses. Nossas posições são o que dizemos que queremos, e nossos interesses são o motivo pelo qual queremos aquilo. Muitas vezes, nossas posições são antagônicas, mas nossos interesses estão alinhados.

Concluí que havia outra etapa que deveria ser acrescentada às técnicas de persuasão como o ELM, a entrevista motivacional, a pesquisa em profundidade e a epistemologia de rua: a Etapa 0.

Pergunte a si mesmo: *Por que eu quero fazer isso?*

Por que você quer mudar a opinião de uma pessoa? O que você está fazendo aqui? Pergunte a si mesmo: *Se eu quero aproveitar o potencial de um século de pesquisas psicológicas sobre a persuasão de uma forma muito eficaz, por que quero isso? Quais são meus objetivos? Quais são os pensamentos, sentimentos e valores que estou colocando nessa dinâmica?*

Eu não gostaria de proporcionar essas ferramentas a ninguém sem antes pedir que primeiro questionem suas próprias ideias.

10
MUDANÇA SOCIAL

Há cerca de 2,5 milhões de anos, nossos ancestrais criaram alguns apetrechos e artefatos, mas, depois desses avanços promissores, o registro fóssil indica que nada aconteceu de fato por bastante tempo. Embora os cérebros continuassem a crescer, provavelmente para acomodar a linguagem, a tecnologia mais avançada da Idade da Pedra permaneceu inalterada por mais de cem mil gerações. Graças aos registros fósseis, sabemos que nossos ancestrais copiavam alguns comportamentos de seus parentes, preservando-os na forma de memórias e passando-os de uma geração para outra. Mas, mil anos depois, ainda tínhamos os mesmos apetrechos de pedra, apenas usuários diferentes — as mesmas práticas lapidares, apenas praticantes diferentes. A verdadeira cultura, o acúmulo de ideias e práticas que se polinizam em todos os sentidos, ainda não havia decolado. Toda a nossa predisposição para o acúmulo cultural estava ali, mas ainda não tinha se concretizado.

Então, o mundo mudou.

Após um longo período de estabilidade ambiental, o clima se tornou frio e hostil. Você provavelmente está familiarizado com esse período, chamado Pleistoceno, por seu nome mais comum: Era do Gelo. Pensamos nela como uma época povoada pelos agora extintos mamutes lanosos e tigres-dentes-de-sabre, mas nem tudo morreu naquele ciclo de grandes invernos. Veados, coelhos e ursos sobreviveram, assim como os nossos ancestrais. Mas nossos ancestrais não apenas *sobreviveram*. Eles *prosperaram*. Eles progrediram, avançando em termos tecnológicos, libertando-se da estase cultural da era anterior em um ciclo ininterrupto de mudanças que nos trouxe a esta frase que você está lendo.[1]

O clima antes da Era do Gelo era muito parecido com o do século XX, e assim o foi por um bom tempo. Mas a última metade do Pleistoceno trouxe consigo uma grande impermanência. Surtos alternados de clima severo e frio produziram pouca chuva. O gelo reteve grande parte das águas subterrâneas por longos períodos, fazendo com que o nível do mar subisse e descesse drasticamente. Os animais que prosperavam por algum tempo em um extremo pereciam no seguinte, à medida que a comida e o espaço se tornavam cada vez mais escassos.

Era, como me disse o zoólogo Peter J. Richerson, um "mundo inconstante e imprevisível, com alto grau de mudanças no ambiente".[2] Esse alto grau de mudanças se manteve estável, e muitos animais que dependiam da evolução genética lenta não sobreviveram. A capacidade de caçar, construir ninhos, cavar tocas, uivar para localizar parentes ou se aglomerar em locais de acasalamento sem ter que ser ensinado só mantém alguém vivo quando é provável que sua geração se depare com o mesmo ambiente das vinte gerações anteriores. Em consequência disso, os mamutes, os tigres, as preguiças-gigantes e os lobos-terríveis não sobreviveram, mas nossos ancestrais, sim.

À medida que as geleiras avançavam e recuavam continuamente, as mudanças ambientais começaram a ocorrer em uma escala de séculos, rápido demais para os genes se adaptarem. Nossos ancestrais não tinham como ajustar seus corpos no mesmo ritmo das novas condições, tampouco desenvolver rapidamente novas estruturas cerebrais com novas soluções comportamentais integradas para se adequar aos novos ambientes. Mas seus cérebros existentes *tinham* desenvolvido um conjunto de ferramentas para criar novos comportamentos de modo improvisado e fazer cópias de um cérebro para outro — plasticidade, abstração, metacognição, linguagem, aprendizado social, imitação perfeita, teoria da mente, argumentação e raciocínio. Essas habilidades forneciam uma enorme vantagem adaptativa que diferenciava os humanos. Também tínhamos cérebros grandes, para armazenar grandes repertórios culturais. E, acima de tudo, vivíamos em grupos que haviam adaptado todos os mecanismos sociais necessários para administrar a vida política dos primatas.

Diante da alta pressão, um pequeno número de inovadores habilidosos ou sortudos pôde produzir variações no status quo comportamental. Como cada indivíduo tinha a capacidade de imitar as melhores inovações com alta fidelidade, as novas formas se espalharam rápida e confiavelmente de cérebro em cérebro e substituíram os antigos comportamentos em todo o grupo. Engajados nesse processo, ao contrário de seus ancestrais que viviam em ambientes menos caóticos, os proto-humanos do Pleistoceno logo desenvolveram martelos, fogo, culinária e outras tecnologias. Um status quo de um milhão de anos de existência se estilhaçou em apenas algumas gerações.

Os hominídeos do Pleistoceno, com seus corpos inadequados para um mundo em constante alteração, começaram a mudar suas próprias mentes mais rápido do que os genes eram capazes. Ainda era a evolução genética em jogo, mas os genes forneciam a capacidade de elaborar, mudar e acumular ideias, crenças e práticas. Desenvolvemos a capacidade de produzir cultura e, então, a cultura se tornou o ambiente no qual começamos a evoluir novamente.

A cultura moldou os genes, e os genes moldaram a cultura. Embora esses dois processos ocorram em paralelo, cerca de 1,5 milhão de anos atrás eles deram as mãos, e têm rodopiado juntos na pista de dança evolutiva desde então.[3]

Pressionados por uma existência imprevisível, nós nos adaptamos para superar a lentidão da evolução genética em um momento em que essa lentidão teria nos exterminado. O caos da Era do Gelo nos conduziu à adaptabilidade da cultura, uma ferramenta que nos libertou de ter que esperar que a mudança genética nos salvasse quando as coisas corressem mal, e agora, quando o ambiente muda rapidamente, nós também mudamos.

Imagine um grupo de primeiros hominídeos que viveu na savana por décadas, mas que as condições forçaram a migrar para as florestas. A princípio, como ninguém sabia o que fazer naquele novo terreno, todos mantiveram as velhas habilidades e ideias, as velhas crenças, normas e costumes. As pessoas passavam fome, se machucavam e se tornavam alimento para predadores, porque as velhas práticas e tecnologias da savana não funcionavam bem no novo ambiente da floresta — no entanto, conforme os inovadores foram se deparando com comportamentos, ferramentas e habilidades mais adequados à vida na floresta, começaram a ser imitados pelos adotantes precoces, em seguida pelos resistentes, e grupos inteiros jogaram fora os velhos costumes à medida que sua nova cultura ganhava complexidade. No intervalo de uma geração, todo o grupo migrou para as novas tradições e costumes. Quando um novo grupo de retardatários chegou da savana e fez contato com o bando da primeira geração de habitantes da floresta, eles também não tinham ideia do que fazer. Mas, se mudassem rapidamente — adotando as melhores práticas —, poderiam mudar ainda mais rápido que os primeiros a chegar e evitar a morte, as doenças e a fome.

Agora, imagine um grupo de iguanas migrando para a tundra, empurrado por fontes de alimento cada vez mais escassas. A sobrevivência delas dependeria de uma loteria genética em câmera lenta, e, se a tundra derretesse um ou dois séculos adiante, os ganhadores da loteria seriam novamente lançados em um novo jogo de azar. A adversidade acabaria com eles, ao passo que nós ficamos mais fortes graças a essa adversidade.

Sob a pressão do caos ambiental, conquistamos a capacidade de fazer a coisa certa quando aquilo que costumava ser a coisa certa mudava sem avisar. Naqueles tempos, a coisa certa era aquela que o mantinha vivo na natureza implacável. Hoje, é difícil determinar o que é a coisa certa, e há tantas variações culturais dentre as quais escolher que as pessoas se agrupam em torno de uma série de alternativas populares. Mas, quando precisamos chegar a um consenso majoritário e mudar rapidamente, temos a capacidade de fazê-lo enquanto grupo graças às adaptações dos nossos ancestrais.

Por meio de um acúmulo de aprimoramentos graduais em nossas ferramentas, tanto mentais quanto físicas, nos espalhamos pelo planeta mesmo em regiões inadequadas para nossos corpos em lenta evolução, e, onde quer que tenhamos nos estabelecido, sobrevivemos e prosperamos. Ao longo dessa trajetória, o que costumava ser o jeito certo de fazer as coisas muitas vezes se transformava no jeito errado. A mudança social nos deu a capacidade de perceber isso e de nos adaptarmos rapidamente como indivíduos. Com essa adaptação, ganhamos a cultura e a capacidade de mudar de ideia coletivamente, em um efeito cascata por toda a sociedade, quando percebemos que nossas normas eram nocivas, equivocadas, perigosas ou incorretas. Mudar de ideia se tornou nosso ponto mais forte enquanto espécie.

"As mudanças culturais ocorrem porque os ambientes mudam", explicou a psicóloga Lesley Newson, que anos atrás se associou ao zoólogo Peter Richerson em um artigo que previu as rápidas mudanças de postura em relação ao casamento entre pessoas do mesmo sexo e como elas poderiam ser explicadas pelas lentes da evolução cultural. Eu os encontrei uma tarde fazendo churrasco em uma casa flutuante em Londres, e eles pacientemente repassaram seus dados científicos comigo.[4]

De acordo com Newson e Richerson, a mudança ambiental que levou à aceitação generalizada do casamento entre pessoas do mesmo sexo e continua a impulsionar sua disseminação foi a relativa riqueza e estabilidade das instituições nacionais. Quanto maior o número de pessoas que crescem com segurança física e econômica, ou que eventualmente a obtêm, maior será o desenvolvimento de valores em torno da individualidade, da autonomia e da autoexpressão, e a sociedade ocidental tem uma longa vantagem de partida em relação a esse tipo de mudança.[5]

Mas, como os membros de uma mesma comunidade fazem comparações a partir do mesmo banco de ideias sobre como reagir ao seu ambiente comum, no período imediatamente seguinte a uma mudança ambiental as ideias mais populares continuam sendo as mais influentes. Portanto, as respostas culturais amplas e abrangentes às mudanças ambientais costumam ser adiadas. Primeiro vem a mudança ambiental; depois, a mudança cultural. Contudo, a mudança cultural chega atrasada, às vezes bem atrasada. Essa mudança é inevitável, mas pode levar gerações. Em alguns casos, porém, acontece em menos de uma.

Quando o desenvolvimento econômico que se seguiu à Revolução Industrial virou de cabeça para baixo estruturas e instituições sociais que haviam permanecido estáveis por séculos, os ocidentais migraram de domicílios autossustentáveis para o trabalho fabril e as pessoas começaram a ter que se deslocar diariamente ou a morar nas fábricas. As cidades cresceram e se tornaram complexas, e as pessoas começaram a passar mais tempo interagindo com amigos, colegas de trabalho e outros habitantes da cidade — e menos tempo com seus parentes. A balança da influência mudou. A coletânea de informações socialmente transmitidas pendia mais para o lado dos colegas que para o dos pais. As pessoas se tornaram membros de diferentes tribos, e com isso veio a liberdade de mudar de ideia sem pagar um custo social. Antes disso, as pessoas viviam em comunidades que continham uma série de normas culturais para promover a perpetuação de famílias numerosas, e a maioria dessas normas era transmitida por meio dos parentes mais velhos. Ter uma família numerosa era vital para a sobrevivência. Era uma solução cultural para os desafios tipicamente enfrentados na vida rural.

"Essas normas estimulam os indivíduos a acreditarem que é moralmente correto enxergar os interesses de sua família como de igual ou maior importância que os seus próprios interesses e preferências", explicou Newson.

Pelos 150 anos seguintes, as normas em torno do casamento e da criação de filhos mudaram drasticamente. Afastados de suas propriedades rurais, os ocidentais do século XIX começaram a abandonar a crença de que famílias numerosas eram um imperativo moral. Os ocidentais do século XX passaram a se preocupar menos com o casamento como um empreendimento reprodutivo e começaram a vê-lo mais como uma incubadora de amor e felicidade. Segundo Newson, uma vez que o casamento tinha a ver com o amor, as ideias sobre o que seria um cônjuge adequado sofreram uma mudança rápida e repentina em toda a cultura.

Uma pesquisa da Universidade de Wisconsin em 1939 descobriu que os homens classificavam "atração e amor mútuos" como a quarta característica mais desejável em uma esposa, e as mulheres os classificavam em quinto lugar em um marido. Mas qual era a característica mais importante? As mulheres disseram que queriam "caráter confiável" em seus parceiros, e os homens disseram que queriam "estabilidade emocional" em suas parceiras. Quando a mesma pesquisa foi repetida em 1977, "atração e amor mútuos" haviam subido para a primeira posição tanto entre os homens quanto entre as mulheres: uma grande mudança nas normas do casamento que levou cerca de 38 anos. Isso provocou uma outra mudança nas posturas e crenças e, portanto, nas normas. Uma vez que a atração e o amor eram as razões mais importantes para se permanecer casado, as pessoas começaram a ver a perda desses sentimentos como uma justificativa razoável para o divórcio. Na segunda metade do século XX, as taxas de divórcio no primeiro casamento dispararam nos Estados Unidos, passando de 6% em 1960 para 23% em 1980. As normas mudaram mais uma vez, dessa vez em aproximadamente vinte anos. Essa taxa caiu para 16% em 2016, porque as pessoas começaram a se casar por amor desde o princípio, em vez de perceber no meio do caminho que era isso que queriam ter feito. Às vezes, quando uma norma muda muito rapidamente, ela primeiro arrasa uma instituição para depois reconstruí-la.

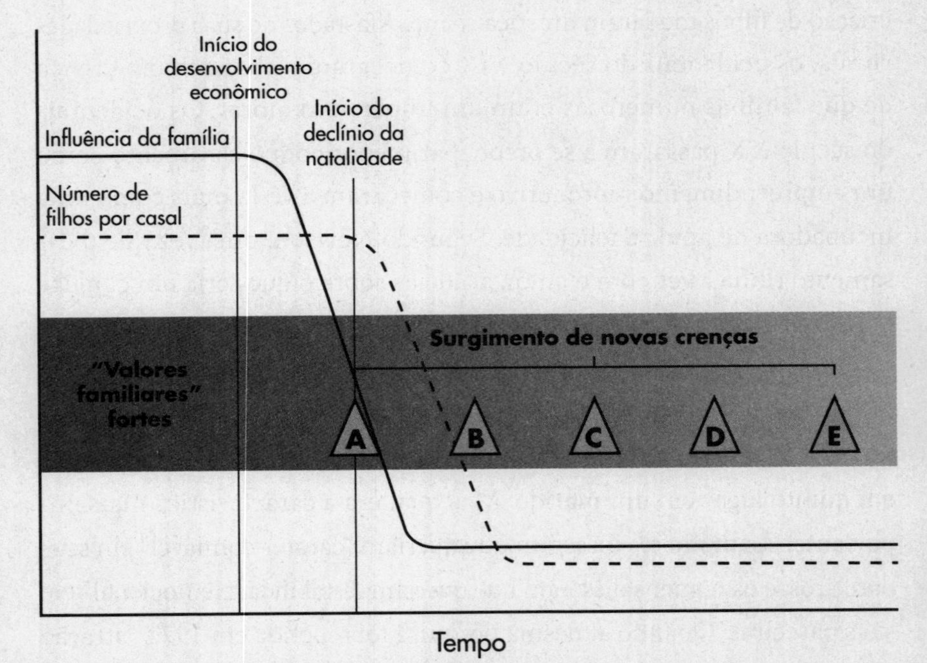

Figura 6: Do livro *Moral Beliefs about Homosexuality: Testing a Cultural Evolutionary Hypothesis* [*Crenças morais sobre homossexualidade: testando uma hipótese de evolução cultural*, em tradução livre], de Lesley Newson e Peter J. Richerson, Departamento de Ciências e Políticas Ambientais, Universidade da Califórnia, em Davis.

A. É aceitável que os casais limitem o número de filhos que desejam ter.

B. As pessoas devem se casar com alguém por quem estejam apaixonadas e que as faça felizes.

C. Mesmo que tenham filhos, os casais podem se divorciar se um ou ambos estiverem infelizes.

D. Pessoas divorciadas, pessoas solteiras e casais não casados podem ser pais perfeitamente bons.

E. Se casais homossexuais estiverem apaixonados e quiserem se casar, eles devem ter o direito de fazê-lo.

Uma vez que era normal escolher não ter uma família grande, e que se casar por amor e se divorciar pela falta dele, a ideia de escolher não ter filhos, ter filhos sem se casar ou apenas morar na mesma casa e não fazer nem uma coisa nem outra se tornou normal também, e em um ritmo ainda mais acelerado do que as mudanças nas normas anteriores que haviam aberto esse caminho. Naquele momento, a ideia de que casais do mesmo sexo deveriam poder se casar se quisessem parecia obviamente válida, e, portanto, as normas, posturas e crenças em torno do casamento entre pessoas do mesmo sexo se inverteram em pouco mais de uma década.

Em 9 de maio de 2012, a rede de televisão ABC interrompeu sua programação normal para exibir um comunicado especial. Barack Obama, eles anunciaram, o presidente dos Estados Unidos, havia mudado de ideia sobre o casamento entre pessoas do mesmo sexo.[6]

"Tenho passado por uma evolução nessa questão", explicou Obama em rede nacional. Ele havia pensado bastante sobre aquilo. Havia conversado com amigos, parentes e vizinhos, com pessoas que viam as coisas de outra forma. Ele percebeu que estava errado quando dissera ao mundo, quatro anos antes, que o casamento era e deveria ser estritamente entre um homem e uma mulher.

Alguns dos amigos de suas filhas tinham pais LGBTQIA+, ele explicou. Ele conhecia pessoas de sua equipe que eram LGBTQIA+ e tinham filhos. Pensava constantemente em militares que, mesmo depois de o governo ter revogado a política de "não pergunte, não conte", não podiam se casar, mesmo depois de terem arriscado a vida pelo país. Tudo isso somado era como uma morte lenta, disse ele a Robin Roberts, da ABC. Suas antigas justificativas — respeito pela tradição e pelas crenças religiosas dos outros, não querer dividir o país ao defender uma posição controversa — simplesmente não resistiam aos novos argumentos que giravam em sua cabeça.

O fato de Obama, concorrendo à reeleição, querer tornar pública sua mudança de opinião refletia que o país como um todo havia mudado quanto ao casamento entre pessoas do mesmo sexo. Qualquer que fosse a alquimia política que estava ocorrendo nos bastidores de sua campanha, ela havia determinado que não apenas era seguro admitir seu apoio, como também aumentaria suas chances de vitória. Os Republicanos diziam que ainda se opunham, mas, entre os Democratas, a postura em relação ao casamento entre pessoas do mesmo sexo havia se tornado majoritária. Pesquisas mostravam que 51% agora eram a favor.

A mudança na opinião pública foi incrivelmente rápida. Vinte anos atrás, 81% dos Republicanos se opunham à ideia; hoje, são 56%.

Entre os Democratas, 43% compartilhavam dessa oposição, mas hoje 75% são a favor. Analisando toda a população norte-americana, em 1997, 73% eram contra, mas agora 70% são a favor. Em uma pesquisa de 2016, mais da metade do país disse que não apenas era favorável, mas que aquilo havia se transformado em uma questão que afetaria seus votos.[7,8]

Essa não foi a primeira vez que os norte-americanos disseram que o casamento entre pessoas do mesmo sexo afetaria seu apoio a um candidato. Doze anos antes, mais da metade do país disse que preferia a posição oposta e que só votaria em políticos que desejassem que ele permanecesse ilegal. Muitos especialistas concordaram que sua resistência ao casamento entre pessoas do mesmo sexo garantiu a George W. Bush seu segundo mandato.[9]

Em 2004, quando Massachusetts se tornou o primeiro estado a aprovar uma lei concedendo direitos de casamento a casais do mesmo sexo, Bush endossou publicamente uma emenda constitucional para proibir o casamento entre pessoas do mesmo sexo em todo o país.[10]

Nove anos depois, o *Boston Globe* publicou uma reportagem dizendo que George W. Bush não apenas seria testemunha no casamento de duas mulheres em Kennebunkport, no Maine, como também havia se oferecido para realizar a cerimônia.[11]

Em 1969, quando a polícia invadiu o Stonewall Inn, um dos únicos bares para gays em Nova York onde era permitido dançar, os clientes se rebelaram. Cantaram "We Shall Overcome", e uma multidão de cerca de 150 pessoas se reuniu para ver o que estava acontecendo. Quando um oficial empurrou uma das frequentadoras, ela reagiu batendo na cabeça dele com a bolsa. A multidão vaiou, e teve início uma briga. Quando ela foi atingida pela polícia, implorou para a multidão: "Por que vocês não fazem alguma coisa?".[12]

A multidão ficou furiosa, e a altercação rapidamente se transformou em baderna, com pessoas jogando garrafas nos policiais. Quando acabou, cerca de quinhentas a seiscentas pessoas haviam participado da briga. A polícia se escondeu dentro do bar, enquanto a multidão atirava latas de lixo, pedras e tijolos, depois acendia fogueiras e quebrava janelas.

Depois de várias noites de confusão, as manifestações passaram da violência para o protesto. Desafiando as normas e as leis, as pessoas LGBTQIA+ fizeram demonstrações abertas de afeto e não tentaram esconder sua sexualidade. Algumas das pessoas envolvidas organizaram seus esforços, e essa organização levou à formação do Gay Liberation Front e de outros grupos inaugurais de luta pelos direitos LGBTQIA+. Tal unificação, organização e publicidade levariam diretamente a mais protestos, mais conflitos e à pressão dos líderes de muitas comunidades para se viver abertamente.[13]

A maior parte dos Estados Unidos estava alheia a esses esforços, portanto seus modelos Surfpad não foram ameaçados de forma alguma, não havendo a necessidade de assimilação nem acomodação; mas, quando esses protestos levaram à remoção da homossexualidade, em 1973, do *Manual Diagnóstico e Estatístico de Transtornos Mentais* (DSM), isso atingiu uma faixa muito mais ampla de mentes. O DSM é o guia publicado pela Associação Americana de Psiquiatria para o diagnóstico de problemas mentais, um texto utilizado por psiquiatras e psicólogos de todo o país, e, após essa mudança, as pessoas que interagiam com a profissão em todos os estados foram confrontadas com uma nova abordagem científica e profissional da comunidade LGBTQIA+.[14,15,16,17,18,19]

O movimento foi ao mesmo tempo paralisado e impulsionado quando a década de 1980 trouxe a epidemia de aids à atenção nacional. Originalmente chamada de "câncer gay", os opositores dos direitos dos homossexuais usaram a aids como uma forma de apresentar as pessoas LGBTQIA+ como anômalas portadoras de doenças. Mas essa oposição também estimulou os ativistas a organizarem uma série de marchas em Washington — a maior delas em 1993, quando mais de um milhão de pessoas foram à capital do país para aumentar a conscientização sobre a comunidade LGBTQIA+. O planejamento feito antes da marcha e as oficinas, palestras e vigílias feitas durante levaram ao estabelecimento de uma vasta rede de ativistas e aliados LGBTQIA+ em todo o país, que agora poderiam amplificar seu trabalho por meio de suas novas linhas de comunicação.

Graças a esses esforços na década de 1990, a aids passou a ser retratada com mais simpatia pela imprensa. Filmes vencedores do Oscar apresentavam personagens que lutavam contra a doença. O termo *homofobia* entrou para o vocabulário corrente. E, durante esse tempo, muitos casais do mesmo sexo solicitaram licenças de casamento, desafiando com ousadia e publicamente as leis estaduais. Em resposta, o Congresso Norte-Americano aprovou o Defense of Marriage Act. A reação se estendeu aos estados, e trinta deles acabaram por estabelecer dispositivos que impediam que casos semelhantes chegassem aos seus tribunais.[20]

Mas a postura estava mudando. Momentos culturais de destaque, como a marcha em Washington, Tom Hanks em *Filadélfia*, Pedro Zamora em *Na real*, Ellen DeGeneres saindo do armário na capa da revista *Time* e *Will & Grace* dominando a audiência refletiram e contribuíram para essas mudanças. Pessoas se assumindo em comunidades de todo o país pressionavam constantemente o velho modelo de realidade para acomodar cada vez mais cérebros. Então, a internet começou a se infiltrar em nossas vidas, multiplicando o contato com essas ideias. Onde era seguro fazê-lo, mais pessoas se assumiam. Em cidades pequenas, em empresas, dentro de casa — o contato com amigos, familiares e colegas de trabalho LGBTQIA+ se tornou inevitável.

O contato faz as ideias mudarem. É o argumento fundamental de uma das teorias mais robustas da psicologia, a hipótese do contato. O psicólogo Gordon Allport esboçou os princípios dela em seu livro histórico de 1954, *The Nature of Prejudice* [A natureza do preconceito, em tradução livre]. A psicologia vinha estudando o preconceito havia muito tempo, primeiro com unidades de combate inter-racial, depois com mais intensidade após a Segunda Guerra, durante a luta pelos direitos civis nos Estados Unidos.

Allport passou anos pesquisando o preconceito e, em seu livro, afirmou que, antes que as pessoas possam mudar de ideia em relação aos membros de uma minoria ou de um grupo externo, é preciso haver um contato efetivo. Em primeiro lugar, os membros precisam frequentar os mesmos espaços, principalmente o profissional, em condições de igualdade. Em segundo, devem compartilhar objetivos comuns. Em terceiro, cooperar com regularidade para atingir esses objetivos. Em quarto, precisam se envolver em interações informais, encontrando-se fora dos contextos obrigatórios ou oficiais, como nas casas uns dos outros ou em eventos públicos. E, por fim, para que o preconceito de fato desapareça, as reivindicações dos oprimidos devem ser acolhidas e atendidas por uma autoridade, de preferência aquela que escreve as leis.

A pesquisa de Allport também mostrou que o mero contato não era suficiente. Ele observou que, na década de 1950, comunidades, casas, escolas e igrejas racialmente segregadas significavam que a maior parte do contato entre norte-americanos negros e brancos ocorria nas fronteiras de mundos distintos, e que, portanto, esse contato era repleto de conflitos. Os brancos conseguiam evitar quase todo o contato com os negros e, se trabalhassem juntos, esse contato era desequilibrado, pois eles geralmente não compartilhavam do mesmo status. Um contato de má qualidade como esse, disse Allport, leva pessoas que já são preconceituosas a reforçarem suas opiniões, principalmente entre os que moram e trabalham longe dessas fronteiras sociológicas.[21]

A mudança de postura nos Estados Unidos em relação às pessoas LGBTQIA+ e ao casamento entre pessoas do mesmo sexo foi incrivelmente rápida em comparação com a postura sobre raça, porque os negros norte-americanos tiveram que lutar para fazer contato, obter o mesmo status e adentrar escolas e ambientes de trabalho. Quando as pessoas LGBTQIA+ começaram a se assumir e a viver abertamente, pessoas em todo o país descobriram em poucos anos que seus chefes, colegas de trabalho e funcionários já faziam parte dessas comunidades. Família e amigos, pessoas em posições de autoridade, pessoas em eventos públicos e aos olhos do público — todas se assumiram aparentemente no mesmo curto período. O trajeto havia sido longo e difícil, mas, uma vez concluído, as anomalias acumuladas eram grandes demais para serem ignoradas. O balde da suspensão transbordou. Os modelos antigos não davam mais conta das incongruências. Assim, em muitos estados, a legislação ficou para trás em relação à opinião pública.

Como acontece com todas as mudanças de ideia, a princípio as pessoas resistiram e tentaram aplicar seus modelos vigentes de realidade às novas evidências, para solucionar a dissonância por meio da assimilação. Os sentimentos anti-LGBTQIA+ vinham de muitas fontes, mas todas as suas justificativas se enfraqueceram diante de evidências inescapáveis e convincentes: vinte anos de ativismo, retratos cada vez mais positivos e realistas na imprensa e, o mais importante, contato pessoal generalizado com membros da comunidade LGBTQIA+ ou seus aliados. As categorias usadas pela maior parte do país para compreender as questões LGBTQIA+ tiveram que ser atualizadas no sentido da acomodação.

A criação de novas categorias conceituais é o maior sinal de que a acomodação está ocorrendo em larga escala e, portanto, de que a mudança social é iminente. Por exemplo, o termo *designated driver* (algo como "motorista da vez") foi inventado pelo Harvard Alcohol Project como uma iniciativa de saúde pública e depois semeado em séries de televisão populares, como *Cheers* e *L.A. Law*. Ver os personagens darem nome a um comportamento específico criou uma nova categoria conceitual entre os espectadores. Se você aceita o termo e o emprega, cria uma dissonância entre o desejo de beber e dirigir. Por que haveria uma expressão para indicar a pessoa que dirige para os amigos enquanto eles bebem se fosse perfeitamente normal beber e dirigir? Para resolver essa dissonância, o modelo existente teve que ser atualizado: quem bebe não dirige. De acordo com o projeto, depois de o termo ser apresentado ao público, em 1988, as mortes relacionadas ao álcool caíram 24% em quatro anos, uma mudança extremamente rápida em termos de postura. Hoje, a maioria dos norte-americanos diz que já foi o *designated driver* pelo menos uma vez na vida.[22,23]

No livro *O código de honra*, Kwame Anthony Appiah defende que a ampliação da definição de dignidade levou diretamente à abolição da escravidão no Reino Unido. No século XVI, dignidade era algo hierárquico. Filósofos como Thomas Hobbes diziam que era óbvio que algumas pessoas tinham mais dignidade que outras, portanto a ideia de que o mundo era dividido em hierarquias era um paradigma amplamente aceito. Havia uma ordem linear para tudo, das plantas às pessoas; inclusive, ambas estavam conectadas. Os camponeses comiam plantas sujas que cresciam debaixo da terra, enquanto os nobres comiam lindas frutas que brotavam no alto. Para as pessoas daquela época, era impensável que alguém que produzisse velas a partir de gordura animal tivesse tanta dignidade quanto um rei.

Appiah define honra e dignidade como o estado que alguém habita quando merece o respeito dos outros. O conceito de que todos os seres humanos, apenas pelo fato de serem humanos, mereciam tal dignidade não era uma ideia a que os códigos de honra da época davam suporte. Mas, quando a tecnologia deu origem às fábricas, e as fábricas deram origem à influência política e à riqueza entre os trabalhadores, surgiu o conceito de classe trabalhadora. Era uma nova categoria, e as pessoas que faziam parte dela exigiam representação no governo e respeito da sociedade.

O fato de que a definição de respeito poderia acomodar esse conceito tornou possível ampliá-lo ainda mais. Através de uma progressão de ideias acumuladas, tornou-se ilógico tratar algumas pessoas com maior nível de dignidade apenas porque haviam nascido em determinado estrato econômico. A dignidade foi redefinida. Logo abrangia classe, depois gênero, depois raça e, por fim, toda a humanidade. Appiah diz que, uma vez que um número suficiente de pessoas compartilhava de um esquema que afirmava que todos os seres humanos mereciam dignidade, o modelo consensual da realidade não podia suportar as anomalias geradas pela instituição da escravidão.[24]

A prática do duelo desapareceu de forma semelhante. Para uma pessoa que vivesse no final do século XVIII, a honra era de extrema importância. Ter honra era ser visto como uma confirmação do status entre seus pares. Esse tipo de honra não poderia ser conquistado nem possuía gradação. Ou você a tinha, ou não. Pessoas que pensavam dessa forma viviam no que Appiah chama de “mundos de honra”, seu termo para uma espécie de paradigma moral. As pessoas dentro de um mundo de honra se sentem envergonhadas se não atingirem os padrões dele. Não sentir vergonha revelava que você não tinha honra, e o mais baixo que uma pessoa poderia estar era não ter vergonha. Se alguém o desrespeitasse, o chamasse de mentiroso ou de alguma forma insinuasse aos outros que você não tinha honra, primeiro você precisava exigir desculpas; mas, se o desrespeito fosse severo, você desafiaria a pessoa para um duelo. Era preciso ser visto como alguém que preferiria arriscar a própria vida a ser considerado desonesto e, portanto, desonrado.

O duelo foi muito criticado, e, por volta do século XIX, a maioria dos acadêmicos e especialistas dizia que era abominável para a sociedade civil. Ainda assim, centenas de pessoas morriam todos os anos atirando umas nas outras por causa de insultos. Então, como foi que ele desapareceu? Os jornais. A inovação da imprensa e sua ampla adoção levaram a uma onda de alfabetização e de novas mídias. Quando os jornais publicavam artigos sobre membros proeminentes da sociedade que escapavam impunes de um assassinato, eles ridicularizavam o ocorrido. Zombavam daquilo em cartuns. Ao mesmo tempo, no intuito de imitar a alta classe, alguns comerciantes ricos começaram a se envolver em duelos de mentirinha.

Por um século, o duelo foi uma forma de os nobres manifestarem sua honra superior aos demais. Quando isso se tornou ridículo e lugar-comum, a aristocracia o abandonou em menos de uma geração. Appiah cita Oscar Wilde para sintetizar o ocaso do duelo como norma social: "Enquanto a guerra for considerada perversa, ela sempre terá seu fascínio. Quando for considerada vulgar, deixará de ser popular". Como disse outro historiador: "Cavalheiros solenes iam para o campo de honra[25] apenas para serem ridicularizados pela geração mais jovem. Isso era mais do que qualquer costume, não importa o quão santificado pela tradição, seria capaz de suportar".

Um dos aspectos curiosos da mudança de um paradigma para outro é que, no momento em que surge uma explicação capaz de acomodar melhor as anomalias que o paradigma anterior não conseguia assimilar, as anomalias simplesmente se tornam fatos. Rearranjamos nossas categorias, criamos novas e as preenchemos com definições mais elaboradas.

Kuhn chamava isso de "pegar a outra ponta do bastão". É a mesma informação que estava lá antes, mas lidamos com ela de forma diferente. Com a escravidão, o duelo, beber e dirigir e as pessoas LGBTQIA+, as características essenciais não mudaram. As categorias e definições, sim. Invocando Kuhn, Derek Penwell, um ministro cristão do Kentucky, disse sobre a mudança de postura nos Estados Unidos: "Proporcionalmente, não há mais gays hoje do que havia em 2004, mas nossa relação com os gays mudou".[26]

O presidente Obama viria a dizer, sobre a mudança radical de crenças, posturas e opiniões em relação ao casamento entre pessoas do mesmo sexo: "Comparada a muitas outras questões, a mudança nos Estados Unidos foi bastante rápida".[27] De fato, todos os cientistas sociais que entrevistei concordaram que essa foi a mais rápida virada de uma opinião pública nacional de longa data já vista.[28] Mas isso foi antes da Covid-19.

Cerca de 86% das pessoas no Reino Unido que, quando perguntadas em dezembro de 2020, disseram que se recusariam a ser vacinadas contra a Covid-19, disseram em abril de 2021 que haviam mudado de ideia. Então, o que aconteceu ali, e como podemos usar o que aprendemos?

Os pesquisadores dizem, em suma, que era uma questão de confiança — não vivemos em um mundo de pós-verdade, mas em um mundo de pós-*confiança*. Uma desconfiança geral da imprensa, da ciência, da medicina e do governo torna muito improvável que uma pessoa seja vacinada, não importa quanta informação você despeje sobre ela, principalmente quando as pessoas em quem ela *de fato* confia compartilham da mesma postura.

Assim como nos Estados Unidos, as pessoas mais hesitantes no Reino Unido eram aquelas que tinham uma postura negativa em relação à autoridade. Como relatou a NPR, "a enxurrada de desinformação encontrou terreno fértil entre alguns britânicos de origem africana e sul-asiática, cujos ancestrais cresceram sob o Império Britânico e que eram mais propensos a desconfiar do sistema [...] A história sobre o uso minorias para testes de medicamentos impactou o ceticismo das pessoas".[29]

Então, como eles amenizaram essa desconfiança? Em vez de recorrer a mensagens, a fatos, começaram a distribuir a vacina nas mesquitas.

Para os menos hesitantes entre os mais hesitantes, a aprovação de um líder de sua fé foi suficiente para incentivá-los a se vacinar. Mais de quinze mil doses foram aplicadas nos primeiros dias. Então, aquele grupo se tornou influente para o segundo menos hesitante. Depois disso, os hesitantes viram que não apenas suas elites religiosas eram a favor da vacinação, como também muitos de seus pares. Teve início um efeito cascata, no qual cada novo grupo de pessoas menos hesitantes influenciava o grupo mais hesitante seguinte, até que a mudança de postura varreu a população.

Com o crescimento do grupo populacional que integrou a mudança, cresce também a força da influência de seus pares. Esse efeito de rede, às vezes chamado de difusão e às vezes de teoria da percolação em redes, é a força por trás de todas as grandes mudanças de opinião pública. Grandes grupos de pessoas mudam de ideia em uma sequência que vai dos inovadores aos adotantes precoces, ao *mainstream* e aos redutos, e sempre nessa ordem. O truque é fazer com que um número suficiente de adotantes precoces que estejam profundamente conectados à comunidade como um todo se envolvam e adotem a postura, que então cria uma unidade social influente que pode dar início ao efeito cascata.

Portanto, pesquisas sugerem que, para mudar posturas hesitantes em relação a vacinas ou o que quer que seja, devemos identificar quem está hesitante, em quais instituições eles mais confiam e, em seguida, distribuir a vacina a partir das manifestações dessas instituições, que atrairão os grupos mais socialmente conectados dentro dessa população.

Em ambientes sociais humanos complexos, uma variedade de fatores influencia efeitos cascata de mudança, mas o fator mais crucial é o limiar de conformidade individual entre as pessoas que interagem regularmente.

No começo do livro, examinamos as pesquisas por trás do ponto de inflexão afetivo, o momento após o qual um cérebro não consegue mais assimilar anomalias e se torna motivado a se acomodar. Esse limiar varia de indivíduo para indivíduo. O sociólogo Mark Granovetter chama isso de "limiares de resistência".[30] Em qualquer grupo, alguns serão os primeiros a adotar e outros serão teimosos resistentes, e muitos estarão entre os dois extremos.

Imagine um grupo de pessoas tentando entrar em uma sala de aula na faculdade. A sala está vazia, mas a primeira pessoa que aparece toma a decisão consciente de não tentar abrir a porta e conferir. A razão pela qual ela não confere está relacionada à sua disposição, aquilo que os sociólogos chamam de sinal interno.

Digamos que ela tenha aberto uma porta em sua primeira semana no *campus*. A aula anterior ainda não havia acabado, e todo mundo se virou e riu dela. Foi extremamente constrangedor e, desde então, ela é excessivamente cautelosa. Hoje, decidiu ficar junto à porta e mexer no celular, porque presume que a aula vai acabar em breve. A próxima pessoa que chega nunca experimentou o mesmo tipo de constrangimento, mas não quer bater papo com um estranho nem fazer papel de boba, então apenas evita o contato visual e começa a mexer no celular em um canto. Agora uma terceira pessoa aparece. Normalmente, se ela fosse a primeira a chegar, não teria nenhum problema em conferir se a sala estava vazia, mas, como já há duas pessoas esperando, ela presume que elas sabem algo que ela não saiba, e baseia seu comportamento no comportamento dos outros. Ela ignora seu sinal interno por causa da força do sinal externo.

Já temos um efeito cascata começando a se desenrolar. Cada pessoa decide adotar o comportamento das outras, de acordo com seu limiar pessoal de conformidade. A Pessoa 1 pautou seu comportamento em experiências anteriores com situações semelhantes no mundo natural. A Pessoa 2 pautou seu comportamento na ansiedade social, que se baseia em sua experiência anterior com mundos sociais. Mas a Pessoa 3 pautou seu comportamento no número de pessoas à sua frente na situação atual. Agora, a cascata já se autopropaga. O poder do efeito cascata comportamental vem da forma como, a cada nova pessoa, aumenta o grau de iniciativa necessário para quebrá-lo.

Os próximos a chegar à porta vão basear seus comportamentos no comportamento da multidão à frente delas, e, à medida que a multidão cresce, fica cada vez menos provável que um recém-chegado seja o tipo de pessoa que não liga para o que tantas outras pessoas possam pensar dele se ele se envergonhar publicamente. É mais seguro presumir que todos os que estão esperando para entrar na sala de aula têm bons motivos para fazê-lo — mesmo que não tenham.

A rede, não o ambiente, determina agora o comportamento das mentes que a compõem. A Pessoa 15 pode ter um limiar muito alto, mas o efeito cascata é poderoso demais para que ela resista. Inicialmente, ainda que dez pessoas estivessem à espera, ela conferiria se a sala estava vazia ou não. Se ela descobrisse que estava, teria quebrado o efeito cascata. Atrás dela, todos teriam adotado o comportamento *dela*, não o do grupo. Mas, como seu limiar máximo de conformidade é dez, quinze pessoas é um consenso muito grande para que ela questione. Seu limiar para a rebelião foi atingido. Quando ela chega, a multidão cresce para dezesseis pessoas, e a régua sobe ainda mais para a próxima pessoa que chegar. Para quebrar o efeito, é preciso que chegue alguém que seja mais corajoso e que esteja mais disposto a fazer papel de bobo conferindo a porta do que qualquer outra pessoa na multidão até então, e, em um determinado tamanho de grupo, para aquela amostra de pessoas, pode não haver tal pessoa.

A única forma de quebrar o efeito cascata é se novas informações forem adicionadas ao sistema, como se o professor abrir a porta por dentro para ver o que há de errado com aquelas pessoas, ou se passar tempo suficiente para que a angústia da espera supere a dor prevista pelo constrangimento caso a pessoa esteja equivocada.

Você deve ter visto a rapidez com que efeitos cascata como esse podem se espalhar em uma festa em casa. Reuniões sociais como festas geralmente se esvaziam sem qualquer coordenação de grupo. Quando uma pessoa que está cansada ou entediada vai embora, se não houver outras pessoas sentindo o mesmo com baixos limiares de conformidade, a folia continua inabalável. Mas, se houver mais pessoas cansadas com limiares baixos, uma saída precoce pode incentivá-las a fazer o mesmo. Agora o número de pessoas que foram embora é grande o suficiente para encorajar as pessoas com limiares mais altos a se despedir, e um efeito cascata acaba com a festa como se todo mundo tivesse combinado de ir embora ao mesmo tempo.

Agora, imagine a psicologia por trás das salas de aula e das festas se manifestando em grupos de pessoas em uma cultura, persuadindo grupos de amigos e colegas de trabalho a parar de fumar, por exemplo, e você pode começar a ver como uma cascata de mudanças é capaz de se espalhar por toda uma cultura, e um status quo estável há décadas parecerá, de repente, se quebrar como uma cascata global que faz milhões de pessoas mudarem de ideia.

O pesquisador de inovação Greg Satell, em seu livro *Cascades* [Efeito cascata, em tradução livre], nos pede para imaginar três grupos de pessoas, A, B e C, em cada um dos quais as pessoas estão prestando atenção ao que as outras pensam, sentem e fazem. Mas, como em todo grupo fortemente conectado, existem algumas pessoas com contato regular com indivíduos de outros grupos. Por conta disso, em cada grupo não só há um mix de pessoas com diferentes limiares de conformidade — alguns muito baixos, alguns muito altos, muitos na média — como também há um mix de pessoas cuja resistência pode ser superada pela influência de pessoas de fora de seus grupos imediatos.

Essa complexidade de conexões e limiares — que está em constante mudança à medida que as pessoas formam e rompem vínculos, entram e saem de grupos, etc. — mantém toda a rede bastante estável na maior parte do tempo. Mas, se tudo se alinhar da maneira certa para que as pessoas com baixos limiares de conformidade estejam em contato regular com pessoas de alguns grupos interconectados, isso deixa a rede circundante vulnerável a um efeito cascata global.

Satell nos pede para imaginar isso em três grupos:

- Uma pessoa no grupo A com limiar de 30% (ela precisa que um terço de seus colegas adotem uma ideia antes de fazer o mesmo) está conectada a uma pessoa no grupo C com um limiar de 0% (adapta-se muito facilmente).

- Uma segunda pessoa no grupo A com um limite de 70% (resistente) está conectada a uma pessoa no grupo B que também tem um limiar de 0% (adapta-se muito facilmente).

- Enquanto isso, os grupos B e C estão conectados entre si por meio de duas outras pessoas: uma do grupo B com limiar de 20% está conectada a outra do grupo C com limiar de 70%.

Com apenas essas três condições, se as pessoas começarem a mudar de ideia no grupo A e isso provocar um efeito cascata, a ideia se espalhará do grupo A para os grupos B e C. Mas, como cada grupo está conectado aos outros dois, quanto mais o efeito cascata cresce, mais rápido ela se espalha.

Eis como isso poderia acontecer:

Se um efeito cascata tem início no grupo A e cresce com força suficiente para atingir a pessoa com um limiar de 30%, ele também atingirá o limiar daquele adotante precoce que a pessoa conhece no grupo C. Quando essa pessoa muda de ideia, isso influencia o adotante precoce no grupo C e desencadeia uma reação em cascata à parte. Mais tarde, quando o efeito cascata no grupo A atingir o ponto em que faz o resistente com limiar de 70% mudar de ideia, ele se espalhará dessa pessoa para o adotante precoce que ela influencia no grupo B, dando início a outro efeito cascata nesse grupo. No momento em que o efeito no grupo C atingir o seu resistente, a pessoa conectada a ele no grupo B já terá mudado de ideia, então o resistente do grupo C sentirá influência tanto de dentro quanto de fora do grupo, tornando mais provável que ele mude de ideia *e* que mude mais rápido que o resistente do grupo A.

Os sociólogos chamam um aglomerado de grupos conectados dessa maneira de "aglomerado vulnerável percolante", um ajuntamento de grupos extremamente coesos e com conexões fracas com outros grupos. Juntos, eles compartilham de um mix perfeito de limiares nos pontos em que se conectam, permitindo que haja uma reação em cadeia. Um choque, como eles chamam, que comece em tal aglomerado ou qualquer efeito cascata que se espalhe o suficiente para alcançá-lo tem uma probabilidade de atingir todas as pessoas em todos os seus grupos, cuja influência combinada fará mudarem de ideia seus vizinhos, que vão influenciar os vizinhos deles, e assim começa um efeito cascata em toda a rede, seja uma empresa, uma cidade ou um país.

Para usar uma analogia de Duncan Watts, um físico que se tornou sociólogo, pense no seguinte. Imagine uma floresta cortada por uma estrada movimentada. Todos os dias, algumas pessoas jogam bitucas de cigarro pela janela do carro, mas a maioria dessas brasas nunca chega às árvores. No entanto, algumas chegam. Elas rolam pelo asfalto e caem na mata, mas, quando vão tão longe assim, sempre se apagam devido à umidade. Cada bituca tem o potencial de desencadear um incêndio que pode se espalhar por toda a floresta, mas a madeira não está vulnerável. Então, começa uma seca. Grandes faixas de terra ressecam, e as árvores nessas faixas começam a morrer e cair. O mesmo número de pessoas lançam bitucas descuidadamente na mesma floresta, mas, ainda assim, na maioria das vezes, nada acontece. No entanto, se alguma cair em um trecho seco, em meio a alguma palha seca, o fogo vai se espalhar e eventualmente alcançar uma árvore morta, e então se espalhará para as árvores vizinhas. Se o fogo crescer o suficiente, vai secar a área ao seu redor à medida que se expandir, tornando as áreas previamente resistentes tão vulneráveis quanto as naturalmente secas.

Em pouco tempo, quilômetros de zona rural estarão em chamas. Uma vez que uma porção de floresta fica vulnerável, a faísca necessária para desencadear um incêndio pode ser tão pequena quanto um único cigarro ou tão grande quanto um raio, uma bomba ou uma queimada; mas, se as condições não forem ideais, se alguma parte do sistema não estiver vulnerável, esses catalisadores extremamente influentes não têm maiores probabilidades de dar início a um fogaréu do que uma pequena brasa. Porém, uma vez que essas condições estejam presentes, basta uma faísca.[31]

O fato de o estado da rede determinar se efeitos cascata globais são possíveis ou não explica não só por que algumas ideias pegam e outras não, mas também por que algumas ideias aparecem repetidas vezes e não vão a lugar nenhum, até que um dia mudam tudo. Assim como as bitucas que caíram na floresta mil vezes, até uma provocar um enorme incêndio, o mesmo tipo de choque pode atingir um sistema um bilhão de vezes, até que no encontro um bilhão e um ele atinja um aglomerado vulnerável percolante. Eventos como o Stonewall, por exemplo, aconteciam todos os dias em São Francisco, Los Angeles, Chicago, Nova Orleans e em pequenas cidades por todos os Estados Unidos. Então, um dia, o que se conta é que, em um bar em Nova York, uma mulher trans agrediu um policial com sua bolsa e desencadeou um efeito cascata global que levaria a uma das reviravoltas mais rápidas da opinião pública já registradas, culminando com a Suprema Corte alterando as leis de casamento de um país inteiro.

Sociedades não são fixas. Grandes sistemas sociais, embora pareçam estáveis, estão sempre mudando de maneiras sutis que são imperceptíveis para as pessoas que vivem neles.

Mesmo que os limiares permaneçam constantes de uma maneira que impeça um efeito cascata de ganhar embalo dentro de um determinado grupo, todo tipo de circunstância pode afetar o número médio de conexões entre os grupos, alterando as condições de forma a criar aleatoriamente aglomerados vulneráveis percolantes. Qualquer sociedade pode, sem que esteja ciente, deixar de ser uma em que um efeito cascata global é impossível para virar outra em que ele pode acontecer a qualquer momento. Choques repetidos no sistema que antes pareciam infrutíferos agora têm o potencial de mudar o mundo.

A mudança pode se arrastar sem sinais de progresso significativo por décadas. Isso faz com que pareça haver um consenso unânime, estável e eterno quanto ao status quo. Faz com que a mudança de mentalidade pareça impossível — até que um dia, um golpe de sorte provoca tanta mudança que os limiares de todos os membros de um aglomerado percolante são atingidos. Começa então uma disseminação cultural. Uma mudança social em cascata dessa forma atingirá todos, exceto aqueles que têm limiares muito difíceis de serem atingidos ou que fazem parte de um grupo desconectado da rede, como uma seita, uma religião isolada ou uma comunidade remota.

A corrida para acabar com a escravidão, a cascata de pessoas que mudaram de ideia em relação ao casamento entre pessoas do mesmo sexo, a rápida mudança nas leis sobre a maconha, a disseminação sísmica de protestos para acabar com a brutalidade policial — esses são apenas alguns exemplos da história norte-americana. Conjunturas críticas em todo o mundo mudaram rotineiramente nosso conceito de certo para errado, de verdadeiro para falso, de lugar-comum para tabu e vice-versa. Do advento da domesticação de animais à teoria da evolução, da Revolução Copernicana à Reforma Protestante, da Revolução Industrial à Revolução Francesa e ao fim da Guerra Fria, descontinuidades e inovações levaram a rápidos e surpreendentes efeitos cascata globais de mudança que estilhaçaram o status quo.

Como a maioria das pessoas está na parte gorda da curva do sino, não sendo nem adotantes precoces nem resistentes, mudanças como essas parecem surgir do nada. Tudo o que elas veem são as peças de dominó do meio. Isso tem contribuído para a crença de que os influenciadores devem ser o fator mais importante, como se fossem vetores de doenças na propagação viral de ideias. Algumas pessoas parecem mais cruciais para esse processo do que outras; aquelas pessoas nos antigos anúncios da Apple, os malucos, os formadores de opinião, os criadores de tendências, os líderes de pensamento e outras pessoas influentes. Faça com que essas pessoas mudem de ideia, diz a velha mentalidade, e todo o resto as acompanhará. O antigo conselho era que quem quisesse que informações ou comportamentos se espalhassem deveria procurar os nós ultraconectados em uma rede, as pessoas a quem os outros recorrem em busca de orientação sobre como pensar e agir. Na realidade, porém, qualquer um pode dar início a um efeito cascata.

Mas, para que uma ideia se espalhe por uma rede de tal forma que induza quase todo mundo que pensa de uma forma a pensar de outra, não são necessários influenciadores nem elites. O fator crucial é a suscetibilidade da rede. Se houver um número suficiente de pessoas conectadas com limiares baixos entre os grupos, qualquer choque — qualquer pessoa — pode dar início a um efeito cascata que vai afetar a maior parte da população.

Como diz Watts, não é preciso uma bomba atômica para dar início a uma avalanche. Assim que as condições estiverem presentes, qualquer empurrãozinho bastará.

Em seu livro *The Day the Universe Changed* [O dia em que o universo mudou, em tradução livre], o historiador da ciência James Burke escreveu: "Somos o que sabemos, e, quando o corpo de conhecimento muda, nós também mudamos".

Ao longo de nossa história, a evolução dos valores morais, o impacto sequencial das descobertas, o contato cada vez maior entre nações e grupos, inovações surpreendentes e o ritmo acelerado das invenções atualizaram contínua e implacavelmente as crenças e posturas que povoam os modelos que usamos para definir a própria realidade.[32]

Como indivíduos e como culturas inteiras, passamos de um paradigma a outro — modelos que explicam a realidade pelo tempo que formos capazes de nos aferrar a eles. Por isso, me disse Burke, "a todo momento estamos em uma caixa que define o mundo e nos diz o que ele é. Essas definições restringem o que pensamos e o que pensamos que *podemos pensar*". Antes de Copérnico, o modelo heliocêntrico era inconcebível. A Terra era o centro do cosmos. Quando Copérnico apresentou evidências de que isso estava incorreto, a princípio pareceu um erro e, portanto, foi revogado. Para solucionar os problemas, era necessário um modelo novo e melhor, e isso significava que o antigo teria que ser abandonado. "Foi um verdadeiro caos", disse Burke, "porque, se a Terra não fosse o centro de tudo, então não era o centro da atenção de Deus, e se não fôssemos o centro da atenção de Deus... socorro!".[33]

Na década de 1990, os norte-americanos se opunham não apenas ao casamento entre pessoas do mesmo sexo como também à própria noção de homossexualidade. Hoje, essa postura é tão ridícula para a maioria das pessoas quanto a crença de que gansos nascem em árvores.

Deixamos um rastro de dezenas de modelos de realidade descartados, crenças compartilhadas, fundamentos morais elevados e teorias científicas superadas que já foram um dia a palavra final. Pelos padrões de hoje, estávamos errados, e não apenas estávamos cegos quanto aos nossos erros: nós acreditávamos que estávamos certos. Estar errado, pensamos, é sempre uma coisa do passado. Hoje, pensamos e continuaremos a pensar, finalmente chegamos à verdade.

Todas as épocas e todas as culturas acreditavam que sabiam a verdade até perceberem que não; então, quando a verdade mudou, a cultura mudou junto. As pessoas podem parecer míopes e perpetuamente ignorantes, mas prefiro ver como somos maravilhosos em mudar de ideia de maneiras grandiosas. O fato de você não acreditar que gansos nascem em árvores ou de *acreditar* que a Terra gira em torno do Sol é um fato que mostra que nossos modelos de realidade — nosso conhecimento, nossas crenças e as posturas que eles embasam — são fungíveis.

A maioria dos choques é absorvida. A maioria dos efeitos cascata nunca extrapola seus aglomerados locais. No entanto, todo sistema estável é pontuado por efeitos cascata aleatórios, rotineiros e globais, que parecem tão repentinos e inesperados que os isolamos em retrospecto e tentamos estabelecer a origem deles em pessoas incríveis, extraordinárias e visionárias ou em invenções essenciais, capazes de abalar o mundo e mudar vidas, em vez das causas reais — aquelas ocasiões em que o potencial de sensibilização dos nós era o adequado, a densidade das conexões estava toda alinhada, e um encontro que, em qualquer outro dia, não teria levado a lugar nenhum acaba por chegar a todos os lugares.

Watts me disse que, no que tange ao pensamento dominante, a maioria das pessoas rejeita veementemente a noção de aleatoriedade. Elas preferem acreditar que o mundo chegou aonde chegou porque era assim que deveria acontecer.

"Não queremos aprender porque simplesmente não gostamos de receber uma lição", disse ele. "Isso é uma coisa que eu combato, porque acho que é debilitante, mesmo, essa insistência em ter que contar uma boa história sobre as coisas. É profundamente arraigada, mas acho que é muito equivocada." Eu disse a ele que tentaria mudar a visão das pessoas semeando mais uma vez sobre a rede. Quem sabe? Talvez funcione dessa vez. Esse é justamente o ponto, porque persistência somada a sorte é o que faz as pessoas mudarem de ideia, não a genialidade. As ideias que mudam o mundo são aquelas que estão na cabeça das pessoas que se recusam a desistir.

Vimos inúmeras formas de conduzir as pessoas pelo processo natural de mudança de ideia e vimos as técnicas de persuasão que proporcionam os melhores resultados. Aprendemos a combater os efeitos da psicologia tribal; a criar ambientes virtuais melhores, a explorar aquilo que nos deu a capacidade de mudar de ideia em primeiro lugar; os dons genéticos de assimilação e acomodação, raciocínio, elaboração, adoção de perspectiva e aprendizado social que dão à argumentação o poder de mudar as ideias das pessoas presas às ideologias "surfpadificadas" e antiquadas. Em maior escala, esses caminhos para a mudança chacoalham o status quo quando os efeitos de rede sobre os quais falamos criam as condições que tornam os efeitos cascata de mudança imprevisíveis. Mas nenhum status quo é eterno. Todo sistema eventualmente se torna frágil. A chave para mudar um país, ou um planeta, é a persistência.

A todo momento, em qualquer sistema, milhares de nós estão persistindo, na esperança de fazer a diferença que muda o mundo, mas ninguém sabe onde está o aglomerado vulnerável. Ninguém pode forçar o sistema a funcionar em cascata para si mesmo.

O sistema precisa se tornar vulnerável. Quando isso ocorre, diante de tanta gente insistindo, é inevitável que alguém dê início ao efeito cascata que muda tudo, mas esse alguém não está predeterminado. Não é preciso nenhum privilégio para começar a atacar o status quo, porque ninguém está no controle. Mas *você* está no controle da decisão de parar ou não de insistir. E, se a mudança que você quer fazer for grande, pode ser que precise insistir a vida inteira. Durante toda a luta pela igualdade racial nos Estados Unidos, as pessoas que atacaram o status quo tiveram que passar o bastão para novas mãos. Porque, uma vez que a luta tinha começado, havia sempre alguém trabalhando duro, procurando pelo aglomerado vulnerável. Os efeitos cascata que levaram à mudança não foram constantes, mas foram *inevitáveis*. A chave é nunca largar o bastão.

As pessoas que mudam o mundo são as que persistem, pessoas como Dave Fleischer, que supervisionou um esforço para bater em mais de 13 mil portas e que ainda não parou de bater. Muitas vezes, mas nem sempre, uma batida leva a uma mudança. Ele tem certeza disso, e as pesquisas confirmam — pode não ser a batida de hoje, mas eventualmente alguma vai abalar o status quo e mudar tudo.

EPÍLOGO

Quando estava quase terminando de escrever este livro, fui convidado para o Gather Festival, na Suécia, para entrevistar Mark Sargent, um proeminente terraplanista, diante de uma plateia ao vivo.

Fui convidado porque havia contribuído para o documentário *A Terra é plana*, uma exploração do raciocínio motivado e do pensamento conspiratório contado através da vida de pessoas que formaram uma comunidade em torno da crença de que a Terra é plana.[1]

O documentário alcançou grande popularidade no Netflix na época, e convidei os produtores ao meu podcast para debatermos os dados científicos, tanto astronômicos quanto sociais, que o filme explorava. Os organizadores do Gather ouviram o podcast e convidaram tanto a mim quanto a Mark, o terraplanista que o documentário acompanha mais de perto, para uma conversa no palco.

Como a maioria dos teóricos da conspiração, os terraplanistas são geralmente pessoas razoáveis, inteligentes e curiosas em termos científicos. Amam suas famílias, têm empregos, pagam suas contas e tudo mais. Em outras palavras, não são malucos nem estúpidos. Então, o que leva pessoas razoáveis, inteligentes e cientificamente curiosas a acreditar que a Terra é plana? Em essência, o fenômeno de acreditar que a Terra é plana e formar uma comunidade em torno dessa crença é movido pelos mesmos mecanismos psicológicos absolutamente normais e absolutamente comuns à experiência humana de que tratamos ao longo deste livro — e que levaram a subculturas como os antivacina, os que não acreditam que o homem pisou na Lua, os negacionistas da teoria da evolução, os conspiracionistas do Onze de Setembro ou do massacre na escola primária de Sandy Hook, os que afirmam que Barack Obama não nasceu em solo americano, os seguidores do QAnon, os antimáscara, os usuários de ivermectina e o Pizzagate.

Seja qual for o modelo pelo qual alguém acredite que a Terra é plana, a ideia que os une é a crença na existência de um misterioso e poderoso *eles* que, em algum momento, descobriu que a Terra era plana — fosse por vê-la do espaço ou por explorar as bordas mais distantes do disco —, e agora encobre isso por algum motivo.

A Terra plana é uma teoria da conspiração convincente porque explica todas as outras teorias da conspiração. Foi por isso que encenamos o pouso na Lua. É por isso que acobertamos a existência de alienígenas. Foi por isso que Kennedy foi assassinado. É disso que trata o *Deep State*. Isso não significa que não haja facções dentro da comunidade; existem campos, como denominações dentro de um sistema de crenças religiosas. Alguns acreditam que a Terra é mais como um globo de neve com uma projeção hiperavançada do espaço, do Sol e da Lua na superfície interna para nos enganar. Alguns construíram intrincados e antiquados modelos planetários, com engrenagens e braços mecânicos para demonstrar como o disco se desloca pelo espaço, dando origem à noite e ao dia. Alguns acreditam que os alienígenas fizeram o disco; outros, que foram os deuses.

Para a maioria das pessoas, essas divergências são administráveis, porque, no fim das contas, foi a noção de um poderoso *eles* que esconde a *verdade* que os motivou a investigar mais a fundo, a se reunir e formar uma comunidade. Todos estão de acordo nesse ponto. Então a psicologia de grupo os dominou; agora eles estão vinculados ao tribalismo e ao gerenciamento de reputação, sinalizando uns aos outros ao se comprometerem com o dogma central de que, aconteça o que acontecer, a Terra não é redonda.

Por trás desse dogma está um valor que se expressa em posturas. Os terraplanistas não desconfiam do método científico, apenas das instituições que o empregam; portanto, costumam usar o método científico para testar seus palpites. Quando realizam experimentos e os resultados ou sugerem que a hipótese está incorreta ou fornecem evidências para uma hipótese concorrente, eles descartam essa evidência como anomalia.

É provável que, com o tempo, eles sigam o mesmo percurso de mudança de ideia que ocorreu ao longo da história da ciência, o caminho de teorias abandonadas da química, da física, da psicologia, da astronomia e assim por diante. Eles vão passar pelos estágios de assimilação e acomodação de Piaget até chegarem a uma das mudanças de paradigma de Kuhn. As evidências reunidas pareciam se encaixar no modelo existente, até que um tal volume de anomalias deixou claro que um conjunto diferente de explicações era necessário para a compreensão das coisas.

Foi por isso que inventamos a ciência, antes de mais nada. A ciência é mais inteligente que os cientistas, e é o método que responde pelos resultados ao longo do tempo. Mas, para que ela funcione, você precisa estar disposto a admitir que está errado. E se a sua reputação, o seu sustento, o seu lugar na comunidade estão em jogo, bem, pode ser difícil fazer isso.

Em minha entrevista com os produtores de *A Terra é plana*, argumentei que observar como pessoas curiosas, lógicas e inteligentes são desviadas por seus próprios mecanismos psicológicos — com o auxílio dos algoritmos do Google e do YouTube, que privilegiam as conspirações, e do contexto tribal e identitário das redes sociais — mostra como todos nós somos propensos a esse tipo de pensamento. Ele proporciona a humildade e a empatia de que precisamos nestes tempos controversos.

É útil pensar no viés de confirmação como os óculos que colocamos quando nos sentimos extremamente motivados pelo medo, pela ansiedade, pela raiva etc. Em estados como esses, começamos a procurar pela confirmação de que as emoções que sentimos se justificam. Por que faríamos isso? Eu comparo essa atitude a acampar em uma área remota: quando ouvimos um barulho estranho, sacamos a lanterna e, de nossa barraca, procuramos em meio às árvores pela confirmação de que as emoções que sentimos se justificam.

As pessoas que hesitam em se vacinar, por exemplo, sentem todos esses sentimentos por diferentes razões, mas o comportamento que resulta disso é o mesmo. Da segurança de seus celulares, elas buscam na internet a confirmação de que suas posturas e emoções são razoáveis. Fora da internet, na mata, a busca pela confirmação resultaria em refutação, em nada ou em alguns falsos positivos inócuos. Na internet, porém, a confirmação é garantida. Mesmo que 99% das informações disponíveis refutem sua crença, se você estiver procurando pelo outro 1%, *vai* encontrá-lo.

Fazemos isso porque somos primatas sociais que coletam informações de maneira enviesada, no intuito de defender nossas perspectivas individuais, em um ambiente de informações compartilhadas, dentro de um grupo que delibera sobre planos de ação compartilhados em direção a objetivos coletivos. Somos preguiçosos, porque esperamos transferir o trabalho cognitivo para um processo de deliberação em grupo, no qual cada lanterna que aponta para a floresta acrescenta algo à argumentação resultante antes de planejarmos nossa decisão compartilhada sobre como agir com base em motivações compartilhadas.

Portanto, ao interagir com alguém que hesita em se vacinar, você irá muito mais longe se enxergar isso como uma colaboração respeitosa em direção a um objetivo compartilhado, com base em medos e ansiedades mútuos, e demonstrar que está aberto à perspectiva e à opinião do outro sobre a melhor estratégia.

Imagine que você e outra pessoa ouviram um barulho estranho; estão com medo e procurando com suas próprias lanternas. Ambos têm alguns palpites, mas o mais importante é que desejam compartilhar informações antes de, juntos, chegarem a uma conclusão. Explore o raciocínio por trás dos palpites do outro com perguntas e escuta empáticas. Pergunte o que justifica a confiança dele, e como. Então, compartilhe o mesmo.

—

Quando o Gather Festival me convidou para falar com Sargent, aproveitei a oportunidade para demonstrar o que havia aprendido com a epistemologia de rua e a pesquisa em profundidade diante de uma plateia. Liguei para Anthony Magnabosco e pedi a ele que repetisse a técnica para mim. Depois, liguei para os pesquisadores que haviam estudado a refutação técnica *versus* a refutação temática, que me disseram que, em um ambiente muito sensível ao constrangimento, a melhor coisa a fazer diante de uma plateia era perguntar a Sargent sobre seu processamento, não refutar suas alegações.

Quando fomos apresentados, achei Sargent charmoso e bobo. Disse a ele para não se preocupar: eu não ia tirar sarro da cara dele. Não tinha intenção alguma de fazê-lo parecer idiota. Ele disse que não se importava se eu fizesse isso e me contou sobre um comercial que havia feito para um aplicativo de apostas esportivas na Austrália. Ele olhava para a câmera e dizia que o aplicativo tornava apostar tão fácil que até ele conseguia fazê-lo de cabeça. O comercial terminava dizendo: "É à prova de burros!".

No palco, perguntei sobre a vida dele antes do terraplanismo, onde ele tinha sido criado, qual sua área de trabalho. Ele me disse que já tinha sido chef de um restaurante mediterrâneo em Seattle. Mas, depois de quebrar todos os recordes em um jogo de pinball de computador, a empresa o contratara como *ringer*, uma pessoa que vai aos fliperamas para promover as máquinas como um campeão imbatível. Ele viajava pelo país e "fazia os jogos parecerem melhores do que eram".

Eu disse que parecia que aquilo poderia ter plantado uma semente, uma sensação de que havia de fato forças ocultas maquinando para enganar as pessoas.

"Sim, eu fiz parte de uma conspiração", disse ele. "Uma conspiração de videogames."

Comentei que ele também já havia sido famoso uma vez e que devia ser bom ser famoso novamente, viajando o mundo para dar palestras sobre a Terra plana, figurando em documentários, comerciais e coisas do gênero. Ele respondeu que era.

Perguntei como ele tinha começado a acreditar que a Terra era plana, e ele me disse que nunca havia sido o "tipo de pessoa que se tranca em casa" e vive com medo. Simplesmente achava as conspirações interessantes, mas, em determinado momento, não tinha mais nenhuma conspiração nova sobre a qual pesquisar. Ele ficou entediado, mas, quando encontrou um vídeo no YouTube sobre a Terra plana, aquilo fez sentido para ele. "Eu me lembro de receber uma resposta visceral. Cheguei a ficar ruborizado. O que foi esquisito."

Ele procurou por tudo o que pôde para refutar a teoria, mas, quanto mais procurava, mais se convencia. Há uma enorme quantidade de conteúdo na internet, disse ele, e, depois de nove meses consumindo esse conteúdo, ele gravou seu próprio vídeo, repassando os indícios que considerava mais convincentes. O vídeo viralizou, e um milhão de visualizações depois ele começou a receber e-mails e convites. Logo ele descobriu como entrar para a comunidade e, com o tempo, subiu na hierarquia até se tornar um porta-voz. Hoje ele se apresenta ao redor do mundo, e só em 2022 esteve na Austrália, em Londres, no Texas, e agora estava ali, em Estocolmo, na Suécia.

"Todos os dias eu acordo e tento destruir a Terra plana, e todos os dias eu falho", Mark me disse. Para ele, era tudo uma questão de pesquisa, tudo uma questão de ligar os pontos. Ele tinha a sensação de estar fazendo sua devida diligência, procurando fatos que fizessem sentido. Alguns confirmavam seus palpites, outros não, mas tudo apontava para a mesma conclusão. O único problema de fato era que, uma vez que alguém se torna um terraplanista, amigos e colegas de trabalho tendem a se afastar. Mas, como a comunidade agora é muito grande, muito receptiva e simpática, não é tão ruim. Existe até um aplicativo para terraplanistas que querem namorar, mas que receiam o que pode acontecer quando revelarem suas crenças.

Perguntei a Sargent que crenças eram essas. Ele listou as alegações, depois confirmei se as tinha entendido e perguntei quais eram suas justificativas. Escutei, sem questionar, e comentei que um tema comum para ele parecia ser que a ciência, como instituição, havia tirado conclusões muito precipitadas. Ainda havia muito que não sabíamos sobre o espaço e o tempo e sobre como os planetas se formam. Ele concordou.

"Existem muitos mistérios do universo para os quais temos apenas algumas evidências", falei. "Não temos todas as ferramentas. Talvez ainda não tenhamos concluído o trabalho. Parece que existe uma concepção, no terraplanismo, de que os cientistas têm respostas para tudo, mas, se estou ouvindo direito, você está dizendo que ainda há muito espaço para mistério nesse modelo também."

"Sim", disse Sargent. "Não tenho todas as respostas. Nem de longe."

Eu perguntei como, diante disso, os terraplanistas como ele haviam deduzido que a Terra era plana.

Mark pegou um pequeno modelo que parecia um globo de neve, um disco plano dos continentes coberto por uma cúpula de vidro, e o mostrou à plateia. "Tenho como provar isso para vocês em um tribunal agora mesmo? Não. Não tenho." Então ele pegou um pequeno globo. "Mas tenho como gerar tantas dúvidas razoáveis sobre isso que vocês não vão ter outro lugar ao qual recorrer a não ser algum modelo como aquele?", perguntou ele, apontando para o globo de neve. "Tenho, pelo resto do dia."

Perguntei se ele submeteria o modelo da Terra plana ao mesmo grau de escrutínio que fazia com o modelo redondo, o tipo de escrutínio que um cientista empregaria. Ele disse que o movimento da Terra plana era recente; que ainda tinham muito trabalho a fazer, tentando recuperar o atraso em relação a séculos de pesquisa que defendiam a tese predominante.

Sugeri que, se ele concordava que a Terra plana era apenas uma hipótese entre muitas, então ela poderia ser testada cientificamente como qualquer outra hipótese; mas, para que houvesse qualquer discussão científica razoável, deveríamos usar algum padrão para nossa confiança. Ele concordou, e perguntei qual era o grau de confiança dele, de 0 a 100. Ele disse 99. Então, como Anthony havia sugerido, perguntei o que ele faria se visse evidências dentro do padrão dele que sugerissem que o modelo da Terra plana estava incorreto.

"Ah, eu abriria mão. Eu abriria mão dele no mesmo instante."

Quase uma hora depois de termos começado, senti que era um bom lugar para encerrar, e falamos um pouco sobre os experimentos que os terraplanistas haviam projetado, incluindo uma expedição ao suposto Polo Sul. Então agradeci, e saímos para os bastidores.

Mark me disse que aquela havia sido uma das melhores conversas que ele já tivera sobre o assunto, e naquela noite fomos a um bar para beber e conversar sobre a Suécia. Eu disse a ele que gostaria de ter outras conversas como aquela algum dia, mas não hoje, e fizemos nosso pedido.

AGRADECIMENTOS

Este livro levou muito tempo para ser escrito. Quanto mais tempo levava, mais o mundo mudava. O que parecia óbvio se tornava questionável, e o que era questionável se tornava óbvio, e assim foi até aqui. Ao longo do caminho, aprendi sobre como as pessoas mudam de ideia tanto por meio da jornada até essas palavras finais quanto por meio da pesquisa por detrás delas.

Mas tive muita ajuda nessa trajetória e receio jamais poder expressar a magnitude da minha gratidão nem fazer uso apropriado do espaço disponível para agradecer a cada pessoa cujos incentivo, crítica e conselho tornaram este projeto possível.

Sem dúvida alguma, posso dizer que isso nunca teria sido mais do que algumas perguntas sem resposta não fossem a contribuição e a inspiração da minha esposa, Amanda McRaney. Refletindo sobre os conceitos ainda em gestação, você me disse "Isso parece um livro", e, à medida que eles se multiplicaram, suas ideias para somar, subtrair e alterar seções grandes e pequenas se refletem em todas as páginas. Tenho uma dívida vitalícia pelo seu sacrifício e apoio. Muito obrigado.

Também sou enormemente grato à minha agente, Erin Malone Borba. Você acreditou e lutou por este projeto desde o princípio, e depois de novo e de novo, sem hesitar, atravessando uma série de reviravoltas inusitadas e inesperadas do destino. Você tem sido minha heroína desde o tempo dos blogs. Foi a sua mão que me trouxe para este mundo, e, quando decidi embarcar em uma nova e ambiciosa aventura, você abriu o caminho. Obrigado.

Niki Papadopoulos, você é uma editora rara e incrível que sabe como extrair o verdadeiro potencial de um livro escondido dentro de um manuscrito desajeitado e sem foco. Você viu a humanidade latente nas versões preliminares e soube exatamente como retrabalhar os capítulos para libertar a voz do livro e a minha. Devo muito à sua visão e à sua persistência. Obrigado.

Trish Daly, sua edição cuidadosa e sua insistência em não apenas acrescentar o que claramente estava faltando, mas também cortar as partes do livro que distraíam e diminuíam sua história, seu propósito e seu coração colocaram tudo em foco. Você estava sempre disposta a me encontrar e conversar quando eu estava inseguro, e toda vez eu saía com a sensação de que deveria ter me encontrado com você antes. Obrigado.

Eamon Dolan, quando lhe enviei um capítulo de trinta mil palavras sobre teorias da conspiração, você me ligou, respirou fundo e perguntou o que raios eu estava pensando. Essa ligação levou a muitas outras, e você guiou a transformação da ideia original, uma reformulação confusa de um trabalho anterior, em algo que estava muito além da minha zona de conforto quando nos conhecemos. Obrigado.

Misha Glouberman, você estendeu a mão quase no meio do caminho, ouviu meus discursos empolgados sobre o que, na época, pareciam insights, e os desmantelou cuidadosamente, um por um. Tirei proveito de sua experiência inúmeras vezes, e sua amizade e seu feedback foram inestimáveis para mim quando tudo se encaixou. Obrigado.

Will Storr, eu lhe enviei um manuscrito antigo que você devolveu com elogios onde o texto estava bom e críticas onde não estava. Nossas conversas de antes e depois acenderam um fogo que continua a arder em minha cabeça, e seu trabalho incrível pesquisando e escrevendo livros sobre quem não pode ser persuadido e as histórias que contamos a nós mesmos me desafiaram e me inspiraram. Obrigado.

Hugo Mercier, todo este projeto é resultado de como eu mesmo tive que mudar de ideia sobre tudo o que eu tinha escrito na sequência da nossa conversa sobre sua pesquisa envolvendo argumentação, persuasão e o que acontece no cérebro quando as pessoas mudam de ideia. Obrigado.

Há muitos outros. Meus pais, Jerry e Evelyn McRaney, Alistair Croll, James Burke, Joe Hanson, Dave Fleischer e o Leadership LAB, David Broockman, Joshua Kalla, Tom Stafford, Simon Sinek, Nick Andert, Caroline Clark, Daniel J. Clark, Karen Tamerius, Rob Willer, Sam Arbesman, Jonas Kaplan, Sarah Gimbel, Chenhao Tan, Gordon Pennycook, Andy Luttrell, Ada Palmer, David P. Redlawsk, Peter Ditto, Anthony Magnabosco, Charlie Veitch, Megan Phelps-Roper, Zach Phelps, Robert Burton, Stephen Lewandowski, David Eagleman, Lilliana Mason, Donald Hoffman, Duncan Watts, Dan Kahan, Steven Novella, Brendan Nyhan, Jason Reifler, Jaethan Reichel, Deborah Prentiss, o falecido Lee Ross, Melanie C. Greene, Richard Petty, Pascal Wallisch, Jay Van Bavel e os cientistas sociais da NYU, Rory Sutherland, a equipe da Ogilvy Change, só para citar alguns.

E o grande historiador da ciência James Burke, a cuja série assisti na PBS quando era criança. Desde cedo, *Connections* [Conexões, em tradução livre] e *The Day the Universe Changed* [O dia que o universo mudou, em tradução livre] me prepararam para uma vida inteira de curiosidade sobre como e por que as coisas surgiram, por que elas não são diferentes e como podem mudar no futuro. Eu poderia agradecer a James apenas por isso, mas tive muita sorte de conhecê-lo ao longo dos anos e até mesmo de trabalhar em alguns projetos com ele. Para um historiador, James é surpreendentemente otimista sobre para onde nossa espécie pode rumar nos próximos quinhentos anos. Portanto, devo dar crédito a ele por continuamente me afastar do cinismo enquanto eu compartilhava com ele partes do livro e debatia as ideias mais importantes. Obrigado.

Em *Connections*, James apresentou uma "visão alternativa da história" na qual grandes insights ocorriam por causa de anomalias e erros, porque as pessoas corriam atrás de uma coisa, mas ela levava a algum lugar surpreendente ou era combinada a algum outro objeto ou ideia que as pessoas jamais teriam imaginado por si próprias. A inovação ocorreu nos espaços interdisciplinares, quando pessoas fora dos silos intelectuais e profissionais, despidas de visões categóricas e lineares, sintetizaram o trabalho de pessoas ainda presas a essas instituições, que, por causa dessas instituições, não tinham ideia do que os outros buscavam e portanto não poderiam prever a trajetória nem mesmo de seu próprio trabalho, menos ainda da própria história.

Em *The Day the Universe Changed*, Burke dizia que o conhecimento foi inventado tanto quanto descoberto, e que novas ideias "mordiscam as bordas" do conhecimento comum até que valores considerados permanentes e fixos se transformem em velharia como qualquer outra ferramenta obsoleta. Minha frase preferida do livro tem a ver com imaginar um grupo de cientistas que vive em uma sociedade que acredita que o universo é feito de omeletes e desenvolve instrumentos para detectar vestígios de resíduos de ovos interestelares. Quando eles observam evidências de galáxias e buracos negros, tudo parece apenas ruído para eles. O modelo de natureza deles ainda não é capaz de acomodar o que eles estão vendo, então eles não veem. "Tudo o que pode ser dito com precisão sobre um homem que acha que é um ovo cozido", brincou Burke, "é que ele faz parte de uma minoria."

A influência neste livro deve ser óbvia. Aprendi que, quando o ambiente muda, as ideias precisam mudar para se acomodar, ora resistindo, ora cedendo, em um caminho sinuoso e reflexivo rumo à epifania provisória. Mas vai muito além disso. Burke uma vez me disse que nosso sistema de conhecimento e descoberta nunca foi capaz, até recentemente, de lidar com mais de uma ou duas maneiras de ver as coisas ao mesmo tempo. Em resposta, por muito tempo exigimos conformidade com a visão de mundo dominante ou com binarismos ideológicos homogêneos similares; mas tudo isso iria mudar quando a internet chegasse aos bolsos de todo mundo.

Durante grande parte de sua carreira, James produziu documentários e escreveu livros no intuito de nos ajudar a entender melhor a enorme quantidade de informações que ele previa que um dia estaria ao nosso alcance, e foi esse conselho que ele ofereceu no final de *Connections* que carreguei comigo em todos os capítulos:

"Descubra dentro de você a capacidade de compreender qualquer coisa, porque essa capacidade está aí, desde que a explicação seja clara o suficiente. Então vá em frente e peça explicações. Se você estiver pensando agora 'O que eu devo perguntar?', pergunte a si mesmo se há algo em sua vida que você deseje mudar. É por aí que você deve começar."

NOTAS

INTRODUÇÃO

1. Benjamin I. Page e Robert Y. Shapiro, *The Rational Public: Fifty Years of Trends in Americans' Policy Preferences.* Chicago: The University of Chicago Press, 2005.

CAPÍTULO 1: PÓS-VERDADE

1. "9/11 Conspiracy Road Trip". Conspiracy Road Trip, *BBC*, 2011. Disponível em: <https://www.bbc.co.uk/programmes/b014gpjx>.

2. Mark Hughes, "Royal Wedding: Masked Anarchists Thwarted by Police". *The Telegraph*, 29 de abril de 2011. Disponível em: <https://www.telegraph.co.uk/news/uknews/royal-wedding/8483761/Royal-wedding-masked-anarchists-thwarted-by-police.html>.

3. Charlie Veitch, "No Emotional Attachment to 9/11 Theories: The Truth Is Most Important". *YouTube*, 29 de junho de 2011. Disponível em: <https://www.youtube.com/watch?v=ezHNdBE5pZc>.

4. Aodscarecrow, "Why Charlie Veitch Changed His Mind on 911: 1/3". *YouTube*, 1º de julho de 2011.

5. Entrevista com Stacey Bluer em 7 de março de 2016.

6. Anti New World Order, “Alex jones says he knew charlie veitch was an operative a year ago”. *YouTube*, 26 de julho de 2011. Disponível em: <https://www.youtube.com/watch?v=02ybVM8jmus>.
7. Entrevista com George Lowenstein e David Hagmann, 3 de abril de 2017.
8. George Lakoff, *The Political Mind: A Cognitive Scientist’s Guide to Your Brain and Its Politics*. Nova York: Penguin Books, 2009.
9. “At the Instance of Benjamin Franklin: A Brief History of the Library Company of Philadelphia”. *Library Company*. Disponível em: <http://librarycompany.org/about/Instance.pdf>.
10. *How to Operate Your Brain*, direção de Joey Cavella e Chris Graves, apresentado por Timothy Leary, Retinalogic, 1994.
11. Paul McDivitt, “The Information Deficit Model is Dead. Now What? Evaluating New Strategies for Communicating Anthropogenic Climate Change in the Context of Contemporary American Politics, Economy, and Culture”. *Journalism & Mass Communication Graduate Theses & Dissertations*, vol. 31, 2016. Disponível em: <https://scholar.colorado.edu/jour_gradetds/31>.
12. “‘Post-truth’ Named 2016 Word of the Year by Oxford Dictionaries”. *The Washington Post*, 16 de novembro de 2016. Disponível em: <https://www.washingtonpost.com/news/the-fix/wp/2016/11/16/post-truth-named-2016-word-of-the-year-by-oxford-dictionaries/?utm_term=.f3bd5a55cb2f>.
13. Allister Heath, “Fake News Is Killing People’s Minds, Says Apple Boss Tim Cook”. *The Telegraph*, 10 de fevereiro de 2017. Disponível em: <https://www.telegraph.co.uk/technology/2017/02/10/fake-news-killing-peoples-minds-says-apple-boss-tim-cook>.
14. Nick Stockton, “Physicist Brian Greene Talks Science, Politics, and... Pluto?”. *Wired*, 3 de junho de 2017. Disponível em: <https://www.wired.com/2017/05/brian-greene-science-becames-political-prisoner>.
15. “The Key Moments from Mark Zuckerberg’s Testimony to Congress”. *The Guardian*, 11 de abril de 2018. Disponível em: <https://www.theguardian.com/technology/2018/apr/11/mark-zuckerbergs-testimony-to-congress-the-key-moments>.

CAPÍTULO 2: PESQUISA EM PROFUNDIDADE

1. Grande parte do material deste capítulo vem de entrevistas com David Fleischer e outros integrantes do LAB. A equipe também forneceu material escrito e vídeos de arquivo, além de permitir que eu passasse algum tempo em suas instalações e

participasse de treinamentos e pesquisas. Enquanto estava lá, entrevistei outros visitantes e os cientistas que estudam o LAB. Fiz três visitas entre 2016 e 2018.

2. “The California Proposition 8 Initiative Eliminates Right of Same-Sex Couples to Marry”. *Ballotpedia*, 2008. Disponível em: <https://ballotpedia.org/California_Proposition_8,_the_%22Eliminates_Right_of_Same-Sex_Couples_to_Marry%22_Initiative_(2008)>.
3. “The Prop 8 Report”.
4. Ta-Nehisi Coates, “Prop 8 and Blaming the Blacks”. *The Atlantic*, 7 de janeiro de 2009. Disponível em: <https://www.theatlantic.com/entertainment/archive/2009/01/prop-8-and-blaming-the-blacks/6548>.
5. Esse comercial é muitas vezes chamado de *The Princess Ad*. O YesOnProp8 o chamou de “It’s Already Happened”. Disponível em: <https://www.youtube.com/user/VoteYesonProp8>.
6. Os detalhes da preparação para a votação vieram do *Prop 8 Report* e de entrevistas com Dave Fleischer.
7. Donald P. Green e Alan S. Gerber, *Get Out the Vote: How to Increase Voter Turnout*. Washington, D.C.: Brookings Institution Press, 2015.
8. Michael LaCour e Donald Green, “When Contact Changes Minds: An Experiment on Transmission of Support for Gay Equality”. *Science*, v. 346, n. 6215, p. 1366-9, 2014. Disponível em: < https://www.science.org/doi/10.1126/science.1256151>.
9. Benedict Carey, “Gay Advocates Can Shift Same-Sex Marriage Views”. *The New York Times*, 11 de dezembro de 2014. Disponível em: <https://www.nytimes.com/2014/12/12/health/gay-marriage-canvassing-study-science.html>.
10. “The Incredible Rarity of Changing Your Mind”. *This American Life*, 31 de janeiro de 2018. Disponível em: <https://www.thisamericanlife.org/555/the-incredible-rarity-of-changing-your-mind>.
11. Robert M. Sapolsky, “Gay Marriage: How to Change Minds”. *The Wall Street Journal*, 25 de fevereiro de 2015. Disponível em: <https://www.wsj.com/articles/gay-marriage-how-to-change-minds-1424882037>.
12. “Article Metrics and Usage Statistics Center”. *Article Usage Statistics Center*.
13. É possível ler o relatório aqui: *Irregularities in LaCour (2014)*. Disponível em: <https://doi.org/10.31222/osf.io/qy2se>.
14. Os detalhes da retratação vêm de entrevistas com Donald Green, Josh Kalla e David Broockman. Também entrevistei Michael LaCour, mas somente antes de a notícia

da suposta fraude vir a público, de modo que ele não comentou sobre isso. Green falou comigo por telefone na semana da retratação, porque eu já havia entrado em contato com ele depois de visitar o LAB pela primeira vez. LaCour não fez nenhuma declaração pública depois de sua defesa inicial.

15. Betsy Levy Paluck, "How to Overcome Prejudice". *Science*, v. 352, n. 6282, p. 147, 2016. Disponível em: <https://pubmed.ncbi.nlm.nih.gov/27124440/>.

16. David Broockman e Josh Kalla, "Durably Reducing Transphobia: A Field Experiment on Door-to-door Canvassing". *Science*, v. 352, n. 6282, p. 220-4, 2016. Disponível em: <https://www.science.org/doi/10.1126/science.aad9713>.

17. Ed Yong, "No, Wait, Short Conversations Really Can Reduce Prejudice". *The Atlantic*, 7 de abril de 2016. Disponível em: <https://www.theatlantic.com/science/archive/2016/04/no-wait-short-conversations-really-can-reduce-prejudice/477105/>.

18. Benoit Denizet-Lewis, "How Do You Change Voters' Minds? Have a Conversation". *The New York Times*, 7 de abril de 2016. Disponível em: <https://www.nytimes.com/2016/04/10/magazine/how-do-you-change-voters-minds-have-a-conversation.html>.

19. Andy Kroll, "The Best Way to Beat Trumpism? Talk Less, Listen More". *Rolling Stone*, 15 de setembro de 2020. Disponível em: <https://www.rollingstone.com/politics/politics-news/2020-presidential-campaign-tactic-deep-canvassing-1059531>.

20. T. J. Wolfe e M. B. Williams, "Poor Metacognitive Awareness of Belief Change". *Quarterly Journal of Experimental Psychology*, 2006. U.S. National Library of Medicine. Disponível em: <https://pubmed.ncbi.nlm.nih.gov/28893150/>.

21. Ainda é possível comprar os chinelos vendidos na convenção em lojas na internet. Eles hoje são considerados "memorabilia presidencial". Os anúncios de ataque, produzidos pelo Club for Growth PAC, estão disponíveis no YouTube.

22. Philip M. Fernbach, Todd Rogers, Craig R. Fox e Steven A. Sloman, "Political Extremism Is Supported by an Illusion of Understanding". *Psychological Science*, v. 24, n. 6, p. 939-46, 2013. Disponível em:< https://scholar.harvard.edu/files/todd_rogers/files/political_extremism.pdf>.

23. Virginia Slaughter e Alison Gopnik, "Conceptual Coherence in the Child's Theory of Mind: Training Children to Understand Belief". *Child Development*, v. 67, n. 6, p. 2967-88, 1996. Disponível em: <https://psycnet.apa.org/record/1997-03369-021>.

24. A. M. Leslie, O. Friedman e T. P. German, "Core Mechanisms in 'Theory Of Mind'". *Trends in Cognitive Sciences*, n. 8, p. 528-33, 2004.

25. Lara Maister, Mel Slater, Maria V. Sanchez-Vives e Manos Tsakiris, "Changing Bodies Changes Minds: Owning Another Body Affects Social Cognition". *Trends in*

Cognitive Sciences, v. 19, n. 1, p. 6-12, 2015. Disponível em: <https://doi.org/10.1016/j.tics.2014.11.001>.

26. Andrew R. Todd, Galen V. Bodenhausen e Adam D. Galinsky, "Perspective Taking Combats the Denial of Intergroup Discrimination". *Journal of Experimental Social Psychology*, v. 48, n. 3, p. 738-45, 2012. Disponível em: <https://doi.org/10.1016/j.jesp.2011.12.011>.

CAPÍTULO 3: MEIAS E CROCS

1. Terrence McCoy, "The Inside Story of the 'White Dress, Blue Dress' Drama That Divided a Planet". *The Washington Post*, 25 de outubro de 2021. Disponível em: <https://www.washingtonpost.com/news/morning-mix/wp/2015/02/27/the-inside--story-of-the-white-dress-blue-dress-drama-that-divided-a-nation>.
2. "What Color Is the Dress? The Debate That Broke the Internet". *New Hampshire Public Radio*, 17 de junho de 2021. Disponível em: <https://www.nhpr.org/2015-02-27/what-color-is-the-dress-the-debate-that-broke-the-internet#stream/0>.
3. Soube pela primeira vez da história por trás do Vestido em uma entrevista com Pascal Wallisch. O relato completo pode ser encontrado aqui: Koerner, Claudia. "The Dress Is Blue and Black, Says the Girl Who Saw It in Person". *BuzzFeed News*, 27 de fevereiro de 2015. Disponível em: <https://www.buzzfeednews.com/article/claudiakoerner/the-dress-is-blue-and-black-says-the-girl-who-saw-it-in-pers#.idKqgP3G2>.
4. Adam Rogers, "The Science of Why No One Agrees on the Color of This Dress". *Wired*, 27 de fevereiro de 2015. Disponível em: <https://www.wired.com/2015/02/science-one-agrees-color-dress/>.
5. Jakob von Uexküll, *A Foray into the Worlds of Animals and Humans: With a Theory of Meaning*. Tradução de Joseph D. O'Neil. Minneapolis/Londres: University of Minnesota Press, 2010.
6. Colin Blakemore e Grahame F. Cooper, "Development of the Brain Depends on the Visual Environment". *Nature*, v. 228, n. 5270, p. 477-8, 1970. Disponível em: <https://www.nature.com/articles/228477a0>.
7. As informações sobre a plasticidade cerebral contidas nesse capítulo vieram de uma entrevista com David Eagleman sobre seu livro: *Livewired*. Toronto: Anchor Canada, 2021.
8. Bertrand Russell, *An Inquiry into Meaning and Truth*. Hoboken, NJ: Taylor and Francis, 2013.

9. Pascal Wallisch, "Illumination Assumptions Account for Individual Differences in the Perceptual Interpretation of a Profoundly Ambiguous Stimulus in the Color Domain: 'The Dress'". *Journal of Vision*, 1º de abril de 2017. Disponível em: <https://jov.arvojournals.org/article.aspx?articleid=2617976>.

10. Pascal Wallisch e Michael Karlovich, "Disagreeing about Crocs and Socks: Creating Profoundly Ambiguous Color Displays". *arXiv.org*, 14 de agosto de 2019. Disponível em: <https://arxiv.org/abs/1908.05736>.

11. "Exploring the Roots of Disagreement with Crocs and Socks". *Pascal's Pensées*. Disponível em: <https://blog.pascallisch.net/exploring-the-roots-of-disagreement-with-crocs-and-socks>.

12. "Political Polarization in the American Public". *Pew Research Center — U.S. Politics & Policy*, 9 de abril de 2021. Disponível em: <https://www.pewresearch.org/politics/2014/06/12/political-polarization-in-the-american-public>.

13. Mara Mordecai e Aidan Connaughton, "Public Opinion about Coronavirus Is More Politically Divided in U.S. than in Other Advanced Economies". *Pew Research Center*, 28 de outubro de 2020. Disponível em: <https://www.pewresearch.org/fact-tank/2020/10/28/public-opinion-about-coronavirus-is-more-politically-divided-in-u-s-than-in-other-advanced-economies>.

14. Erik C. Nisbet, P. S. Hart, Teresa Myers e Morgan Ellithorpe, "Attitude Change in Competitive Framing Environments? Open-/Closed-Mindedness, Framing Effects, and Climate Change". *Journal of Communication*, v. 63, n. 4, p. 766-85, 2013. Disponível em: <https://doi.org/10.1111/jcom.12040>.

15. Leo G. Stewart, Ahmer Arif, A. Conrad Nied, Emma S. Spiro e Kate Starbird, "Drawing the Lines of Contention". *Proceedings of the ACM on Human-Computer Interaction*, vol. 1, n. CSCW, p. 1-23, 2017. Disponível em: <https://dl.acm.org/doi/10.1145/3134920>.

CAPÍTULO 4: DESEQUILÍBRIO

1. Steven Pinker, *Como a mente funciona*. São Paulo: Companhia das Letras, 1998.

2. Mark Humphries, "The Crimes against Dopamine". *The Spike*, 23 de junho de 2020. Disponível em: <https://medium.com/the-spike/the-crimes-against-dopamine-b82b082d5f3d>.

3. Michael A. Rousell, *Power of Surprise: How Your Brain Secretly Changes Your Beliefs*. Lanham, MD: Rowman & Littlefield, 2021.

4. Stanislas Dehaene, *How We Learn: The New Science of Education and the Brain*. Londres: Penguin, 2021.

5. Jean Piaget, *Principles of Genetic Epistemology*. Londres: Routledge, 2011.
6. Robert M. Martin, *Epistemology: A Beginner's Guide*. Londres: Oneworld, 2015.
7. Noah M. Lemos, *An Introduction to the Theory of Knowledge*. Cambridge, Reino Unido: Cambridge University Press, 2021.
8. Nassim Nicholas Taleb, *A lógica do cisne negro*. Rio de Janeiro: Objetiva, 2021.
9. Kathryn Schulz, *Being Wrong: Adventures in the Margin of Error*. Nova York: HarperCollins, 2011.
10. Ray Lankester, *Diversions of a Naturalist*, 1919.
11. Edward Heron-Allen, *Barnacles in Nature and in Myth*. Londres: Milford, 1928.
12. Leo Postman e Jerome S. Bruner, "Perception Under Stress". *Psychological Review*, v. 55, n. 6, p. 314-23, 1948. Disponível em: <https://psycnet.apa.org/doi/10.1037/h0058960>.
13. Thomas S. Kuhn, *A estrutura das revoluções científicas*. São Paulo: Perspectiva, 2017.
14. Jack Block, "Assimilation, Accommodation, and the Dynamics of Personality Development". *Child Development*, v. 53, n. 2, p. 281, 1982. Disponível em: <https://doi.org/10.2307/1128971>.
15. Richard G. Tedeschi e Lawrence G. Calhoun, "Posttraumatic Growth: Conceptual Foundations and Empirical Evidence". *Psychological Inquiry*, v. 15, n. 1, p. 1-18, 2004. Disponível em: < https://doi.org/10.1207/s15327965pli1501_01>.
16. Colin Murray Parkes, "Bereavement as a Psychosocial Transition: Processes of Adaptation to Change". *Journal of Social Issues*, v. 44, n. 3, p. 53-65, 1988. Disponível em: <https://doi.org/10.1111/j.1540-4560.1988.tb02076.x>.
17. Reynolds Price, *Whole New Life: An Illness and a Healing*. Nova York: Plume, 1995.
18. David Eagleman, *Incógnito: As vidas secretas do cérebro*. Rio de Janeiro: Rocco, 2012.
19. Leon Festiger, Stanley Schachter e Henry W. Ricchen, *When Prophecy Fails: A Social and Psychological Study of a Modern Group That Predicted the Destruction of the World*. Nova York: Harper & Row, 1956.
20. David P. Redlawsk, Andrew J. W. Civettini e Karen M. Emmerson, "The Affective Tipping Point: Do Motivated Reasoners Ever 'Get It'?". *Political Psychology*, v. 31, n. 4, p. 563-93, 2010. Disponível em: < https://doi.org/10.1111/j.1467-9221.2010.00772.x>.
21. Julia Galef, cofundadora do Center for Applied Rationality [Centro de Racionalidade Aplicada], merece o crédito pelo uso do termo "caixa de espera" (*bucket of abeyance*) dessa forma. Ouvi o termo pela primeira vez quando ela o usou durante

uma entrevista em seu programa, *Rationally Speaking*, enquanto descrevia como deixamos em espera as anomalias na ciência e na própria vida.

CAPÍTULO 5: WESTBORO

1. "Westboro Baptist Church", *Southern Poverty Law Center*. Disponível em: <https://www.splcenter.org/fighting-hate/extremist-files/group/westboro-baptist-church>.
2. Andrew Lapin, "A Properly Violent 'Kingsman' Takes on a Supervillain With Style". *NPR*, 12 de fevereiro de 2015. Disponível em: <https://www.npr.org/2015/02/12/384987853/a-properly-violent-kingsman-takes-on-a-supervillain-with-style>.
3. Melanie Thernstrom, "The Crucifixion of Matthew Shepard". *The Hive*, 31 de janeiro de 2015. Disponível em: <https://www.vanityfair.com/news/1999/13/matthew-shepard-199903>.
4. Alex Hannaford, "My Father, the Hate Preacher: Nate Phelps on Escaping Westboro Baptist Church". *The Telegraph*, 12 de março de 2013. Disponível em: <https://www.telegraph.co.uk/news/religion/9913463/My-father-the-hate-preacher-Nate-Phelps-on-escaping-Westboro-Baptist-Church.html>.
5. "Perpetual Gospel Memorial to Matthew Shepard", *Westboro Baptist Church Home Page*.
6. Li inúmeras reportagens antigas de jornais locais que detalhavam o evento. Este artigo oferece um panorama escrito no momento em que a igreja conquistava a atenção nacional: "Holy Hell: Fred Phelps, Clergyman, Is on a Crusade". *The Washington Post*, 12 de novembro de 1995. Disponível em: <https://www.washingtonpost.com/lifestyle/style/holy-hellfred-phelps-clergyman-is-on-a-crusade/2014/03/20/af0a3e52-b06b-11e3-a49e-76adc9210f19_story.html>.
7. "Religion: Repentance in Pasadena". *Time*, 11 de junho de 1951.
8. Quando este livro foi escrito, uma lista completa com os relatos dos protestos, elaborada pela própria Westboro, poderia ser encontrado no site da igreja.
9. Adam Liptak, "Justices Rule for Protesters at Military Funerals". *The New York Times*, 2 de março de 2011. Disponível em: <https://www.nytimes.com/2011/03/03/us/03scotus.html>.
10. Entrevista com Zach Phelps-Roper, 13 de fevereiro de 2016.
11. Mike Spies, "Grandson of Westboro Baptist Church Founder is Exiled from Hate Group". *Vocativ*, 23 de abril de 2015. Disponível em: <https://www.vocativ.com/usa/us-politics/westboro-baptist-church/index.html>.

12. Justin e Lindsey não são seus verdadeiros nomes. Esses pseudônimos foram extraídos do livro de memórias de Megan Phelps-Roper, *Unfollow: A Memoir of Loving and Leaving the Westboro Baptist Church*. Nova York: Farrar, Straus and Giroux, 2019.

13. Adrian Chen, "Unfollow: How a prized daughter of the Westboro Baptist Church came to question its beliefs". *The New Yorker*, 15 de novembro de 2015. Disponível em: <https://www.newyorker.com/magazine/2015/11/23/conversion-via-twitter-westboro-baptist-church-megan-phelps-roper>.

14. Os detalhes da história de Megan vêm tanto da minha entrevista com ela quanto de seu livro de memórias, *Unfollow: A Memoir of Loving and Leaving the Westboro Baptist Church*. Nova York: Farrar, Straus and Giroux, 2019.

15. "I Am Zach Phelps-Roper. I Am a Former Member of the Westboro Baptist Church. Ask Me Anything!". *Reddit.com*. Disponível em: <https://www.reddit.com/r/IAmA/comments/2bvjz6/i_am_zach_phelpsroper_i_am_a_former_member_of_the>.

16. Os detalhes da excomunhão e da conversão de Fred Phelps vieram de minha entrevista com Zach Phelps-Roper. O número de pessoas que deixaram a Westboro varia um pouco entre as fontes, mas o expresso aqui reflete o que considero ser o consenso. Mais detalhes disponíveis nesse artigo, cujo autor entrevistei sobre a irmã de Zach, Megan, ter deixado a igreja: Adrian Chen, "Conversion via Twitter". *The New Yorker*, 10 de março de 2018. Disponível em: <https://www.newyorker.com/magazine/2015/11/23/conversion-via-twitter-westboro-baptist-church-megan-phelps-roper>.

CAPÍTULO 6: A VERDADE É TRIBAL

1. "Manchester Blue Tit". *Faunagraphic*. Disponível em: <https://www.faunagraphic.com/manchester-blue-tit-print/>.

2. Charlie Veitch, "Charlie Veitch on Alex Jones Show (May 2009)". *YouTube*, 25 de outubro de 2009. Disponível em: <https://www.youtube.com/watch?v=Pd_Erw91uyE>.

3. Parte desse material vem de entrevistas com os neurocientistas Sarah Gimbel e Jonas Kaplan sobre o artigo que eles publicaram: Sarah Gimbel, Jonas Kaplan e Sam Harris, "Neural Correlates of Maintaining One's Political Beliefs in the Face of Counterevidence". *Scientific Reports*, v. 6, n. 1, 2016. Disponível em: <https://www.nature.com/articles/srep39589>.

4. Stanley Milgram, "Behavioral Study of Obedience". *The Journal of Abnormal and Social Psychology*, v. 67, n. 4, p. 371-8, 1963.

5. Muzafer Sherif, *Intergroup Conflict and Cooperation: The Robbers Cave Experiment*. Norman: University Book Exchange, 1961. Disponível em: <https://psycnet.apa.org/doi/10.1037/h0040525>.

6. Escrevi sobre o experimento de Robber's Cave em meu livro *Você não é tão esperto quanto pensa* e me lembrei dele como um exemplo de lealdade tribal quando entrevistei a psicóloga política Lilliana Mason sobre seu livro *Uncivil Agreement: How Politics Became Our Identity*. Chicago: University of Chicago Press, 2018.

7. Henri Tajfel, "Experiments in Intergroup Discrimination". *Scientific American*, v. 223, n. 5, p. 96-102, 1970. Disponível em: <http://dx.doi.org/10.1038/scientificamerican1170-96>.

8. Entrevista com Dan Kahan em 4 de dezembro de 2017.

9. "Cultural Cognition Project: HPV Vaccine Research". *The Cultural Cognition Project*. Disponível em: <http://culturalcognition.squarespace.com/hpv-vaccine-research>.

10. Dan M. Kahan, "The Politically Motivated Reasoning Paradigm, Part 1: What Politically Motivated Reasoning Is and How to Measure It". In: Robert Scott e Stephen Kosslyn (Org.), *Emerging Trends in the Social and Behavioral Sciences*. Hoboken, NJ: John Wiley and Sons, 2017.

11. Entrevista com Dan Kahan em 11 de fevereiro de 2018.

12. "Cultural Cognition Project — Cultural Cognition Blog — Who Distrusts Whom about What in the Climate Science Debate?". *The Cultural Cognition Project*. Disponível em: <http://culturalcognition.squarespace.com/blog/2013/8/19/who-distrusts-whom-about-what-in-the-climate-science-debate.html>.

13. David Straker, *Changing Minds: In Detail*. Crowthorne: Syque, 2010.

14. David Straker, *Changing Minds: In Detail*. Crowthorne: Syque, 2010.

15. Anni Sternisko, Aleksandra Cichocka e Jay Van Bavel, "The Dark Side of Social Movements: Social Identity, Non-Conformity, and the Lure of Conspiracy Theories". *Current Opinion in Psychology*, 21 de fevereiro de 2020. Disponível em: <https://www.sciencedirect.com/science/article/pii/S2352250X20300245>.

16. Jan-Willem van Prooijen e Mark van Vugt, "Conspiracy Theories: Evolved Functions and Psychological Mechanisms". *Perspectives on Psychological Science*, v. 13, n. 6, p. 770-88, 2018. Disponível em: <https://doi.org/10.1177/1745691618774270>.

17. Computathugz, "Truth Festival|TruthSeekers|FreeThinkers". *Truthjuice*, 19 de setembro de 2014. Disponível em: <https://www.truthjuice.co.uk/non-truthjuice-festivals/>.

18. DunamisStorm, "The TruthJuice Gathering 2011 (Andy Hickie — Universal Mind)". *YouTube*, 31 de maio de 2011.

19. Truthjuicefilms, "Truth Juice Summer Gathering Pt2". *YouTube*, 22 de setembro de 2010. Disponível em: <https://www.youtube.com/watch?v=LBYKqzdDCxk>.

20. Charlie Veitch, "Kindness Offensive/Love Police SUNRISE FESTIVAL COMPETITION 2011". *YouTube*, 7 de janeiro de 2011. Disponível em: <https://www.youtube.com/watch?v=xD2PO4ECu8U>.

21. Geoffrey L. Cohen, David K. Sherman, Anthony Bastardi, Lillian Hsu, Michelle Mcgoey e Lee Ross. "Bridging the Partisan Divide: Self-affirmation Reduces Ideological Closed-mindedness and Inflexibility in Negotiation". *Journal of Personality and Social Psychology*, v. 93, n. 3, p. 415-30, 2007. Disponível em: <https://doi.org/10.1037/0022-3514.93.3.415>.

22. Kevin R. Binning, Cameron Brick, Geoffrey L. Cohen e David K. Sherman, "Going Along versus Getting It Right: The Role of Self-integrity in Political Conformity". *Journal of Experimental Social Psychology*, v. 56, p. 73-88, 2015. Disponível em: <https://doi.org/10.1016/j.jesp.2014.08.008>.

23. Brendan Nyhan e Jason Reifler, "The Roles of Information Deficits and Identity Threat in the Prevalence of Misperceptions". *Journal of Elections, Public Opinion and Parties*, v. 29, n. 2, p. 1-23, maio de 2017. Disponível em: <https://doi.org/10.1080/17457289.2018.1465061>.

24. Muzafer Sherif, *Intergroup Conhict and Cooperation: The Robbers Cave Experiment*. Whitefish, MT: Literary Licensing, 2013.

25. Entrevista com Tom Stafford em 13 de setembro de 2016.

CAPÍTULO 7: DEBATE E ARGUMENTAÇÃO

1. Entrevistei o psicólogo Peter Ditto sobre seu experimento, que está disponível aqui: Peter Ditto e David F. Lopez, "Motivated Skepticism: Use of Differential Decision Criteria for Preferred and Nonpreferred Conclusions". *Journal of Personality and Social Psychology*, v. 63, n. 4, p. 568-84, 1992. Disponível em: <https://psycnet.apa.org/record/1993-04301-001>.

2. Daniel Gilbert, "I'm O.K., You're Biased". *The New York Times*, 16 de abril de 2006. Disponível em: <https://www.nytimes.com/2006/04/16/opinion/im-ok-youre-biased.html>.

3. Jonnie Hughes, *On the Origin of Tepees: The Evolution of Ideas (and Ourselves)*. Nova York: Free Press, 2012.

4. Dan Sperber, Fabrice Clément, Christophe Heintz, Olivier Mascaro, Hugo Mercier, Gloria Origgi e Deirdre Wilson, "Epistemic Vigilance". *Mind & Language*, v. 25, n. 4, p. 359-93, 2010. Disponível em: <https://doi.org/10.1111/j.1468-0017.2010.01394.x>.

5. Boa parte desse capítulo vem de uma entrevista com Hugo Mercier sobre o artigo que ele escreveu com Dan Sperber, "Why Do Humans Reason? Arguments for na Argumentative Theory". *Behavioral and Brain Sciences*, v. 34, n. 2, p. 57-74, 2011. Disponível em: <https://www.cambridge.org/core/journals/behavioral-and-brain-sciences/article/abs/why-do-humans-reason-arguments-for-an-argumentative-theory/53E3F3180014E80E8BE9FB7A2DD44049>.

6. Hugo Mercier e Dan Sperber, *The Enigma of Reason*. Cambridge, MA: Harvard University Press, 2017.

7. Christopher K. Hsee, "Value Seeking and Prediction-Decision Inconsistency: Why Don't People Take What They Predict They'll Like the Most?". *Psychonomic Bulletin & Review*, v. 6, n. 4, p. 555-61, 1999. Disponível em: <https://psycnet.apa.org/record/2006-21670-010>..

8. Eldar Shafir e Amos Tversky, "Thinking through Uncertainty: Nonconsequential Reasoning and Choice". *Cognitive Psychology*, v. 24, n. 4, p. 449-740, 1992. Disponível em: <https://www.sciencedirect.com/science/article/abs/pii/001002859290015T>.

9. Emmanuel Trouche, Petter Johansson, Lars Hall e Hugo Mercier, "The Selective Laziness of Reasoning". *Cognitive Science*, v. 40, n. 8, p. 2122-36, 2015. Disponível em: <https://doi.org/10.1111/cogs.12303>.

10. Tom Stafford, *For Argument's Sake: Evidence That Reason Can Change Minds*. Amazon Digital Services, 2015.

11. David Geil e Molly Moshman, "Collaborative Reasoning: Evidence for Collective Rationality". *Thinking & Reasoning*, v. 4, n. 3, p. 231-48, 1998. Disponível em: <https://www.tandfonline.com/doi/abs/10.1080/135467898394148>.

12. Cass R. Sunstein, "The Law of Group Polarization". *SSRN Electronic Journal*, 1999. Disponível em: <https://papers.ssrn.com/sol3/papers.cfm?abstract_id=199668>.

13. Robert C. Luskin, Ian O'Flynn, James S. Fishkin e David Russell. "Deliberating across Deep Divides". *Political Studies*, v. 62, n. 1, p. 116-35, 2012. Disponível em: <https://doi.org/10.1111/j.1467-9248.2012.01005.x>.

CAPÍTULO 8: PERSUASÃO

1. Frank Capra, *Frank Capra: The Name above the Title; an Autobiography*. Nova York: Bantam Books, 1972.

2. *Prelude to War*, direção de Frank Capra. Estados Unidos: Special Services Division, 1942.

3. Carl Hovland, Irving Lester Janis e Harold H. Kelley, *Communication and Persuasion: Psychological Studies of Opinion Change*. Westport, CT: Greenwood Press, 1982.

4. Entrevista com o psicólogo Richard Petty em 8 de julho de 2018.

5. Harold Lasswell, *The Structure and Function of Communication in Society. The Communication of Ideas*. Nova York: Institute for Religious and Social Studies, 1948.

6. Joel Cooper, Shane J. Blackman e Kyle Keller, *The Science of Attitudes*. Nova York: Psychology Press, 2016.

7. Richard E. Petty, John T. Cacioppo e David Schumann, "Central and Peripheral Routes to Advertising Effectiveness: The Moderating Role of Involvement". *Journal of Consumer Research*, v. 10, n. 2, p. 135, 1983. Disponível em: <https://academic.oup.com/jcr/article-abstract/10/2/135/1801204>.

8. Alice H. Eagly e Shelly Chaiken, *The Psychology of Attitudes*. Belmont, CA: Wadsworth Cengage Learning, 2010.

9. Grande parte dessa seção vem de *The Science of Attitudes*, de Joel Cooper, Shane Blackman e Kyle Keller, que oferece uma visão geral da pesquisa sobre mudança de postura da qual, posteriormente, corri atrás e li.

10. G. Tarcan Kumkale e Dolores Albarracín, "The Sleeper Effect in Persuasion: A Meta--Analytic Review". *Psychological Bulletin*, v. 130, n. 1, p. 143-72, 2004. Disponível em: <https://psycnet.apa.org/record/2003-11000-006>.

11. Francesca Simion e Elisa Di Giorgio, "Face Perception and Processing in Early Infancy: Inborn Predispositions and Developmental Changes". *Frontiers in Psychology*, v. 6, 2015. Disponível em: <https://www.frontiersin.org/articles/10.3389/fpsyg.2015.00969/full>.

12. Susan Pinker, *The Village Effect: How Face-to-Face Contact Can Make Us Healthier and Happier*. Toronto: Vintage Canada, 2015.

CAPÍTULO 9 : EPISTEMOLOGIA DE RUA

1. William Richard Miller e Stephen Rollnick, *Motivational Interviewing: Helping People Change*. Nova York: Guilford Press, 2013.

2. Melanie C. Green e Jenna L. Clark, "Transportation into Narrative Worlds: Implications for Entertainment Media Inhuences on Tobacco Use". *Addiction*, v. 108, n. 3, p. 477-84, 2012. Disponível em: <https://doi.org/10.1111/j.1360-0443.2012.04088.x>.

CAPÍTULO 10: MUDANÇA SOCIAL

1. Kim Ann Zimmermann, "Pleistocene Epoch: Facts About the Last Ice Age". *LiveScience*, 2017. Disponível em: <https://www.livescience.com/40311-pleistocene-epoch.html>.
2. O material referente ao impacto da Era do Gelo na evolução cultural veio de uma entrevista com Peter J. Richerson em 20 de dezembro de 2016.
3. Peter J. Richerson e Robert Boyd, *Not by Genes Alone: How Culture Transformed Human Evolution*. Chicago: The University of Chicago Press, 2006.
4. Lesley Newson e Peter Richerson, "Moral Beliefs about Homosexuality: Testing a Cultural Evolutionary Hypothesis". *ASEBL Journal*, v. 12, n. 1, p. 2-21, 2016.
5. Entrevista com Lesley Newson e Peter Richerson em 20 de dezembro de 2016.
6. "Transcript: Robin Roberts ABC News Interview with President Obama". *ABC News*, 9 de maio de 2012. Disponível em: <https://abcnews.go.com/Politics/transcript-robin-roberts-abc-news-interview-president-obama/story?id=16316043>.
7. Ro Suls, "Deep Divides Between, within Parties on Public Debates about LGBT Issues". *Pew Research Center*, 4 de outubro de 2016. Disponível em: <http://www.pewresearch.org/fact-tank/2016/10/04/deep-divides-between-within-parties-on-public-debates-about-lgbt-issues>.
8. "Two in Three Americans Support Same-Sex Marriage". *Gallup.com*, 23 de maio de 2018. Disponível em: <https://news.gallup.com/poll/234866/two-three-americans-support-sex-marriage.aspx>.
9. Carolyn Lochhead, "Gay Marriage: Did Issue Help Re-Elect Bush?". *SFGate*, 23 de janeiro de 2012. Disponível em: <https://www.sfgate.com/news/article/gay-marriage-Did-issue-help-re-elect-Bush-2677 003.php>.
10. Elisabeth Bumiller, "Same-Sex Marriage: The President; Bush Backs Ban in Constitution on Gay Marriage". *The New York Times*, 25 de fevereiro de 2004. Disponível em: <https://www.nytimes.com/2004/02/25/us/same-sex-marriage-the-president-bush-backs-ban-in-constitution-on-gay-marriage.html>.
11. Matt Viser, "New 'Cottage' at Maine Compound for Jeb Bush". *The Boston Globe*, 23 de maio de 2015. Disponível em: <https://www.bostonglobe.com/news/nation/2015/05/23/jeb-bush-having-new-house-built-for-him-family-compound-maine-even-prepares-for-campaign/mrVSwhPYkanfgL6nA4fRVK/story.html>.
12. David Carter, *Stonewall: The Riots That Sparked the Gay Revolution*. Nova York: Griffin, 2011.

13. David Carter, *Stonewall: The Riots That Sparked the Gay Revolution*. Nova York: Griffin, 2011.

14. Mark Z. Barabak, “Gays May Have the Fastest of All Civil Rights Movements”. *Los Angeles Times*, 20 de maio de 2012. Disponível em: <http://articles.latimes.com/2012/may/20/nation/la-na-gay-rights-movement-20120521>.

15. “So Far, So Fast”. *The Economist*, 9 de outubro de 2014. Disponível em: <https://www.economist.com/briefing/2014/10/09/so-far-so-fast>.

16. Reihan Salam, “That Was Fast: Not Long Ago, Same-Sex Marriage Was a Cause Advanced by a Handful of Activists. Now It’s the Law of the Land. How Did That Happen?”. *Slate*, 26 de junho de 2015. Disponível em: <http://www.slate.com/articles/news_and_politics/politics/2015/06/supreme_court_gay_marriage_decision_why_politicians_and_judges_moved_so.html>.

17. Matt Baume, “Gay Marriage Timeline for the US”. *About.com*. Esse site está atualmente fora do ar, mas versões em cache podem ser encontradas através do Google.

18. Matt Baume, “Why Public Opinion on Gay Marriage Changed So Fast”. *About.com*. Esse site está atualmente fora do ar, mas versões em cache podem ser encontradas do Google.

19. E.J. Graff, “How the Gay-Rights Movement Won”. *The American Prospect*, 2012. Disponível em: <http://prospect.org/article/how-gay-rights-movement-won>.

20. Molly Ball, “How Gay Marriage Became a Constitutional Right”. *The Atlantic*, 1º de julho de 2015. Disponível em: <http://www.theatlantic.com/politics/archive/2015/07/gay-marriage-supreme-court-politics-activism/397052>.

21. Gordon Allport, *The Nature of Prejudice*. Oxford: Addison-Wesley, 1954.

22. “Designated Driver Campaign: Harvard Center Helped to Popularize Solution to a National Problem”. *The Nutrition Source*, 9 de janeiro de 2014. Disponível em: <https://www.hsph.harvard.edu/news/features/harvard-center-helped-to-popularize-solution-to-a-national-problem>.

23. “Harvard Alcohol Project”. *The Nutrition Source*, 20 de maio de 2013. Disponível em: <https://www.hsph.harvard.edu/chc/harvard-alcohol-project>.

24. Kwame Anthony Appiah, *The Honor Code : How Moral Revolutions Happen*. Princeton: W. W. Norton & Princeton University Press, 2011.

25. Steven Pinker, *Os anjos bons da nossa natureza: Por que a violência diminuiu*. São Paulo: Companhia das Letras, 2017.

26. Derek Penwell, "How Did We Learn to Love Gay People So Quickly?". *The Huffington Post*, 7 de dezembro de 2017. Disponível em: <https://www.huffingtonpost.com/derek-penwell/how-did-we-learn-to-love-gay-people-so-quickly_b_2980858.html>.

27. "How Unbelievably Quickly Public Opinion Changed on Gay Marriage, in 5 Charts". *The Washington Post*, 26 de junho de 2015. Disponível em: <https://www.washingtonpost.com/news/the-fix/wp/2015/06/26/how-unbelievably-quickly-public-opinion-changed-on-gay-marriage-in-6-charts/?utm_term=.8283bd8a4590>.

28. Entre os que eu entrevistei e que confirmaram esse fato estão os cientistas políticos Brendan Nyan, Josh Kalla e David Broockman e os psicólogos David Redlawsk e Jason Reifler.

29. Frank Langfitt, "The Fight to Change Attitudes toward Covid-19 Vaccines in the U.K.". *NPR*, 19 de abril de 2021. Disponível em: <https://www.npr.org/2021/04/19/988837575/the-fight-to-change-attitudes-towardcovid-19-vaccines-in-the-u-k>.

30. Greg Satell, *Cascades: How to Create a Movement That Drives Transformational Change*. Nova York: McGraw-Hill Education, 2019.

31. Clive Thompson, "Is the Tipping Point Toast?". *Fast Company*, 2 de janeiro de 2008. Disponível em: <https://www.fastcompany.com/641124/tipping-point-toast>.

32. James Burke, *The Day the Universe Changed*. Boston: Little, Brown, 1995.

33. Entrevista com James Burke em 9 de setembro de 2016.

EPÍLOGO

1. David McRaney, "YANSS 151: What We Can Learn about Our Own Beliefs, Biases, and Motivated Reasoning from the Community of People Who Are Certain the Earth Is Flat". *You Are Not So Smart*, 22 de julho de 2019. Disponível em: <https://youarenotsosmart.com/2019/04/09/yanss-151-what-we-can-learn-about-our-own-beliefs-biases-and-motivated-reasoning-from-the-community-of-people-who-are-certain-the-earth-is-flat>.

Este livro foi impresso pela Cruzado, em 2023,
para a HarperCollins Brasil. O papel do miolo é o
pólen natural 70g/m² e o da capa é cartão 250g/m².